Dr. Joe Dispenza

QUEBRANDO O
HÁBITO
DE SER VOCÊ MESMO

Título original: *Breaking the Habit of Being Yourself*

Copyright © 2012 by Joe Dispenza

Quebrando o hábito de ser você mesmo

16ª edição: Maio 2025

Direitos reservados desta edição: Citadel Editorial SA

O conteúdo desta obra é de total responsabilidade do autor e não reflete necessariamente a opinião da editora.

Autor:
Joe Dispenza

Tradução:
Lúcia Brito
Celso Paschoa

Preparação de texto:
Lúcia Brito

Revisão:
Renato Deitos

Projeto gráfico:
Dharana Rivas

DADOS INTERNACIONAIS DE CATALOGAÇÃO NA PUBLICAÇÃO (CIP)

D612q   Dispenza, Joe.
　　　　　　Quebrando o hábito de ser você mesmo / Joe Dispenza. – Porto Alegre: CDG, 2019.

　　　　　　352 p.

　　　　　　1. Hábito (Psicologia). 2. Meditações. 3. Mente e corpo. 4. Autoajuda. 5. Psicologia aplicada I. Título.

　　　　　　　　　　　　　　　　　　　　　　　　　　　CDD - 158.1

Produção editorial e distribuição:

contato@citadel.com.br
www.citadel.com.br

Para Robi

SUMÁRIO

Apresentação Juliano Pozati 7
Prefácio Dr. Daniel G. Amen, MD 11
Introdução O maior hábito que você pode quebrar é o hábito de ser você mesmo 15

PARTE I
A CIÊNCIA DE VOCÊ

Capítulo 1 O você quântico 29
Capítulo 2 Superando seu ambiente 65
Capítulo 3 Superando seu corpo 79
Capítulo 4 Superando o tempo 111
Capítulo 5 Sobrevivência *versus* criação 123

PARTE II
SEU CÉREBRO E A MEDITAÇÃO

Capítulo 6 Três cérebros: pensar, fazer e ser 149
Capítulo 7 A lacuna 173
Capítulo 8 Meditação, desmistificando o místico e as ondas do seu futuro 201

PARTE III
OS PASSOS RUMO AO SEU NOVO DESTINO

Capítulo 9 O processo meditativo: introdução e preparação...... 243

Capítulo 10 Abra a porta para o estado criativo (1ª semana)...... 253
    1º passo Indução.. 254

Capítulo 11 Podar o hábito de ser você mesmo (2ª semana)...... 259
    2º passo Reconhecer... 259
    3º passo Admitir e declarar.................................... 266
    4º passo Entregar.. 271

Capítulo 12 Desmantele a memória do antigo eu (3ª semana).... 279
    5º passo Observar e relembrar............................... 279
    6º passo Redirecionar... 284

Capítulo 13 Crie uma nova mente para o seu novo futuro (4ª semana)
    7º passo Criar e ensaiar.. 291

Capítulo 14 Demonstre e seja transparente: vivendo sua nova realidade.. 309

Posfácio Habitar o eu... 319
Apêndice A Indução por partes do corpo (1ª semana)............ 325
Apêndice B Indução por imersão em água (1ª semana).......... 329
Apêndice C Meditação guiada: juntando tudo (2ª à 4ª semanas).. 331
Agradecimentos... 337
Sobre o autor.. 339
Notas... 341

APRESENTAÇÃO

Certamente causará espanto ao leitor brasileiro, tão habituado à ampla cobertura midiática de crimes violentos em nossas cidades, saber que, na década de 1990, Washington, D.C., era considerada a capital mais violenta do mundo. De 1986 a 1992, a taxa de criminalidade aumentou 77% (11% ao ano), ainda que o orçamento para combatê-la fosse de US$ 1 bilhão ao ano.[1] Um detalhe curioso: o verão costumava piorar as coisas. Com o calor, as pessoas ficavam mais tempo nas ruas, mais irritadas, e o percentual dos chamados crimes graves (homicídio, estupro e assédio) aumentava.

Foi nesse contexto que, em 1994, um grupo de cientistas e pesquisadores anunciou uma atividade pouco usual que teria resultados ainda menos usuais: 1,9 mil formadores de opinião – cientistas, senadores, políticos influentes – e 375 meios de comunicação receberam um fax anunciando que naquele verão 2,5 mil iogues se reuniriam para atividade de meditação transcendental na capital norte-americana e, como consequência, o número de crimes graves cairia em 20%.

A coisa pegou fogo. CNN, Associated Press, *Washington Post* e *Washington Times* noticiaram a promessa. O chefe de polícia de Washington foi à televisão dizer que a única coisa que faria a taxa de criminalidade cair 20% naquele verão seria 30 centímetros de neve! A experiência começou no início de junho, e o número de iogues voluntários foi aumentando gradualmente ao longo das oito semanas da experiência, até chegar a 4 mil nas últimas duas semanas.

••• APRESENTAÇÃO •••

Os pesquisadores ficaram eufóricos com a possibilidade dos resultados que obteriam. E não era para menos. Quando o número máximo de iogues em atividade de meditação transcendental se consolidou, o número de crimes graves havia diminuído 23%.[2] A correlação foi tão sólida e a diminuição tão significativa que a probabilidade de coincidência seria de 1 em 500 milhões (P = 0,000000002). O Dr. John Hagelin, da Maharishi University of Management, recebeu, em 1994, o prêmio Ig Nobel da Paz pela iniciativa.

Centenas de outros experimentos como este, realizados em todo o mundo, demonstram de forma clara e substancial que a consciência humana exerce influência real sobre o nosso próprio corpo, sobre a matéria e o ambiente que nos cerca. Para ela não há limites de tempo e espaço, e o poder da criatividade é tão surpreendente que não se sujeita aos paradigmas newtonianos.

Para um observador atento será impossível negar a efervescência de acontecimentos transcendentais e revolucionários que agitam nosso mundo nos dias atuais. O avanço que se deu no conhecimento humano nos últimos cem anos é vertiginoso. A impressão que fica é de que uma forte transição está em curso. O velho mundo e a velha forma de pensar tornaram-se tão obsoletos que o antigo paradigma é colocado constantemente em xeque pela nova realidade que se descortina.

Vivemos o privilégio de ser testemunhas oculares dessa transformação e, ainda assim, muitas vezes experimentamos em nossa esperança de um mundo melhor o efeito corrosivo da rotina cotidiana. Já temos todo o conhecimento necessário para mudar o mundo e levar a experiência de humanidade a sua plenitude, mas ainda vemos nossa sociedade estagnada em antigos paradigmas. Por quê? Por que não o fazemos? O que nos falta, se todos os dias tropeçamos em novas evidências de nosso potencial enquanto humanidade? Por que não instalamos agora mesmo o que o mestre chamou de "Reino de Deus" no planeta Terra? Por que não viver a plenitude da experiência humana hoje mesmo?

A resposta pode estar dentro de nós de uma forma que jamais imaginamos: somos viciados, em nível celular, em ser quem somos. Estamos tão condicionados ao antigo paradigma que vemos nosso potencial criativo

••• APRESENTAÇÃO •••

castrado pela corrupção de nosso ânimo, estamos anestesiados por uma forma de pensar que já não faz sentido, mas reluta em dar espaço ao novo.

O papel e a proposta do Dr. Joe Dispenza mostram-se fundamentais diante deste quadro. Ele apresenta neste livro não só os conceitos mais atuais produzidos pela neurociência como nos leva por uma jornada irreversível de conhecimento sobre o funcionamento de nosso cérebro, nossa mente e a atuação de nossa consciência sobre nosso corpo, sobre o ambiente e sobre o tempo. Dispenza lembra-nos de que, "quando você e eu conseguirmos conectar os pontos do que a ciência está descobrindo sobre a natureza da realidade e quando concedermos a nós mesmos permissão para aplicar esses princípios em nosso dia a dia, cada um de nós passará a ser um místico e um cientista em sua própria vida". E enfatiza: "Os tempos estão mudando. Como indivíduos despertos para uma realidade mais esplendorosa, somos parte de uma mudança muito mais oceânica. Nossos atuais sistemas e modelos de realidade estão se fragmentando, e é hora de algo novo emergir".

Livre do peso de dogmas religiosos e científicos, este livro pode representar a semente de um novo mundo a partir da terra fértil da sua própria mente. Um novo mundo será inaugurado por novas pessoas. As novas pessoas serão realizadas a partir de uma nova percepção e experiência de si mesmas.

Boa leitura. Viva o novo! Abraço grande.
Sempre avanti! Che questo è lá cosa piú importante!

Juliano Pozati
Autor de *Data limite segundo Chico Xavier*

PREFÁCIO

Seu cérebro está envolvido em tudo o que você faz, incluindo como você pensa, sente, age e quão bem se dá com outras pessoas. Ele é o órgão da personalidade, caráter, inteligência e de todas as decisões que você toma. A partir do meu trabalho com imagens do cérebro de dezenas de milhares de pacientes do mundo inteiro ao longo dos últimos vinte anos, fica muito claro para mim que, quando seu cérebro funciona bem, você funciona bem, e quando seu cérebro está com problemas, é mais provável que você tenha problemas em sua vida.

Com um cérebro mais saudável, você fica mais feliz, fisicamente mais saudável, mais rico, mais sábio e toma decisões melhores, o que ajuda a ter mais sucesso e uma vida mais longa. Quando o cérebro não está saudável por alguma razão – tais como uma lesão na cabeça ou um trauma emocional do passado –, as pessoas ficam mais tristes, mais doentes, mais pobres, menos sábias e menos bem-sucedidas.

É fácil entender como um trauma pode prejudicar o cérebro, mas os pesquisadores também têm visto como os pensamentos negativos e a má programação proveniente de nosso passado também podem afetá-lo.

Por exemplo, eu cresci com um irmão mais velho determinado a me incomodar. A tensão e o medo constante que eu sentia levaram-me a um nível mais alto de ansiedade, a padrões ansiosos de pensamento e a estar sempre de guarda, jamais sabendo quando algo de ruim estava prestes a acontecer. Esse temor provocou uma hiperatividade de longo prazo nos centros de medo de meu cérebro, até eu ser capaz de superá-la mais tarde na vida.

Em *Quebrando o hábito de ser você mesmo*, meu colega, Dr. Joe Dispenza, é o seu guia para otimizar o *hardware* e o *software* de seu cérebro a fim de ajudá-lo a atingir um novo estado mental. O livro é baseado em dados científicos sólidos, e ele continua a falar com bondade e sabedoria, como fez no premiado filme *Quem somos nós? (What the BLEEP Do We Know!?)* e em seu primeiro livro, *Evolve Your Brain* (Evolua seu cérebro).

Ainda que eu pense no cérebro como um computador, com *hardware* e *software*, o *hardware* (o verdadeiro funcionamento físico do cérebro) não está separado do *software*, ou a programação e a remodelação constantes que ocorrem ao longo de nossa vida. Eles têm um impacto dramático um sobre o outro.

A maioria de nós já teve algum tipo de trauma na vida e vive com as marcas diárias resultantes. Remover essas experiências que se tornaram parte da estrutura cerebral pode ter um incrível poder de cura. Claro que a adoção de hábitos saudáveis para o cérebro, tais como dieta, exercícios e certos nutrientes cerebrais apropriados, é crítica para o bom funcionamento dele. Mas, além disso, seus pensamentos, momento após momento, exercem um importante efeito de cura no cérebro... ou podem trabalhar em seu detrimento. O mesmo é válido para experiências passadas que podem ficar conectadas no cérebro.

O estudo que conduzimos na Amen Clinics é denominado "imagens SPECT do cérebro". SPECT (*single-photon emission computed tomography* ou tomografia computadoriza por emissão de fóton único) é um estudo em medicina nuclear que examina o fluxo sanguíneo e os padrões de atividade. É diferente das varreduras de TC (tomografia computadorizada) ou RM (ressonância magnética), que examinam a anatomia cerebral, pois a SPECT verifica as funções do cérebro. Nosso trabalho com a SPECT, hoje com mais de 70 mil varreduras, tem nos ensinado muitas lições de vida importantes sobre o cérebro, tais como:

- Lesões cerebrais podem arruinar a vida das pessoas.
- O álcool não é um alimento saudável e com frequência mostra danos significativos nas varreduras de SPECT.

••• PREFÁCIO •••

- Diversos medicamentos usados rotineiramente, como algumas medicações comuns para o combate à ansiedade, não são bons para o cérebro.
- Doenças como o mal de Alzheimer de fato começam no cérebro décadas antes da manifestação dos primeiros sintomas.

As varreduras de SPECT também nos ensinaram que, na condição de sociedade, precisamos ter mais amor e respeito pelo cérebro, e que deixar as crianças praticarem esportes de contato, como futebol americano ou hóquei, não é uma boa ideia.

Uma das lições mais estimulantes que aprendi é que as pessoas podem literalmente mudar seu cérebro e sua vida ao adotar hábitos regulares saudáveis para ele, como corrigir crenças negativas e utilizar processos meditativos, como os discutidos pelo Dr. Dispenza.

Em uma série de estudos que publicamos, a prática da meditação, tal como recomendada pelo Dr. Dispenza, impulsionou o fluxo sanguíneo para o córtex pré-frontal, a parte mais pensante do cérebro humano. Após oito semanas de meditação diária, o córtex pré-frontal em repouso estava mais forte, e a memória dos participantes do estudo também havia melhorado. Existem muitos meios de curar e otimizar o cérebro.

A minha esperança é que, como eu, você desenvolva uma "inveja cerebral" e deseje ter um cérebro com melhor funcionamento. O trabalho com imagens do cérebro que desenvolvemos mudou tudo em minha própria vida. Logo após eu começar a pedir exames de SPECT em 1991, decidi examinar o meu próprio cérebro. Eu tinha 37 anos. Quando vi a aparência inchada e tóxica, soube que meu cérebro não estava saudável. Toda a minha vida raramente bebi álcool, jamais fumei e nunca utilizei drogas ilegais. Então, por que meu cérebro tinha um aspecto tão ruim? Antes de realmente entender de saúde cerebral, tive muitos maus hábitos cerebrais. Comia muito *fast-food*, bebia refrigerantes como se fossem a melhor coisa, geralmente dormia apenas de quatro a cinco horas por noite e carregava mágoas não examinadas do passado. Não fazia exercício, sentia um estresse crônico e estava quase quinze quilos acima do peso. Aquilo que eu desconhecia estava me machucando... e não era pouco.

••• PREFÁCIO •••

Meu último exame mostrou que meu cérebro está mais saudável e muito mais jovem do que há vinte anos. Meu cérebro literalmente rejuvenesceu – e seu cérebro é igualmente mutável quando você decide cuidar dele de maneira apropriada. Após ver meu exame original, quis melhorar meu cérebro. Este livro também ajudará você a melhorar o seu.

Espero que você desfrute da leitura tanto como eu.

– Dr. Daniel G. Amen,
autor de *Transforme seu cérebro, transforme sua vida*

INTRODUÇÃO

*O maior hábito que você pode quebrar
é o hábito de ser você mesmo*

Quando penso em todos os livros sobre criar a vida que desejamos, percebo que muitos de nós ainda estão à procura de abordagens fundamentadas em evidências científicas robustas – métodos que realmente funcionem. Mas novas pesquisas sobre o cérebro e o corpo, a mente e a consciência – e um salto quântico em nosso entendimento da física – estão sugerindo possibilidades expandidas de como migrar para o que, de maneira inata, sabemos ser nosso real potencial.

Na condição de quiroprático experiente que administra uma concorrida clínica integrada de saúde e como educador nos campos da neurociência, função cerebral e química do cérebro, sou privilegiado por estar na linha de frente de algumas dessas pesquisas – não apenas estudando os campos mencionados acima, mas também observando os efeitos dessa nova ciência ao ser aplicada por pessoas comuns como você e eu. Esse é o momento em que as possibilidades dessa nova ciência tornam-se realidade.

Como consequência, tenho testemunhado algumas mudanças notáveis na saúde e na qualidade de vida dos indivíduos quando eles realmente mudam suas mentes. Durante os últimos anos, tive a oportunidade de entrevistar uma série de pessoas que superaram condições graves de saúde consideradas terminais ou permanentes. De acordo com o modelo contemporâneo da medicina, essas recuperações foram consideradas "remissões espontâneas".

No entanto, com base em meus extensos exames de suas jornadas interiores, ficou aparente para mim que havia um forte elemento mental envolvido... e as mudanças físicas não eram afinal tão espontâneas. Essa descoberta estimulou meus estudos de pós-graduação em imagens do cérebro, neuroplasticidade, epigenética e psiconeuroimunologia. Eu simplesmente deduzi que tinha que ter acontecido alguma coisa no cérebro e no corpo que poderia ser focada e depois replicada. Neste livro, quero compartilhar algo do que aprendi ao longo do caminho e mostrar a você, ao explorar como a mente e a matéria estão correlacionadas, como é possível aplicar esses princípios não apenas em seu corpo, mas em qualquer aspecto de sua vida.

Vá além do saber... para saber como

Muitos leitores de meu primeiro livro, *Evolve Your Brain: The Science of Changing Your Mind* (Evolua seu cérebro: a ciência de mudar a sua mente), expressaram o mesmo honesto e sincero pedido (juntamente com uma bela quantidade de retornos positivos) da pessoa que escreveu o seguinte: "Gostei muito do seu livro; li duas vezes. Tem muito conteúdo científico e é muito abrangente e inspirador, mas você pode me dizer como fazer isso? Como desenvolvo meu cérebro?".

Em resposta, comecei a ministrar uma série de *workshops* sobre os passos práticos que qualquer pessoa pode empreender para fazer mudanças em nível de mente e corpo que levarão a resultados duradouros. Consequentemente, tenho visto pessoas experimentarem curas inexplicáveis, liberarem antigas feridas mentais e emocionais, resolverem dificuldades supostamente impossíveis, criarem novas oportunidades e obterem uma maravilhosa riqueza, para citar alguns benefícios. (Você conhecerá algumas dessas pessoas nas páginas a seguir.)

Não é necessário que você leia meu primeiro livro para digerir o material contido neste volume. Mas, se você teve contato com meu trabalho, escrevi *Quebrando o hábito de ser você mesmo* para servir como material acompanhante prático, o "como fazer", de *Evolve Your Brain*. Meu sincero

••• INTRODUÇÃO •••

objetivo é fazer com que este livro seja simples e de fácil leitura. Haverá vezes, no entanto, em que terei de oferecer pitadas de conhecimento para que atuem como precursoras de um conceito que desejo desenvolver. O propósito é construir um modelo operacional realista de transformação pessoal que ajude a entender como podemos mudar.

Quebrando o hábito de ser você mesmo é o produto de uma de minhas paixões – um esforço sincero para desmistificar o místico, de modo que todas as pessoas entendam que temos ao nosso alcance tudo o que é preciso para fazer mudanças significativas em nossa vida. Esta é uma época em que não apenas queremos "saber", mas queremos "saber como". Como aplicamos e personalizamos conceitos científicos emergentes e a sabedoria antiga para ter uma vida mais rica? Quando você e eu conseguimos ligar os pontos do que a ciência está descobrindo sobre a natureza da realidade e quando nos permitimos aplicar esses princípios em nosso dia a dia, cada um de nós torna-se um místico e um cientista em sua própria vida.

Assim, convido você a experimentar tudo que aprender neste livro e observar os resultados objetivamente. O que quero dizer é que, se você fizer o esforço para mudar seu mundo interior de pensamentos e sentimentos, seu ambiente externo deve começar a lhe dar retorno para mostrar que sua mente tem efeito em seu mundo "exterior". Por que mais você faria isso?

Se você assimilar a informação intelectual que aprender como uma filosofia e depois implementar esse conhecimento em sua vida, aplicando-o suficientes vezes até dominá-lo, você definitivamente migrará de filósofo para iniciado e depois mestre. Fique antenado... existem sólidas evidências científicas de que isso é possível.

Peço antecipadamente que você mantenha a mente aberta, de modo que possamos construir passo a passo os conceitos delineados neste livro. É para você fazer alguma coisa com toda essa informação – senão trata-se apenas de uma boa conversa informal, certo? Ao abrir sua mente para o modo como as coisas realmente são e se libertar das crenças condicionadas com as quais estava acostumado a enquadrar a realidade, você deve ver os frutos de seus esforços. Isso é o que desejo para você.

As informações aqui nestas páginas são para inspirá-lo a provar a si mesmo que você é um criador divino.

••• INTRODUÇÃO •••

Jamais devemos esperar a permissão da ciência para fazermos o incomum; se agimos assim, transformamos a ciência em uma outra religião. Devemos ser suficientemente corajosos para contemplar nossa vida, fazer o que pensávamos estar "fora da caixa" e fazer isso repetidamente. Quando fazemos isso, estamos no caminho de um maior nível de poder pessoal.

O verdadeiro empoderamento ocorre quando começamos a examinar profundamente nossas convicções. Podemos encontrar suas raízes no condicionamento da religião, cultura, sociedade, educação, família, mídia e até mesmo em nossos genes (estes últimos marcados pelas experiências sensoriais de nossa vida atual, bem como por incontáveis gerações). Então comparamos essas ideias antigas com alguns novos paradigmas que podem nos servir melhor.

Os tempos estão mudando. Como indivíduos despertos para uma realidade maior, somos parte de uma mudança oceânica. Nossos atuais sistemas e modelos de realidade estão se fragmentando, e é hora de algo novo emergir. Nossos modelos políticos, econômicos, religiosos, científicos, educacionais, de medicina e nosso relacionamento com o ambiente estão mostrando sem exceção um cenário diferente daquele de apenas dez anos atrás.

Largar os modelos ultrapassados e aderir aos novos parece fácil. Mas, como apontei em *Evolve Your Brain*, muito do que aprendemos e experimentamos foi incorporado a nosso "eu" biológico e usamos como uma roupagem. No entanto, também sabemos que o que é verdadeiro hoje, amanhã pode não ser. Assim como viemos a questionar nossa percepção dos átomos como pedaços sólidos de matéria, a realidade e nossa interação com ela são uma progressão de ideias e convicções.

Sabemos também que abandonar a vida familiar com a qual nos acostumamos e nos arriscarmos em algo novo é como um salmão nadando contra a corrente: exige esforço – e, francamente, é desconfortável. E, para arrematar, aqueles que se agarram ao que pensam que sabem nos saúdam ao longo da trajetória com ridicularização, marginalização, oposição e denegrimento.

Quem, com uma inclinação tão não convencional, está disposto a encarar essas adversidades em nome de algum conceito que não consegue abarcar com os sentidos, mas que está vivo em sua mente? Quantas vezes na história indivíduos que foram considerados heréticos e tolos, e por isso sofreram abusos de pessoas comuns, emergiram como gênios, santos ou mestres?

Você ousará ser original?

Mudança como escolha e não como reação

Parece que a natureza humana é tal que nos esquivamos de mudar até a situação ficar realmente péssima e ficarmos tão desconfortáveis que não mais podemos prosseguir com as atividades normais. Isso é tão verdadeiro para o indivíduo como para a sociedade. Esperamos por crises, traumas, perdas, doenças e tragédias antes de tratar de examinar quem somos, o que estamos fazendo, como estamos vivendo, o que estamos sentindo e o que acreditamos ou sabemos a fim de adotar mudanças verdadeiras. De modo geral, é preciso o pior cenário para começarmos a fazer mudanças que deem suporte a nossa saúde, relacionamentos, carreira, família e futuro. Minha mensagem é: por que esperar?

Podemos aprender e mudar em um estado de dor e sofrimento, ou podemos evoluir em um estado de alegria e inspiração. A maioria adota o primeiro. Para adotar o segundo, temos apenas que ter a firme consciência de que a mudança provavelmente acarretará um pouco de desconforto, algum inconveniente, uma ruptura na rotina previsível e um período de desconhecimento.

A maioria de nós já tem familiaridade com o desconforto temporário do desconhecimento. Avançamos aos tropeções no esforço inicial para ler até essa habilidade tornar-se uma segunda natureza. Quando começamos a tocar violino ou bateria, nossos pais gostariam de nos colocar em uma cabine à prova de som. Pobre do infeliz paciente que tem o sangue extraído por um estudante de medicina que possui o conhecimento exigido, mas carece da delicadeza que somente obterá com a prática.

Absorver conhecimento (saber) e depois obter experiência prática aplicando o que aprendeu até uma habilidade específica ficar arraigada (saber como) é provavelmente a maneira como você adquiriu a maior parte das habilidades que agora parecem parte de seu ser (sabedoria). De modo

••• INTRODUÇÃO •••

muito semelhante, aprender como mudar sua vida envolve conhecimento e a aplicação desse conhecimento. Por isso este livro está dividido em três partes abrangentes.

Ao longo das partes I e II, consolidarei ideias em sequência, formando um modelo maior e mais amplo de entendimento para você personalizar. Se algumas ideias parecem repetitivas, elas estão presentes para relembrá-lo de algo que não quero que você esqueça. A repetição reforça os circuitos em seu cérebro e forma mais conexões neurais, de modo que, em seu momento de maior fraqueza, você não desista da grandeza. Quando entrar aos poucos na Parte III do livro com uma base sólida de conhecimento, você poderá experimentar por si a "verdade" do que aprendeu anteriormente.

PARTE I
A CIÊNCIA DE VOCÊ

Nossa exploração começará com uma visão geral dos paradigmas filosóficos e científicos relacionados às pesquisas mais recentes sobre a natureza da realidade, quem você é, por que mudar é tão difícil para tanta gente e o que é possível para você como ser humano. Prometo que a Parte I será de fácil leitura.

O "Capítulo 1 – O você quântico" apresenta alguns conceitos básicos de física quântica, mas não fique alarmado. Começo por aí porque é importante que você comece a adotar o conceito de que sua mente (subjetiva) tem um efeito em seu mundo (objetivo). O efeito do observador na física quântica afirma que o ponto para o qual você dirige sua atenção é o ponto onde você coloca sua energia. Como consequência, você afeta o mundo material (que, a propósito, é composto essencialmente de energia). Se você cogita essa ideia por um momento que seja, pode começar a focar no que quer em vez de no que não quer. E pode até se pegar pensando: se um átomo é 99,99999% energia e 0,00001% matéria física,[1] então na realidade sou mais um nada do que alguma coisa! Assim, por que mantenho minha atenção na pequena porcentagem do mundo físico quando sou muito mais? Definir minha presente realidade pelo que percebo com meus sentidos é a minha maior limitação?

• • • INTRODUÇÃO • • •

Nos capítulos 2 a 4, examinaremos o que significa mudar – tornar-se maior do que o ambiente, o corpo e o tempo.

Você provavelmente considerou a ideia de que seus pensamentos criam sua vida. Mas, no "Capítulo 2 – Superando seu ambiente", discuto se você permite que o mundo exterior controle como você pensa e sente, se seu ambiente externo está moldando circuitos em seu cérebro para fazê-lo pensar "igual a" tudo que lhe é familiar. O resultado é que você cria mais do mesmo; conecta seu cérebro para refletir os problemas, condições pessoais e circunstâncias de sua vida. Para mudar, você deve ser maior do que todas as coisas físicas em sua vida.

O "Capítulo 3 – Superando seu corpo" continua a examinar como inconscientemente vivemos regidos por um conjunto de comportamentos, pensamentos e reações emocionais, todos operando como programas de computador nos bastidores de nossa percepção consciente. É por isso que "pensamento positivo" não basta, pois a maior parte do que somos pode residir subconscientemente como negatividade no corpo. No final deste livro, você saberá como acessar o sistema operacional da mente subconsciente e fazer mudanças permanentes onde esses programas existem.

O "Capítulo 4 – Superando o tempo" examina como vivemos na antecipação de eventos futuros ou repetidamente revisitamos lembranças passadas (ou ambos) até o corpo começar a crer que está vivendo em uma época diferente do momento presente. As últimas pesquisas apoiam a noção de que temos uma capacidade natural de mudar o cérebro e o corpo apenas pelo pensamento, de modo que biologicamente pareça que algum evento futuro já aconteceu. Como você pode tornar o pensamento mais real do que qualquer outra coisa, você pode mudar quem é, das células cerebrais aos genes, desde que com o entendimento correto. Quando aprende a usar sua atenção e acessar o presente, você transpõe a porta do campo quântico, onde existem todos os potenciais.

O "Capítulo 5 – Sobrevivência *versus* criação" ilustra a distinção entre viver na sobrevivência e viver na criação. Viver no modo de sobrevivência acarreta viver no estresse e atuar como um materialista, acreditando que o mundo exterior é mais real do que o mundo interior. Quando está sob a mira do sistema nervoso do lutar ou fugir, ativado por um coquetel de

••• INTRODUÇÃO •••

substâncias químicas intoxicantes, você está programado para se preocupar com seu corpo, as coisas ou pessoas em seu ambiente e sua obsessão com o tempo. Seu cérebro e seu corpo estão desequilibrados. Você leva uma vida previsível. No entanto, quando está verdadeiramente no estado elegante de criação, você não é corpo, nem coisa, nem tempo – você esquece de si. Você se torna consciência pura, livre dos grilhões da identidade que necessita da realidade exterior para lembrar quem ela pensa que é.

PARTE II
SEU CÉREBRO E A MEDITAÇÃO

No "Capítulo 6 – Três cérebros: pensar, fazer e ser", você adotará o conceito de que tem três "cérebros" que lhe permitem migrar do pensar para o fazer e para o ser. Ainda melhor, quando foca sua atenção excluindo seu ambiente, seu corpo e o tempo, você pode migrar facilmente do pensar para o ser sem ter que fazer nada. Nesse estado mental, seu cérebro não distingue entre o que ocorre no mundo exterior da realidade e o que ocorre no mundo interior de sua mente. Assim, se conseguir ensaiar mentalmente uma experiência desejada apenas via pensamento, você experimentará as emoções desse evento antes de ele ter se manifestado fisicamente. Você estará migrando para um novo estado de ser, pois sua mente e seu corpo trabalham como um só. Quando começa a ter a sensação de que alguma realidade potencial futura está ocorrendo no momento em que está focando nela, você está reescrevendo seus hábitos, atitudes e outros programas subconscientes automáticos indesejados.

O "Capítulo 7 – A lacuna" explora como se libertar das emoções que você memorizou – que se tornaram sua personalidade – e como fechar a lacuna entre quem você realmente é em seu mundo interior, privado, e como você se parece no mundo exterior, social. Todos nós chegamos a um certo ponto em que paramos de aprender e percebemos que nada externo consegue levar embora os sentimentos familiares de nosso passado. Se você consegue prever a sensação de cada experiência em sua vida, não há espaço para nada novo ocorrer, pois você está visualizando sua vida a partir do passado e não do futuro. Este é o ponto de junção onde a alma se liberta ou cai na alienação. Você aprenderá a liberar sua energia na forma de emoções e com isso estreitará a lacuna entre como você se parece e quem você é. Em última análise, você criará transparência. Quando você se parece com quem você é, você está verdadeiramente livre.

A Parte II é concluída com o "Capítulo 8 – Meditação, desmistificando o místico e as ondas do seu futuro", no qual meu objetivo é desmistificar a meditação, de modo que você saiba o que está fazendo e por quê. Discutindo a tecnologia das ondas cerebrais de maneira simples, mostro como seu cérebro muda eletromagneticamente quando você está focado *versus* quando está em um estado inflamado devido a elementos estressantes em sua vida. Você aprenderá que o verdadeiro propósito da meditação é ir além da mente analítica e acessar a mente subconsciente, de modo que possa fazer mudanças permanentes e reais. Se você levanta da meditação como a mesma pessoa que sentou, nada lhe aconteceu em nenhum nível. Quando você medita e se conecta a algo maior, é possível criar e então memorizar tamanha coerência entre seus pensamentos e sentimentos que nada em sua realidade exterior – nenhuma coisa, pessoa e condição em qualquer local ou tempo – pode movê-lo daquele nível de energia. Agora você domina seu ambiente, seu corpo e o tempo.

PARTE III
OS PASSOS RUMO AO SEU NOVO DESTINO

Todas as informações das partes I e II são fornecidas para abastecê-lo do conhecimento necessário a fim de que, quando demonstrar (aplicar) essas informações na Parte III, que proporciona o "como fazer", você tenha uma experiência direta do que foi ensinado. Toda a Parte III consiste na aplicação de uma real disciplina – um exercício atento para uso em seu dia a dia. É um processo de meditação passo a passo, criado para que você de fato possa fazer algo com as teorias recebidas.

A propósito, sua mente hesitou quando mencionei esse processo em vários passos? Em caso afirmativo, não é o que você pensa. Sim, você aprenderá uma sequência de ações, mas logo as experimentará como um ou dois passos simplificados. Afinal, você provavelmente executa múltiplas

••• INTRODUÇÃO •••

ações cada vez que se prepara para dirigir seu carro (por exemplo, ajusta o assento, coloca o cinto de segurança, confere os espelhos, dá a partida, liga os faróis, olha em volta, dá sinal de que vai dobrar, freia, engata a marcha ou dá a ré, pressiona o acelerador etc). Desde que aprendeu a dirigir, você executa esses procedimentos de maneira simples e automática. Asseguro que o mesmo será válido quando você aprender cada passo da Parte III.

Você pode estar se perguntando: por que preciso ler as partes I e II? Vou pular para a Parte III. Sei, provavelmente eu pensaria o mesmo. Decidi oferecer o conhecimento relevante nas primeiras duas partes do texto para que, quando você chegar na terceira seção, nada seja deixado para conjecturas, dogmas ou especulações. Quando começar os passos da meditação, você saberá exatamente o que está fazendo e por quê. Quando compreende o quê e o porquê, mais você sabe e, portanto, mais saberá como quando chegar a hora. Com isso, terá mais poder e intenção por trás da experiência prática de mudar sua mente para valer.

Ao utilizar as etapas da Parte III, você pode ficar mais propenso a aceitar sua aptidão inata de mudar as situações supostamente impossíveis em sua vida. Você poderá inclusive permitir-se cogitar realidades potenciais que jamais considerou antes da exposição a esses novos conceitos – você poderá simplesmente começar a fazer coisas incomuns! Esse é o meu objetivo para quando você terminar de ler este livro.

Assim, se você conseguir resistir à tentação de pular diretamente para a Parte III, prometo que, quando chegar lá, estará bastante empoderado pelo que aprendeu. Vi essa abordagem funcionar mundo afora na série de três *workshops* que ministro. Quando as pessoas adquirem o conhecimento correto, de tal forma que conseguem entender completamente, e a seguir têm a oportunidade de uma instrução efetiva para aplicar o que compreenderam... então, como numa mágica, conseguem ver os frutos de seus esforços na forma de mudanças que servem de *feedback* em sua vida.

A Parte III fornecerá as habilidades meditativas para mudar coisas em sua mente e em seu corpo e produzir um efeito externo a você. Quando conseguir notar qual coisa feita internamente gerou um resultado externo, você fará de novo. Quando uma nova experiência manifestar-se em sua vida, você acolherá a energia que sente na forma de uma emoção elevada, como empoderamento, admiração ou imensa gratidão, e essa energia o estimulará a repetir a experiência muitas vezes. Você estará no caminho da verdadeira evolução.

Cada etapa de meditação delineada na Parte III está associada a uma informação significativa apresentada anteriormente no livro. Como você terá cultivado o exato significado por trás do que está fazendo, não deve haver ambiguidades que possam fazê-lo perder a visão.

A exemplo de várias habilidades aprendidas, no começo pode ser preciso empenhar todo o esforço consciente para permanecer focado enquanto você aprende a meditar para evoluir seu cérebro. No processo, você deve coibir seus comportamentos típicos e manter os pensamentos no que está fazendo, sem divagar em estímulos externos, de modo que suas ações fiquem alinhadas com sua intenção.

Exatamente como pode ter acontecido quando aprendeu a preparar comida tailandesa, jogar golfe, dançar a salsa ou dirigir com câmbio manual, a novidade do esforço exigirá que você pratique essa capacidade continuamente, treinando tanto a mente quanto o corpo para memorizar cada passo.

Lembre-se de que a maioria dos tipos de instrução é formatada em pequenas porções para que a mente e o corpo possam começar a trabalhar juntos. Quando "cai a ficha", todas as etapas individuais que você continuou repassando fundem-se em um processo fluido. A abordagem linear, metódica, flui sem interrupções em uma abordagem holística, unificada e livre de esforço. Esse é o ponto do domínio pessoal. Às vezes, o esforço exigido pode ser tedioso. Contudo, se você persistir com certa dose de disposição e energia, com o tempo desfrutará dos resultados.

Quando você sabe que sabe "como" fazer algo, está no caminho para dominar esse algo. Fico radiante em dizer que várias pessoas no mundo inteiro já estão usando o conhecimento presente neste livro para fazer mudanças palpáveis em suas vidas. Meu desejo sincero é que você também quebre o hábito de ser você mesmo e crie uma nova vida que deseje.

Vamos começar...

PARTE I

A CIÊNCIA DE VOCÊ

CAPÍTULO 1

O você quântico

Os primeiros físicos dividiram o mundo em matéria e pensamento, e posteriormente em matéria e energia. Cada elemento desses pares era considerado inteiramente separado do outro... mas não são! Todavia, a dualidade mente/matéria modelou nossa visão inicial do mundo – de que a realidade era essencialmente predeterminada e as pessoas pouco podiam fazer para mudar as coisas por suas próprias ações, que dizer, por seus pensamentos.

Vamos avançar para o nosso atual conhecimento – de que somos parte de um vasto campo invisível de energia, que contém todas as realidades possíveis e reage aos nossos pensamentos e sentimentos. A exemplo dos cientistas atuais, que exploram a relação entre pensamento e matéria, estamos ávidos para fazer o mesmo em nossa vida. E por isso nos perguntamos: "Posso usar minha mente para criar minha realidade?". Se sim, seria essa uma habilidade que podemos aprender e utilizar para nos tornarmos quem queremos ser e criarmos a vida que queremos ter?

Vamos encarar – nenhum de nós é perfeito. Seja uma mudança em nosso eu físico, emocional ou espiritual, todos nós temos o mesmo desejo: queremos viver a vida como uma versão idealizada de quem pensamos e acreditamos que podemos ser. Quando paramos na frente do espelho e olhamos nossos pneuzinhos, não vemos simplesmente aquela imagem ligeiramente gorducha refletida no vidro. Também vemos, dependendo

PARTE 1 | A CIÊNCIA DE VOCÊ

do humor do dia, uma versão mais em forma e esguia de nós mesmos ou uma versão mais pesada, rechonchuda. Qual de nossas imagens é real?

Quando deitamos na cama à noite, repassando nosso dia e nossos esforços para ser uma pessoa mais tolerante e menos reativa, não vemos simplesmente o pai que deu bronca no filho por não se submeter silenciosa e tranquilamente a um simples pedido. Visualizamos ou um anjo cuja paciência foi esticada igual ao corpo de uma vítima inocente no estrado, ou um ogro medonho arruinando a autoestima do filho. Qual dessas imagens é real?

A resposta é: todas são reais – e não apenas as extremas, mas um espectro infinito de imagens que vão do positivo ao negativo. Como pode? Para você entender melhor por que nenhuma dessas versões de si mesmo é mais ou menos real do que as outras, vou destroçar o entendimento obsoleto da natureza fundamental da realidade e substituí-lo por um novo.

Parece uma tarefa de grande monta e sob certos aspectos é, mas também sei o seguinte: o motivo mais provável por que você foi atraído para este livro é que seus esforços passados para fazer qualquer mudança – física, emocional ou espiritual – duradoura em sua vida ficou aquém do eu ideal que você imaginava. E o porquê de esses esforços fracassarem tem mais a ver com suas crenças sobre por que sua vida é do jeito que é do que qualquer outra coisa, inclusive uma visível falta de disposição, tempo, coragem ou imaginação.

Para mudar, devemos sempre chegar a um novo entendimento do eu e do mundo, a fim de que possamos adotar novo conhecimento e ter novas experiências.

Isso é o que a leitura deste livro fará por você.

Suas deficiências do passado podem ser rastreadas até um equívoco principal na raiz de todas elas: você não se comprometeu a viver segundo a verdade de que seus pensamentos têm consequências tão grandes que podem criar sua realidade.

O fato é que todos nós somos abençoados, todos nós podemos colher os benefícios de nossos esforços construtivos. Não temos de aceitar nossa presente realidade, podemos criar uma nova sempre que optarmos por isso.

Todos nós temos essa habilidade, pois nossos pensamentos efetivamente influenciam nossa vida, para o bem e para o mal.

Estou certo de que você já ouviu isso antes, mas me pergunto se a maioria das pessoas realmente acredita nessa afirmação do fundo do coração. Se verdadeiramente adotássemos a ideia de que nossos pensamentos produzem efeitos tangíveis em nossas vidas, não lutaríamos para jamais deixar passar por nós um pensamento que não quiséssemos experimentar? E não focaríamos a atenção no que desejamos, em vez de continuarmos obcecados por nossos problemas?

Pense nisso: se você realmente soubesse que esse princípio é verdadeiro, perderia sequer um dia de criação intencional do destino desejado?

Para mudar sua vida, mude suas crenças sobre a natureza da realidade

Espero que este livro transforme sua visão de como o mundo funciona, convença-o de que você é mais poderoso do que sabia e o inspire a demonstrar o entendimento de que o que você pensa e no que acredita tem um efeito profundo em seu dia a dia.

Até romper o modo como vê sua presente realidade, qualquer mudança em sua vida será sempre casual e transitória. A fim de produzir resultados duradouros e desejados, você tem de reformular seus pensamentos sobre por que as coisas acontecem. Para fazer isso, é necessário estar aberto a uma nova interpretação do que é real e verdadeiro.

Para ajudá-lo a mudar para esse modo de pensar e começar a criar a vida de sua preferência, tenho que começar com um pouco de cosmologia (o estudo da estrutura e da dinâmica do universo). Mas não fique alarmado – vamos apenas dar uma passada pela aula básica de "natureza da realidade" e ver como algumas de nossas visões sobre ela evoluíram até atingir o nosso presente entendimento. Tudo para explicar (necessariamente de forma breve e simples) como é possível que nossos pensamentos modelem nosso destino.

Este capítulo apenas pode testar sua disposição para abandonar ideias que de certo modo foram programadas em você durante muitos anos, em nível consciente e subconsciente. Assim que você obtiver uma nova concepção dos elementos e forças fundamentais que constituem a realidade, isso não se enquadrará na antiga percepção em que o linear e o ordenado ditam as regras. Esteja preparado para experimentar algumas mudanças fundamentais de entendimento.

De fato, quando começar a adotar essa nova perspectiva, sua própria constituição como ser humano mudará. Desejo que você não seja mais a mesma pessoa que era quando começou.

Obviamente, estou prestes a desafiá-lo, mas quero que saiba que sou inteiramente empático, pois também tive que abandonar o que pensava ser verdadeiro e me lançar no desconhecido. Para facilitar a entrada nesse novo jeito de pensar sobre a natureza do mundo, vamos ver como nossa visão de mundo foi moldada pela crença inicial de que mente e matéria eram coisas separadas.

Sempre a matéria, nunca a mente?
Sempre a mente, nunca a matéria?

Ligar os pontos entre o mundo físico exterior do observável e o mundo mental interior do pensamento sempre representou um desafio aos cientistas e aos filósofos. Ainda hoje, para muitos de nós, a mente parece ter pouco ou nenhum efeito mensurável no mundo material. Embora provavelmente concordemos que o mundo material produz consequências que afetam nossa mente, como é possível nossa mente produzir quaisquer mudanças físicas que afetem as coisas sólidas em nossa vida? Mente e matéria parecem estar separadas... isto é, a menos que haja uma mudança em nosso entendimento sobre como as coisas sólidas e físicas de fato existem.

Bem, houve essa mudança, e para remontar a seus primórdios não temos que retroceder muito. Durante uma grande parte do que os historiadores consideram os tempos modernos, a humanidade acreditou que a natureza do universo era ordenada e, portanto, previsível e explicável. Considere o matemático e filósofo René Descartes, do século 17, que desenvolveu muitos conceitos que ainda têm grande relevância para a matemática e outros campos (penso, logo existo evoca alguma coisa?). Em retrospectiva, no entanto, uma de suas teorias no fim causou mais mal do que bem. Descartes foi um proponente do modelo mecânico do universo – uma visão de que o universo é controlado por leis previsíveis.

No que se refere ao pensamento humano, Descartes enfrentou um real desafio – a mente humana possuía variáveis demais para se encaixar adequadamente em qualquer lei. Como não conseguia unificar seu entendimento do mundo físico com o entendimento da mente, mas tinha de explicar ambos, Descartes jogou um elegante jogo mental (trocadilho intencional). Ele disse que a mente não estava sujeita às leis do mundo físico objetivo; por isso, situava-se totalmente fora das fronteiras da investigação científica. O estudo da matéria era a jurisdição da ciência (sempre a matéria, nunca a mente) – enquanto a mente era um instrumento de Deus; por isso, seu estudo cabia à religião (sempre a mente, nunca a matéria).

Essencialmente, Descartes deu início a um sistema de crença que impôs uma dualidade entre os conceitos de mente e matéria. Por séculos essa divisão manteve-se como o entendimento aceito da natureza da realidade.

Ajudando a perpetuar as convicções de Descartes, houve as experiências e teorias de Sir Isaac Newton. O cientista e matemático inglês não apenas solidificou o conceito do universo como uma máquina, mas produziu um conjunto de leis estabelecendo que os seres humanos poderiam determinar, calcular e prever com precisão os meios ordenados nos quais o mundo físico operaria.

De acordo com o modelo newtoniano de física "clássica", todas as coisas são consideradas sólidas. Por exemplo, a energia poderia ser explicada como uma força para mover objetos ou para mudar o estado físico da matéria. Mas, como você verá, a energia é muito mais do que uma força externa exercida sobre coisas materiais. A energia é o próprio tecido de todas as coisas materiais e reage à mente.

Por extensão, o trabalho de Descartes e Newton estabeleceu uma mentalidade de que, se a realidade opera sob princípios mecânicos, então a humanidade tem pouca influência nos resultados. Toda a realidade é predeterminada. Dada essa perspectiva, seria de surpreender que os seres humanos lutassem contra a ideia de que suas ações importavam, que dirá cogitassem a noção de que seus pensamentos importavam ou que o livre--arbítrio desempenhava qualquer papel no grande esquema das coisas?

Muitos de nós ainda hoje não trabalham (subconsciente ou conscientemente) sob a premissa de que nós humanos geralmente não passamos de vítimas?

Considerando que essas apreciadas crenças predominaram por séculos, foi preciso um pensamento revolucionário para confrontar Descartes e Newton.

Einstein: bagunçando não só o coreto – bagunçando o universo

Cerca de duzentos anos depois de Newton, Albert Einstein criou sua famosa equação $E = mc^2$, demonstrando que energia e matéria estão tão fundamentalmente correlacionadas que são a mesma e única coisa. Essencialmente, seu trabalho mostrou que matéria e energia são inteiramente intercambiáveis. Isso contradisse diretamente Newton e Descartes e introduziu um novo entendimento sobre o funcionamento do universo.

Einstein não esfarelou nossa visão anterior da natureza da realidade sozinho. Mas minou sua fundação, e isso levou ao colapso de algumas de nossas formas tacanhas e rígidas de pensar. Suas teorias deram início à exploração do comportamento enigmático da luz. Os cientistas então observaram que a luz às vezes se comporta como uma onda (quando circunda um canto, por exemplo) e em outras vezes se comporta como uma partícula. Como a luz poderia ser tanto uma onda como uma partícula? De acordo com a perspectiva de Descartes e Newton, não poderia – um fenômeno tinha de ser uma coisa ou outra.

Rapidamente ficou claro que o modelo dualístico cartesiano/newtoniano falhava no nível mais básico de todos: o subatômico (subatômico refere-se aos componentes – elétrons, prótons, nêutrons etc. – formadores dos átomos, que constituem todas as coisas físicas). Os componentes mais fundamentais do chamado mundo físico são as ondas (energia) e as partículas (matéria física), dependendo da mente do observador (voltaremos a esse ponto). Para entender como o mundo funciona, temos que examinar seus componentes mais diminutos.

Assim, a partir desses experimentos específicos, nasceu um novo campo da ciência, denominado física quântica.

O chão sólido em que pisamos... só que não

Essa mudança foi uma completa reinterpretação do mundo em que pensávamos viver e levou à proverbial puxada de tapete sob nossos pés – pés que costumávamos pensar que estavam plantados em chão sólido. Como assim? Recorde aqueles antigos modelos de átomo feitos com palitos de dente e bolas de isopor. Antes da física quântica, as pessoas acreditavam que um átomo era composto de um núcleo relativamente sólido com objetos menores e menos substanciais localizados ao redor. A própria ideia de que com um instrumento suficientemente poderoso poderíamos medir (calcular a massa) e contar (numerar) as partículas subatômicas que formavam um átomo fazia com que eles parecessem tão inertes como vacas pastando no campo. Os átomos pareciam ser feitos de material sólido, certo?

O ÁTOMO CLÁSSICO

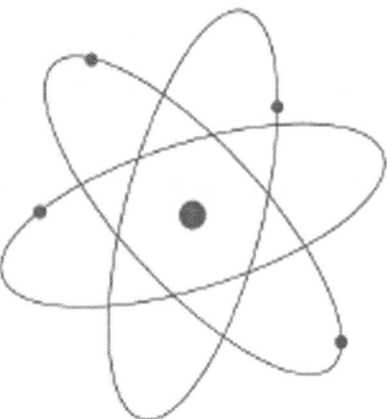

Figura 1A. A versão de um átomo segundo a "velha escola" clássica newtoniana. O foco primário é o material.

Nada poderia estar mais distante da verdade, conforme revelou o modelo quântico. Os átomos são basicamente espaço vazio; os átomos são energia. Pense nisso: todas as coisas físicas de nossa vida não são matéria sólida – são, isso sim, campos de energia ou padrões de frequência de informação.

PARTE 1 | A CIÊNCIA DE VOCÊ

Toda a matéria é mais "coisa nenhuma" (energia) do que "alguma coisa" (partículas).

O ÁTOMO QUÂNTICO

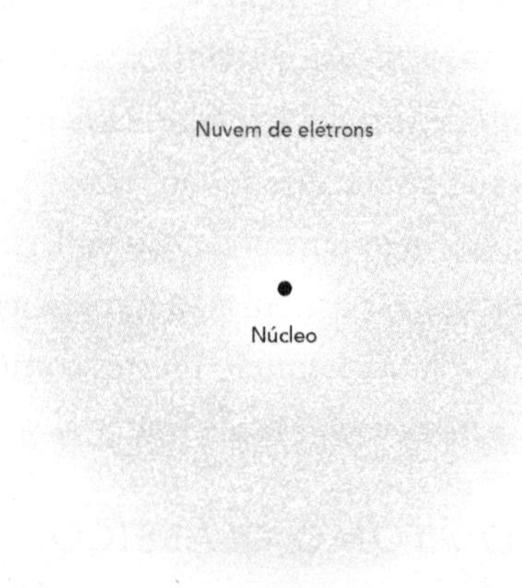

Nuvem de elétrons

Núcleo

Figura 1B. A versão de um átomo segundo a "nova escola" quântica, com uma nuvem de elétrons. O átomo é 99,99999% energia e 0,00001% matéria. Em termos de matéria, é praticamente nada.

O ÁTOMO QUÂNTICO REAL

Figura 1C. Este é o modelo mais realista de qualquer átomo. "Coisa nenhuma" em termos de matéria, mas potencialmente todas as coisas.

Outro enigma: partículas subatômicas e objetos maiores jogam com regras diferentes

Mas só isso não bastava para explicar a natureza da realidade. Einstein e outros tinham mais um enigma para solucionar – a matéria nem sempre parecia se comportar da mesma maneira. Quando os físicos começaram a observar e medir o mundo diminuto do átomo, notaram que, no nível subatômico, os elementos fundamentais do átomo não obedeciam às leis da física clássica da mesma forma que os objetos maiores.

Os eventos envolvendo objetos no mundo "amplo" eram previsíveis, reproduzíveis e consistentes. Quando a lendária maçã caiu de uma árvore e moveu-se na direção do centro da Terra até colidir com a cabeça de Newton, sua massa acelerou-se com uma força constante. Mas os elétrons, como partículas, comportavam-se de modo imprevisível, incomum. Quando interagiam com o núcleo do átomo e moviam-se na direção de seu centro, ganhavam e perdiam energia, apareciam e desapareciam e pareciam exibir-se por toda parte, alheios às fronteiras de tempo e espaço.

Será que o mundo das partículas e dos objetos maiores opera sob conjuntos de regras muito diferentes? Visto que partículas subatômicas como os elétrons eram os blocos de construção de tudo na natureza, como poderiam estar sujeitos a um conjunto de regras e as coisas que formavam se comportarem segundo um outro conjunto de regras?

Da matéria à energia: as partículas executam o derradeiro ato de desaparecimento

No nível dos elétrons, os cientistas conseguem medir características dependentes da energia, como comprimento de onda, potenciais de tensão e afins, mas essas partículas têm uma massa tão infinitesimalmente pequena e que existe tão temporariamente que é quase inexistente.

Isso é que torna o mundo subatômico singular. Ele possui não apenas qualidades físicas, mas também qualidades energéticas. Na verdade, a matéria no nível subatômico existe como um fenômeno momentâneo. Ela é tão elusiva que aparece e desaparece constantemente, aparecendo em três dimensões (no tempo e no espaço) e desaparecendo no nada (no campo quântico, sem espaço, sem tempo), transformando-se de partícula (matéria) em onda (energia) e vice-versa. Mas para onde vão as partículas quando desaparecem sem deixar vestígio?

COLAPSANDO A FUNÇÃO DE ONDA

O elétron poderia estar em qualquer ponto

O elétron aparece como uma partícula.

O elétron desaparece no nada.

O elétron reaparece como uma partícula.

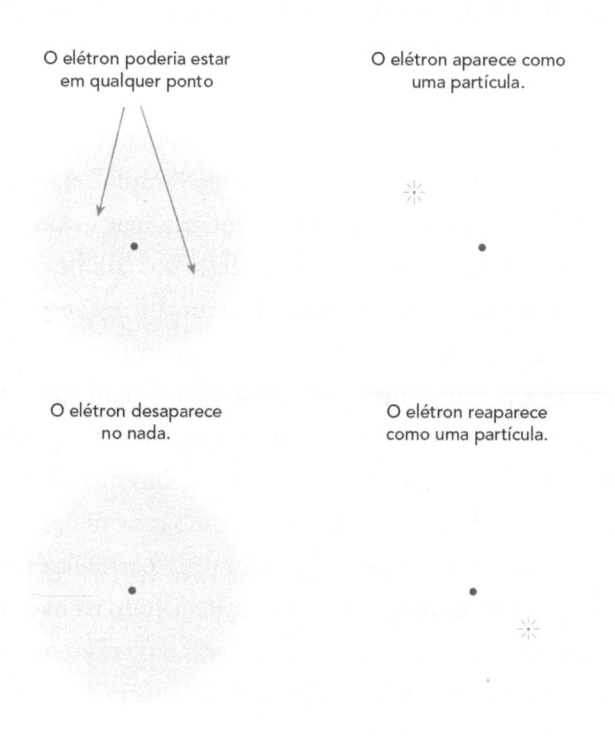

Figura 1D. O elétron existe como uma onda de probabilidade em um momento, no momento seguinte aparece como uma partícula sólida, depois desaparece no nada e então reaparece em outro local.

A criação da realidade: a energia responde à atenção consciente

Considere novamente aquele modelo de composição do átomo da escola, feito com palitos de dente e bolas de isopor. Naquele tempo não fomos induzidos a acreditar que os elétrons orbitavam o núcleo como os planetas ao redor do Sol? Sendo assim, poderíamos indicar suas localizações, não é? A resposta é sim, de certa maneira, mas o motivo não é absolutamente o que pensávamos.

O que os físicos quânticos descobriram foi que a pessoa que observa (ou mede) as partículas diminutas que compõem os átomos afeta o comportamento da energia e da matéria. Experimentos quânticos demonstraram que os elétrons existem simultaneamente em um leque infinito de possibilidades ou probabilidades em um campo invisível de energia. Mas apenas quando um observador foca a atenção em alguma localização de algum elétron, o elétron aparece. Em outras palavras, uma partícula não pode manifestar-se na realidade – ou seja, no espaço/tempo ordinário como o conhecemos – até que a observemos.[1]

Os físicos quânticos denominam esse fenômeno de "colapso da função de onda" ou de "efeito do observador". Agora sabemos que, no momento em que o observador procura um elétron, há um ponto específico no tempo e no espaço onde todas as probabilidades do elétron colapsam em um evento físico. Com essa descoberta, mente e matéria não podem mais ser consideradas elementos separados; estão intrinsecamente relacionadas, pois a mente subjetiva produz mudanças mensuráveis no mundo físico, objetivo.

Você está começando a ver por que este capítulo é intitulado "O você quântico"? No nível subatômico, a energia responde à sua atenção consciente e se torna matéria. Como sua vida mudaria se você aprendesse a direcionar o efeito do observador e colapsasse ondas infinitas de probabilidade na realidade de sua preferência? Você poderia melhorar a observação da vida que deseja?

Um número infinito de possíveis realidades aguarda o observador

Pondere o seguinte: todas as coisas do universo físico são compostas de partículas subatômicas como os elétrons. Por sua própria natureza, essas partículas, quando existem como puro potencial, estão em seus estados de onda enquanto não estão sendo observadas. São potencialmente "todas as coisas" e "coisa nenhuma" até serem observadas. Existem em toda parte e em parte alguma até serem observadas. Assim, todas as coisas em nossa realidade física existem como puro potencial.

Se as partículas subatômicas podem existir em um número infinito de possíveis locais simultaneamente, somos potencialmente capazes de colapsar em existência um número infinito de possíveis realidades. Em outras palavras, se você consegue imaginar um evento futuro em sua vida baseado em qualquer um de seus desejos pessoais, essa realidade já existe como possibilidade no campo quântico, esperando para ser observada por você. Se a sua mente pode influenciar o aparecimento de um elétron, então teoricamente ela pode influenciar o aparecimento de qualquer possibilidade.

Isso significa que o campo quântico contém uma realidade na qual você é saudável, rico, feliz e possui todas as qualidades e aptidões do eu idealizado que mantém em seus pensamentos. Acompanhe-me e você verá que, com atenção deliberada, aplicação sincera do novo conhecimento e esforço diário repetido, você pode utilizar sua mente, como observador, para colapsar partículas quânticas e organizar um vasto número de ondas subatômicas de probabilidade em um evento físico desejado chamado de experiência em sua vida.

Como argila, a energia de infinitas possibilidades é modelada pela consciência: sua mente. E, se toda a matéria é feita de energia, faz sentido que consciência (nesse caso, "mente", conforme denominada por Newton e Descartes) e energia ("matéria", de acordo com o modelo quântico) estejam tão intimamente relacionadas que sejam uma única coisa. Mente e matéria são completamente emaranhadas. Sua consciência (mente) tem efeitos sobre a energia (matéria) porque sua consciência é energia e energia tem consciência. Você é suficientemente poderoso para influenciar a matéria porque no nível mais elementar você é energia com uma consciência. Você é matéria consciente.

No modelo quântico, o universo físico é um campo de informação imaterial, interconectado e unificado, potencialmente todas as coisas, mas fisicamente coisa nenhuma. O universo quântico está apenas esperando um observador consciente (você ou eu) aparecer e influenciar a energia na forma de matéria potencial pelo uso da mente e da consciência (que são energia) para fazer ondas de probabilidades energéticas aglutinarem-se em matéria física. Assim como a onda de possibilidade do elétron manifesta-se como uma partícula dentro de um evento momentâneo específico, nós como observadores fazemos uma partícula, ou grupos de partículas, manifestar experiências físicas na forma de eventos em nossa vida.

Isso é decisivo para o entendimento de como você pode causar um efeito ou fazer uma mudança em sua vida. Quando aprende a aguçar suas habilidades de observação para afetar intencionalmente seu destino, você está a caminho de viver a versão ideal de sua vida, tornando-se a versão idealizada do seu eu.

Estamos conectados a todas as coisas no campo quântico

Como tudo o mais no universo, estamos de certo modo conectados a um mar de informações em uma dimensão além do espaço e do tempo físicos. Não precisamos estar tocando, nem sequer estar muito perto de quaisquer elementos físicos no campo quântico para afetá-los ou sermos afetados por eles. O corpo físico são padrões organizados de energia e informação, unificados a tudo no campo quântico.

Você, como todos nós, emite um padrão de energia ou assinatura distinta. De fato, tudo que é material está sempre emitindo padrões de energia específicos. E essa energia conduz informações. Seus estados mentais flutuantes consciente ou inconscientemente alteram essa assinatura a cada momento, pois você é mais do que um simples corpo físico; você é uma consciência usando um corpo e um cérebro para expressar diferentes níveis mentais.

Outra forma de examinar como nós humanos e o campo quântico estamos interconectados é o conceito de emaranhamento quântico ou conexão quântica não local. Essencialmente, uma vez que duas partículas possam ser inicialmente ligadas de alguma forma, elas sempre estarão unidas além do espaço e do tempo. Como resultado, qualquer coisa que seja feita para uma será feita para a outra, embora elas estejam separadas espacialmente. Isso significa que, uma vez que nós também somos compostos de partículas, estamos todos implicitamente conectados além do espaço e do tempo. O que fazemos para os outros, fazemos para nós mesmos.

Pense nas implicações disso. Se consegue envolver sua mente com esse conceito, você tem de concordar que o "você" que existe em um provável futuro já está conectado ao "você" desse agora, em uma dimensão além desse tempo e espaço. Continue antenado... ao final deste livro, essa ideia poderá simplesmente ser normal para você!

Ciência esquisita: podemos afetar o passado?

Uma vez que todos nós estamos interconectados através da distância e do tempo, isso sugere que nossos pensamentos e sentimentos podem influenciar eventos em nosso passado bem como aqueles que desejamos no futuro?

Em julho de 2000, o médico israelense Leonard Leibovici conduziu um teste randomizado controlado, duplo-cego, envolvendo 3.393 pacientes hospitalares, divididos em um grupo de controle e um grupo de "intercessão". Ele propôs-se a verificar se a oração poderia ter um efeito em seu estado de saúde.[2] Os experimentos com oração são ótimos exemplos da mente afetando a matéria a distância. Mas me acompanhe aqui, pois nem tudo é o que parece.

Leibovici selecionou pacientes que tiveram sépsis (uma infecção) enquanto estavam hospitalizados. Designou randomicamente metade dos pacientes para receber orações e a outra metade não. Ele comparou os resultados em três categorias: quanto tempo a febre perdurou, período de permanência no hospital e quantos morreram em decorrência da infecção.

Os que receberam orações tiveram a redução da febre em menos tempo e um período mais curto de internação; a diferença no número de óbitos entre os grupos com oração e sem oração não foi estatisticamente significativa, embora menor no grupo que recebeu orações.

Essa é uma poderosa demonstração dos benefícios da oração e de como podemos enviar uma intenção para o campo quântico por meio de nossos pensamentos e sentimentos. Contudo, existe um elemento adicional nessa história do qual você deve tomar conhecimento. Não lhe pareceu ligeiramente estranho que em julho de 2000 um hospital tenha registrado mais de três mil casos de infecção de uma só vez? Seria um lugar muito pouco esterilizado ou aconteceu um surto de contágio desenfreado?

Na realidade, aqueles que estavam rezando não faziam as orações para pacientes infectados em 2000. Sem saber, estavam rezando para listas de pessoas que haviam estado no hospital entre 1990 e 1996 – quatro a dez anos antes do experimento! Os pacientes que receberam orações na verdade melhoraram nos anos 1990 a partir do experimento conduzido anos depois. Deixe-me dizer de outra forma: os pacientes que receberam orações em 2000 exibiram mudanças mensuráveis na saúde, mas tais mudanças surtiram efeito anos antes.

Uma análise estatística do experimento provou que os efeitos iam muito além da coincidência. Isso demonstra que nossas intenções, nossos pensamentos e sentimentos e nossas orações não apenas afetam nosso presente ou futuro, mas podem afetar também nosso passado.

Agora, isso leva à pergunta: se você fosse rezar (ou focar em uma intenção) por uma vida melhor, isso poderia afetar seu passado, presente e futuro?

A lei quântica afirma que todos os potenciais existem simultaneamente. Nosso pensamento e nossos sentimentos afetam todos os aspectos da vida, além do espaço e do tempo.

Nosso estado de ser ou estado mental: quando mente e corpo são um

Por favor, observe: ao longo deste livro, vou me referir indiferentemente a ter e criar um estado de ser ou um estado mental. Por exemplo, poderíamos dizer que o modo como você pensa e sente cria um estado de ser. Quero que você entenda que, quando uso os termos estado de ser e estado mental, seu corpo físico faz parte desse estado. De fato, como você verá mais adiante, muitas pessoas existem em um estado no qual o corpo "se tornou" a mente, quando são governadas quase que exclusivamente pelo corpo e como ele sente. Assim, quando falo sobre o observador ter um efeito, não é apenas o cérebro que está em ação influenciando a matéria, mas o corpo também. É o seu estado de ser (quando a mente e o corpo são um), como observador, que tem efeitos no mundo externo.

PARTE 1 | A CIÊNCIA DE VOCÊ

Pensamentos + sentimentos produzem resultados comprovados em testes de laboratório

Nos comunicamos com o campo quântico fundamentalmente por meio de nossos pensamentos e sentimentos. Como nossos pensamentos são energia – como você sabe, os impulsos elétricos gerados pelo cérebro podem ser facilmente medidos por dispositivos como um EEG (eletroencefalograma) –, eles são um dos principais meios pelos quais enviamos sinais para o campo.

Antes de eu entrar em maiores detalhes sobre como isso funciona, quero compartilhar com você um estudo notável que demonstra como nossos pensamentos e sentimentos influenciam a matéria.

O biólogo celular Glen Rein, P.h.D., concebeu uma série de experimentos para testar a habilidade de curadores em afetar sistemas biológicos. Como o DNA é mais estável do que substâncias como células ou culturas bacterianas, ele fez os curadores segurarem tubos de ensaio contendo DNA.[3]

O estudo foi realizado no HearthMath Research Center, na Califórnia. Lá foram conduzidas pesquisas extraordinárias sobre a fisiologia das emoções, interações coração-cérebro e outras. Essencialmente, Rein e outros documentaram um elo específico entre estados emocionais e ritmo cardíaco. Quando temos emoções negativas (como raiva e medo), nosso ritmo cardíaco fica errático e desorganizado. Em contrapartida, emoções positivas (amor e alegria, por exemplo) produzem padrões extremamente ordenados e coerentes, que os pesquisadores do HeartMath referem como uma coerência cardíaca.

No experimento do Dr. Rein, ele primeiro estudou um grupo de dez indivíduos com muita prática no uso de técnicas que o HeartMath ensina para gerar coerência focada no coração. Eles aplicaram as técnicas para produzir sentimentos elevados e intensos, tais como amor e apreciação, a seguir, por dois minutos, seguraram frascos contendo amostras de DNA suspensas em água deionizada. Quando as amostras foram analisadas, não haviam ocorrido variações estatisticamente significativas.

Um segundo grupo de participantes treinados fez a mesma coisa, mas, em vez de apenas criarem emoções positivas (um sentimento) de amor e apreciação, simultaneamente mantiveram uma intenção (um pensamento) de enrolar ou desenrolar os filamentos de DNA. Este grupo produziu variações estatisticamente significativas na conformação (forma) das amostras de DNA. Em alguns casos, o DNA foi enrolado ou desenrolado em até 25%!

Um terceiro grupo de participantes treinados manteve uma clara intenção de alterar o DNA, mas foi instruído a não entrar em estado emocional positivo. Em outras palavras, usaram apenas o pensamento (intenção) para afetar a matéria. O resultado? Nada de alterações nas amostras de DNA.

O estado emocional positivo adotado pelo primeiro grupo não provocou nada no DNA. O outro grupo, com pensamentos claramente intencionais, desacompanhados de emoções, também não teve impacto. Apenas quando os participantes mantiveram um alinhamento entre emoções elevadas e objetivos claros, eles foram capazes de produzir o efeito desejado.

Um pensamento intencional precisa de um energizador, um catalisador – e essa energia é uma emoção elevada. Coração e mente trabalhando juntos. Sentimentos e pensamentos unificados em um estado de ser. Se um estado de ser consegue enrolar e desenrolar filamentos de DNA em dois minutos, o que isso diz de nossa capacidade para criar a realidade?

O que esse experimento do HeartMath demonstra é que o campo quântico não responde simplesmente a nossos desejos – nossas solicitações emocionais. Não responde apenas a nossos objetivos – nossos pensamentos. Só responde quando ambos estão alinhados ou são coerentes – isto é, quando transmitem o mesmo sinal. Quando combinamos uma emoção elevada com um coração aberto e uma intenção consciente com um pensamento claro, sinalizamos ao campo para que responda de maneira surpreendente.

O campo quântico não responde ao que queremos; ele responde a quem somos.

Pensamentos e sentimentos: transmitindo nosso sinal eletromagnético para o campo quântico

Como todo potencial no universo é uma onda de probabilidade que tem um campo eletromagnético e é de natureza energética, faz sentido que nossos pensamentos e sentimentos não sejam exceção.

Considero um modelo útil imaginarmos os pensamentos como a carga elétrica e os sentimentos como a carga magnética no campo quântico.[4] Os pensamentos que temos enviam um sinal elétrico para o campo. Os sentimentos que geramos magneticamente atraem eventos de volta para nós. Em conjunto, o modo como pensamos e o modo como sentimos produzem um estado de ser que gera uma assinatura eletromagnética, e esta influencia todos os átomos em nosso mundo. Isso deve instigar-nos a perguntar: o que estou transmitindo (consciente ou inconscientemente) no dia a dia?

Todas as experiências potenciais existem como assinaturas eletromagnéticas no campo quântico. Há um número infinito de assinaturas eletromagnéticas potenciais – para genialidade, riqueza, liberdade, saúde – já existentes como um padrão de frequência de energia. Se você conseguisse criar um novo campo eletromagnético alterando seu estado de ser, que corresponde ao potencial no campo quântico da informação, seria possível que seu corpo fosse atraído para esse evento ou que o evento encontrasse você?

POTENCIAIS ELETROMAGNÉTICOS
NO CAMPO QUÂNTICO

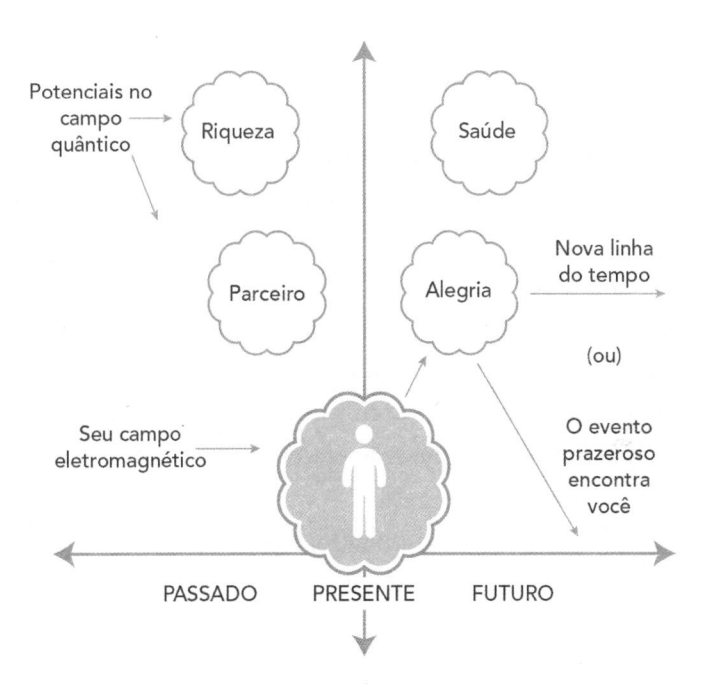

Figura 1E. Todas as experiências potenciais existem no campo quântico como um mar de infinitas possibilidades. Quando você altera sua assinatura eletromagnética (mudando a forma como pensa e sente) para que ela corresponda a outra já existente no campo, seu corpo será atraído para aquele evento, você migrará para uma nova linha do tempo, ou o evento irá encontrá-lo em sua nova realidade.

Para experimentar a mudança, observe um novo resultado com uma nova mente

De maneira muito simples, nossa rotina e nossos pensamentos e sentimentos conhecidos perpetuam o mesmo estado de ser, que cria os mesmos comportamentos e a mesma realidade. Assim, se desejamos mudar algum aspecto de nossa realidade, temos de pensar, sentir e agir de novas formas; temos de "ser" diferentes em termos de nossas respostas às experiências.

Temos de "passar a ser" uma outra pessoa. Precisamos criar um novo estado mental... precisamos observar um novo resultado com essa nova mente.

Do ponto de vista quântico, temos de criar um estado de ser diferente como observadores e gerar um novo sinal eletromagnético. Quando fazemos isso, criamos correspondência com uma realidade potencial no campo que existe apenas como potencial eletromagnético. Quando há essa correspondência entre quem somos/o que transmitimos e o potencial eletromagnético no campo, somos puxados até essa realidade particular ou ela nos encontra.

Sei que é frustrante quando a vida parece produzir uma sucessão infindável de pequenas variações nos mesmos resultados negativos. Porém, enquanto você for a mesma pessoa, enquanto sua assinatura eletromagnética permanecer a mesma, você não pode esperar um novo resultado. Mudar sua vida é mudar sua energia – fazer uma mudança elementar em sua mente e emoções.

Se você quer ter um novo resultado, tem de quebrar o hábito de ser você mesmo e reinventar um novo eu.

Mudança exige coerência: alinhe seus pensamentos e sentimentos

O que seu estado de ser e um laser têm em comum? Farei essa conexão para ilustrar outro ponto que você precisa conhecer caso queira mudar sua vida.

O *laser* é um exemplo de sinal muito coerente. Quando os físicos falam de sinal coerente, referem-se a um sinal composto de ondas "em fase" – seus vales (pontos baixos) e cristas (pontos altos) são paralelos. Quando as ondas são coerentes, são muito mais poderosas.

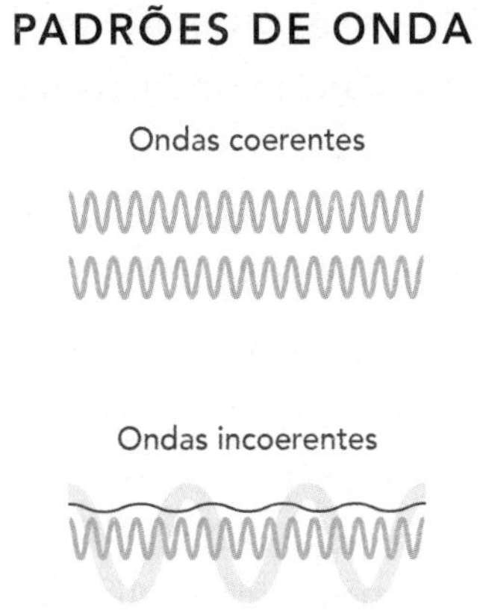

1 | O você quântico

PADRÕES DE ONDA

Ondas coerentes

〰〰〰〰〰〰〰〰
〰〰〰〰〰〰〰〰

Ondas incoerentes

〰〰〰〰〰〰〰〰

Figura 1F. Quando as ondas estão em fase e são rítmicas, são mais poderosas do que quando estão fora de fase.

As ondas de um sinal estão alinhadas ou desalinhadas, são coerentes ou incoerentes. O mesmo é válido para seus pensamentos e sentimentos. Quantas vezes você tentou criar algo, pensando em sua mente que o resultado era possível, mas sentindo no coração que não era? Qual foi o resultado desse sinal incoerente/fora de fase que você enviou? Por que nada se manifestou? Como você acabou de ver com o estudo do HeartMath, a criação quântica só funciona quando seus pensamentos e sentimentos estão alinhados.

Assim como as ondas em um sinal são muito mais poderosas quando coerentes, o mesmo é válido para você quando seus pensamentos e sentimentos estão alinhados. Quando mantém pensamentos claros e focados sobre seu objetivo, acompanhado de envolvimento emocional apaixonado, você transmite um sinal eletromagnético mais forte, que puxa você até a realidade potencial que corresponde ao que você quer.

Frequentemente falo aos participantes de meus *workshops* sobre minha avó, uma mulher que eu adorava. Era uma italiana das antigas, tão impregnada da culpa católica quanto da tradição de fazer molho de tomate para colocar na massa. Ela rezava constantemente pedindo coisas e pensava deliberadamente em uma vida nova, mas a culpa que lhe havia sido instilada ao longo de sua criação confundia o sinal que ela enviava. Ela apenas manifestava mais motivos para se sentir culpada.

Se as suas intenções e os seus desejos não produziram resultados consistentes, você provavelmente andou enviando uma mensagem incoerente e misturada para o campo. Se você pode querer riqueza, pode pensar em termos de ser "rico", mas, se você se sente pobre, não vai atrair abundância financeira para si. Por que não? Porque os pensamentos são a linguagem do cérebro, e os sentimentos são a linguagem do corpo. Você está pensando de uma maneira e sentindo de outra. E, quando a mente está em oposição ao corpo (ou vice-versa), o campo não responde de forma consistente.

Por outro lado, quando mente e corpo trabalham em conjunto, quando nossos pensamentos e sentimentos estão alinhados, quando estamos em um novo estado de ser, aí enviamos um sinal coerente pelas ondas aéreas do invisível.

Por que os resultados quânticos devem vir como uma surpresa

Agora vamos encaixar outra peça do quebra-cabeça. Para mudar nossa realidade, os resultados que atraímos para nós mesmos têm de nos surpreender, até espantar, pela forma como acontecem. Jamais devemos ser capazes de prever como nossas novas criações se manifestarão; elas devem nos pegar desprevenidos. Elas têm de nos despertar do sonho da realidade rotineira com que estamos acostumados. Essas manifestações devem nos deixar sem nenhuma dúvida de que nossa consciência fez contato com o campo quântico da inteligência, de modo que somos inspirados a fazer isso de novo. Essa é a alegria do processo criativo.

Por que você deve querer uma surpresa quântica? Se você consegue prever um evento, ele não tem nada de novo – é rotineiro, automático, e você já teve a experiência muitas vezes antes. Se você consegue prevê-lo, foi o mesmo você que produziu o mesmo resultado familiar. De fato, se está tentando controlar como um resultado ocorrerá, você está sendo "newtoniano". A física (clássica) newtoniana tentava antecipar e prever eventos; só tratava de causa e efeito.

O que "ser newtoniano" significa quando aplicado a sua aptidão criadora? Significa que o ambiente externo está controlando seu ambiente interno (pensamentos/sentimentos). Isso é causa e efeito.

Em vez disso, mude seu ambiente interno – o modo como pensa e sente – e então verá como o ambiente externo será alterado por seus esforços. Batalhe para criar uma experiência futura nova e desconhecida. Aí, quando um evento imprevisto ocorrer a seu favor, você ficará agradavelmente surpreso. Você terá se tornado um criador quântico. Terá saído da "causa e efeito" para "causar um efeito".

Mantenha uma clara intenção do que quer, mas deixe os detalhes do "como" para o campo quântico imprevisível. Deixe que ele orquestre um evento em sua vida da forma correta para você. Se você vai esperar algo, espere o inesperado. Renda-se, confie e desapegue de como um evento desejado irá se desenrolar.

Este é o maior obstáculo que a maioria precisa superar, pois nós, seres humanos, sempre queremos controlar uma futura realidade (desconhecida), tentando recriá-la conforme ocorreu em uma realidade passada (conhecida).

Criação quântica: agradecer antes de receber um resultado

Acabei de falar sobre o alinhamento de nossos pensamentos e sentimentos para produzir o resultado que desejamos... só que, no processo, desapegando dos detalhes acerca de como acontecerá o evento. Isso é um salto de fé e é necessário se vamos trocar uma vida de resultados monótonos e previsíveis por uma vida prazerosa de novas experiências e surpresas quânticas.

Mas ainda precisamos dar outro salto de fé para transformar o que queremos em realidade.

Em que circunstâncias você normalmente é grato? Você pode responder: sou grato por minha família, pela bela casa que possuo, por meus amigos e meu emprego. O que essas coisas têm em comum é que já estão presentes em sua vida.

Em geral somos gratos por algo que já ocorreu ou que já está presente em nossa vida. Você e eu fomos condicionados a acreditar que precisamos de um motivo para a alegria, de uma motivação para a gratidão, de embasamento para ficar em um estado amoroso. Isso é depender da realidade externa para nos sentirmos diferentes internamente; é o modelo de Newton.

O novo modelo de realidade nos desafia, como criadores quânticos, a mudar algo dentro de nós – na mente e no corpo, em nossos pensamentos e sentimentos – antes de podermos experimentar a evidência física com nossos sentidos.

Você consegue agradecer e sentir as emoções elevadas associadas a um evento desejado antes de ele ocorrer? Você consegue imaginar essa realidade tão completamente que começa a estar na vida futura agora?

Em termos de criação quântica, você consegue agradecer por algo que existe como potencial no campo quântico, mas que ainda não ocorreu em sua realidade? Se sim, você está migrando da causa e efeito (esperar que algo externo faça uma mudança dentro de você) para causar um efeito (mudar algo dentro de você para produzir um efeito em seu exterior).

Quando está em um estado de gratidão, você transmite para o campo um sinal de que um evento já ocorreu. Gratidão é mais do que um processo intelectual do pensamento. Você tem de sentir como se qualquer coisa que queira estivesse em sua realidade nesse exato momento. Assim, seu corpo (que só entende sentimentos) deve ser convencido de que possui o quociente emocional da experiência futura acontecendo para você agora.

A inteligência universal e o campo quântico

Espero que a essa altura você concorde com alguns conceitos subjacentes básicos do modelo quântico – que toda realidade física é essencialmente energia existente em uma vasta rede interconectada através do espaço e do tempo. Essa rede, o campo quântico, contém todas as probabilidades, que podemos colapsar na realidade por meio de nossos pensamentos (consciência), observação, sentimentos e estado de ser.

Mas a realidade não é nada exceto forças eletromagnéticas indiferentes atuando umas sobre as outras e em resposta umas às outras? O espírito animado dentro de nós é simplesmente uma função da biologia e da aleatoriedade? Tive conversas com pessoas que defendiam essa visão. Em última análise, a discussão leva a um diálogo mais ou menos assim:

De onde vem a inteligência que mantém nosso coração a bater?
Ela é parte do sistema nervoso autônomo.

1 | O você quântico

Onde esse sistema está localizado?
No cérebro. O sistema límbico do cérebro faz parte do sistema nervoso autônomo.

E dentro do cérebro existem tecidos específicos responsáveis por manter o coração batendo?
Sim.

Esses tecidos são compostos de quê?
Células.

E essas células são compostas de quê?
Moléculas.

E essas moléculas são compostas de quê?
Átomos.

E esses átomos são compostos de quê?
Partículas subatômicas.

E essas partículas subatômicas são compostas essencialmente de quê?
Energia.

Quando chegamos à conclusão de que nosso veículo fisiológico é composto da mesma coisa que o resto do universo e essas pessoas esbarram na noção de que o que anima o corpo é uma forma de energia – os mesmos 99,99999% de "nada" que constituem o universo físico – ou elas dão de ombros e se afastam, ou começam a pensar que há alguma coisa nessa noção de um princípio unificador que permeia toda a realidade física.

Não é irônico então mantermos toda a nossa atenção no 0,00001% da realidade física? Não estamos ignorando alguma coisa?

Se esse nada consiste de ondas de energia que conduzem informação e essa força organiza nossas estruturas físicas e seu funcionamento, então certamente faz sentido referir-se ao campo quântico como uma inteligência invisível. E, uma vez que energia é a base de toda a realidade física, essa inteligência que acabei de descrever para você organizou-se em matéria.

Pense no diálogo precedente como uma espécie de modelo de como essa inteligência construiu a realidade. O campo quântico é energia potencial invisível capaz de se organizar de energia em partículas subatômicas, em átomos e moléculas, em todas as coisas escala acima. De uma perspectiva fisiológica, ele organiza moléculas em células, tecidos, órgãos, sistemas e finalmente no corpo como um todo. Colocado de outra forma, essa energia potencial se rebaixa como uma frequência de padrões de onda até aparecer como sólida.

É essa inteligência universal que dá vida ao campo e a tudo nele contido, incluindo você e eu. Esse poder é a mesma mente universal que anima cada aspecto do universo material. Essa inteligência mantém nosso coração batendo, nosso estômago digerindo alimentos e supervisiona um número incalculável de reações químicas por segundo que ocorrem em todas as células. Além disso, a mesma consciência impele as árvores a frutificar e faz com que galáxias distantes se formem e colapsem.

Como existe em todos os tempos e lugares e exerce seu poder dentro de nós e por tudo ao nosso redor, essa inteligência é tanto pessoal quanto universal.

Podemos emular a inteligência universal por sermos uma extensão dela

Entenda que essa inteligência universal possui a mesma percepção que nos torna indivíduos – consciência ou atenção plena. Muito embora esse poder seja universal e objetivo, efetivamente possui uma consciência – uma ciência de si mesmo e de sua própria capacidade de se mover e agir dentro do universo material.

A inteligência universal também está completa e plenamente atenta em todos os níveis – atenta não só a si mesma, mas a você e eu. Como essa consciência nota tudo, ela observa e presta atenção em nós. Está ciente de nossos pensamentos, nossos sonhos, nossos comportamentos e nossos desejos. "Observa" tudo em forma física.

Como pode uma consciência que criou toda a vida, que despende energia e vontade para consistentemente regular cada função de nosso corpo a fim de nos manter vivos, que expressa esse interesse profundo e permanente por nós, ser algo que não amor puro?

Discutimos dois aspectos da consciência: a consciência/inteligência objetiva do campo e a consciência subjetiva que é um indivíduo com livre vontade e consciente de si. Quando emulamos as propriedades dessa consciência, passamos a ser criadores. Quando sentimos ressonância com essa inteligência amorosa, passamos a ser como ela. Essa inteligência orquestrará um evento, uma resposta energética, correspondente a qualquer coisa que a mente subjetiva coloque no campo quântico. Quando nossa vontade corresponde à vontade da consciência universal, quando nossa mente corresponde à mente da consciência universal, quando nosso amor pela vida corresponde ao amor pela vida da consciência universal, atuamos como essa consciência universal. Tornamo-nos o poder elevado que transcende o passado, cura o presente e abre as portas para o futuro.

Recebemos de volta o que enviamos

Aqui está como a orquestração de eventos opera em nossa vida. Se experimentamos sofrimento e mantemos esse sofrimento em nossa mente e corpo e o expressamos por meio de nossos pensamentos e sentimentos, transmitimos essa assinatura energética para o campo. A inteligência universal responde enviando para nossa vida um outro evento que reproduzirá a mesma resposta emocional e intelectual.

Nossos pensamentos enviam o sinal (estou sofrendo), e nossas emoções (estou sofrendo) atraem para nossa vida um evento que corresponde a essa frequência emocional – ou seja, um bom motivo para sofrer. Em um sentido muito real, pedimos provas da existência da inteligência universal o tempo todo, e ela nos dá retorno em nosso ambiente externo o tempo todo. Essa é a magnitude de nosso poder.

A pergunta central deste livro é: por que não transmitimos um sinal que produza um resultado positivo para nós? Como podemos mudar a fim de que o sinal que enviamos corresponda ao que pretendemos produzir em nossa vida? Nós mudaremos quando nos comprometermos inteiramente com a crença de que, ao escolher o pensamento/sinal que enviamos, vamos produzir um efeito observável e inesperado.

Com essa inteligência objetiva, não somos punidos por causa de nossos pecados (ou seja, nossos pensamentos, sentimentos e ações), mas por eles. Quando projetamos no campo um sinal baseado nos pensamentos e sentimentos (tais como sofrimento) gerados por alguma(s) experiência(s) indesejada(s) de nosso passado, seria de espantar que o campo responda da mesma forma negativa?

Quantas vezes você já proferiu as seguintes palavras ou outras muito semelhantes: "Não posso acreditar... por que isso sempre acontece comigo?".

Baseado em seu novo entendimento da natureza da realidade, você agora vê que essas declarações refletem sua aceitação do modelo newtoniano/cartesiano, no qual você é uma vítima da causa e efeito? Você vê que é plenamente capaz de causar um efeito em si mesmo? Você vê que, em vez de responder da maneira acima, poderia estar se perguntando: como posso pensar, sentir e me comportar de modo diferente para produzir o efeito/resultado que desejo?

Nossa missão, portanto, é migrar voluntariamente para o estado de consciência que nos permite conectar à inteligência universal, fazer contato direto com o campo de possibilidades e enviar um sinal claro de que verdadeiramente esperamos mudar e ver os resultados que queremos – na forma de retorno – produzidos em nossas vidas.

Peça retorno quântico

Quando você criar propositadamente, peça um sinal da consciência quântica de que fez contato com ela. Ouse pedir sincronicidades relacionadas a seus resultados desejados específicos. Ao fazer isso, você está sendo suficientemente corajoso para querer saber que essa consciência é real e está ciente de seus esforços. Ao aceitar isso, você então pode criar em um estado de alegria e inspiração.

Esse princípio nos pede para abandonarmos o que pensamos saber, rendermo-nos ao desconhecido, depois observar os efeitos na forma de retorno em nossa vida. E essa é a melhor maneira de aprendermos. Quando obtemos indicações positivas (quando vemos nossas circunstâncias externas mudarem para uma direção favorável), sabemos que o que quer que tenhamos feito dentro de nós estava certo. Naturalmente vamos lembrar do que fizemos para poder fazer de novo.

Assim, quando os eventos começam a ocorrer em sua vida, você pode optar por ser como um cientista em processo de descoberta. Por que não monitorar quaisquer mudanças para ver que o universo é favorável a seus esforços e provar para si mesmo que você é poderoso?

Assim, como podemos nos conectar a esse estado de consciência?

A física quântica é "sem sentido"

A física newtoniana postulava que sempre existe uma série linear de interações previsíveis e repetíveis. Você sabe: se A + B = C, então C + D + E = F. Mas, no mundo maluco do modelo quântico da realidade, tudo está se intercomunicando dentro de um campo de informações de dimensão mais elevada, holisticamente emaranhado além do espaço e do tempo como o conhecemos. Oba!

Um motivo para a física quântica ser tão elusiva é que durante décadas fomos acostumados a pensar baseados em nossos sentidos. Se medimos e reafirmamos a realidade com nossos sentidos, ficamos empacados no paradigma newtoniano.

Por outro lado, o modelo quântico exige que nosso entendimento da realidade não seja baseado em nossos sentidos (a física quântica é sem sentido). No processo de criação da futura realidade via modelo quântico, nossos sentidos devem ser os últimos a experimentar o que a mente criou. A última coisa que experimentamos é o retorno sensorial. Por quê?

O *quantum* é uma realidade multidimensional que existe além de nossos sentidos, em um domínio onde não há corpo, nem coisas, nem tempo. Então, para migrar para esse domínio e criar a partir desse paradigma, você precisará esquecer o seu corpo por um tempinho. Também terá que desviar a atenção de seu ambiente externo – todas aquelas coisas com que você se identifica em sua vida. Sua esposa, filhos, posses e problemas, todos são parte de sua identidade; você se identifica com o mundo exterior por meio deles. Por fim, você tem que perder a noção do tempo linear. Ou seja, no momento em que está intencionalmente observando uma potencial experiência futura, você tem que estar tão presente que sua mente não mais vacile entre memórias do passado e expectativas de um futuro igual ao "usual".

Não é irônico que, para influenciar sua realidade (ambiente), curar seu corpo ou mudar algum evento em seu futuro (tempo), você tem de se soltar completamente de seu mundo externo (sem nada), liberar sua consciência de seu corpo (sem corpo)... tem de perder a noção do tempo (sem tempo) – na verdade, você tem de se tornar consciência pura.

Faça isso e você terá domínio sobre o ambiente, seu corpo e o tempo. (Eu afetuosamente os chamo de os Três Grandes.) E, como o mundo subatômico do campo é constituído puramente de consciência, você não consegue entrar nele de outro modo a não ser via sua própria consciência pura. Você não consegue passar pela porta do campo quântico como um "alguém"; você deve entrar como um "ninguém".

Seu cérebro tem a aptidão inata para aproveitar essa habilidade (continue sintonizado para saber mais). Quando entender que, em termos biológicos, você está plenamente equipado para fazer tudo isso, deixar esse mundo para trás e entrar em uma nova realidade além do espaço e do tempo, você ficará naturalmente inspirado para aplicar isso em sua vida.

Indo além do espaço e do tempo

O que significa estar além do espaço e do tempo? Esses são constructos criados pelo homem para explicar fenômenos físicos envolvendo localização e nossa noção de temporal. Quando falamos de um copo em cima de uma mesa, nos referimos em termos de localização (onde está no espaço) e há quanto tempo ocupa o lugar. Como humanos, somos obcecados por essas duas concepções. Onde estamos. Há quanto tempo estamos ali. Quanto tempo permaneceremos. Aonde iremos a seguir. Embora o tempo não seja algo que possamos realmente sentir, sentimos sua passagem praticamente da mesma forma que sentimos nossa localização no espaço: "sentimos" os segundos, minutos e horas passando, assim como sentimos nosso corpo pressionado contra cadeiras ou nossos pés plantados no chão.

No campo quântico, as infinitas probabilidades de materializar a realidade estão além do espaço e do tempo, pois ainda não existe uma realidade potencial. Se ela não existe, não tem localização, nem ocupa uma posição temporal. Qualquer coisa que não tenha existência material – que não tenha tido suas ondas de probabilidade colapsadas numa realidade de partícula – existe além do espaço e do tempo.

1 | O você quântico

Como o campo quântico não é nada exceto probabilidade imaterial, está fora do espaço e do tempo. Tão logo observamos uma dessas infinitas probabilidades e lhe damos realidade material, ela adquire essas duas características.

Para acessar o campo quântico, acesse um estado semelhante

Ótimo, temos o poder de materializar uma realidade de nossa preferência selecionando-a a partir do campo quântico. No entanto, temos de acessar esse campo de algum jeito. Estamos sempre conectados a ele, mas como fazemos o campo nos responder? Se emitimos energia constantemente e, portanto, enviamos informações para o campo e recebemos informações dele, como nos comunicamos mais efetivamente com ele?

Nos próximos capítulos, discorrerei em detalhes sobre como acessar o campo. No momento, o que você precisa saber é que, para acessar o campo, que existe além do espaço e do tempo, é preciso acessar um estado semelhante.

Você alguma vez teve qualquer experiência em que tempo e espaço pareceram desaparecer? Pense naqueles momentos em que está dirigindo e seus pensamentos estão focados em alguns de seus interesses. Quando isso acontece, você esquece do corpo (não está mais ciente de como se sente no espaço), esquece do ambiente (o mundo externo desaparece) e esquece do tempo (não tem ideia de quanto tempo está "em transe").

Em momentos assim, você está no limiar da porta que permite entrar no campo quântico e obter acesso para trabalhar com a inteligência universal. Essencialmente, você já tornou os pensamentos mais reais do que qualquer outra coisa.

Mais adiante vou dar instruções de como migrar para esse estado de consciência regularmente, acessar o campo e se comunicar diretamente com a inteligência universal que anima todas as coisas.

Mude sua mente, mude sua vida

No desenrolar deste capítulo, conduzi você da noção de que mente e matéria são totalmente separadas para o modelo quântico, que estabelece que elas são inseparáveis. Mente é matéria, e matéria é mente.

Assim, em todas aquelas ocasiões no passado em que você tentou mudar, talvez seu pensamento estivesse fundamentalmente limitado. Você provavelmente acreditava que eram sempre as circunstâncias externas que você precisava mudar: se eu não tivesse tantos outros compromissos, poderia perder o excesso de peso e aí ficaria feliz. Todos nós fizemos alguma variação sobre o tema. Se isso, então aquilo. Causa e efeito.

E se você pudesse mudar sua mente, seus pensamentos, sentimentos e seu jeito de ser fora das fronteiras de tempo e espaço? E se você pudesse mudar à frente do tempo e ver os efeitos dessas mudanças "internas" em seu mundo "externo"?

Você pode.

O que mudou profunda e positivamente a minha vida e a vida de tantas outras pessoas é o entendimento de que mudar a mente – e, portanto, ter novas experiências e obter novos *insights* – é simplesmente uma questão de quebrar o hábito de ser você mesmo. Quando você supera seus sentidos, quando entende que não está preso às correntes de seu passado – quando tem uma vida maior que seu corpo, seu ambiente e o tempo – tudo é possível. A inteligência universal que anima a existência de todas as coisas surpreenderá e encantará você. Ela não quer nada mais do que lhe dar acesso a tudo que você deseja.

Em resumo, quando você muda sua mente, muda sua vida.

E uma criança os guiará

Antes de continuarmos, gostaria de compartilhar uma história que ilustra o quanto estar em contato com a inteligência superior pode ser efetivo e poderoso para tornar a mudança uma parte de sua vida.

Meus filhos, hoje jovens adultos, usaram um método de meditação semelhante ao processo que descreverei na Parte III deste livro. Como resultado da prática dessas técnicas, eles manifestaram algumas aventuras marcantes. Desde a infância deles, temos um acordo para que trabalhem na criação de coisas materiais ou eventos que queiram experimentar. No entanto, nossa regra é que eu não interfiro ou ajudo na produção do resultado. Eles têm de criar sozinhos as realidades pretendidas, usando suas mentes e interagindo com o campo quântico.

Minha filha de vinte e poucos anos estuda artes na faculdade. Estávamos na primavera, e perguntei o que ela desejava manifestar durante as próximas férias de verão. Ela tinha uma lista imensa! Em vez do típico emprego de verão, ela desejava trabalhar na Itália, aprender e vivenciar coisas novas, visitar pelo menos seis cidades e passar uma semana em Florença, pois tinha amigos naquela cidade. Queria trabalhar nas seis primeiras semanas do verão com um salário decente, depois passar o resto das férias em casa.

Elogiei minha filha pela visão clara do que queria e lembrei-a de que a inteligência universal orquestraria o modo como seu sonho de verão se manifestaria. Ela cuidaria do "o quê", uma consciência superior trataria do "como".

Visto que minha filha tem prática na arte de pensar e sentir antes da experiência real, lembrei-a apenas de não só estabelecer todo dia uma intenção de que tal seria aquele verão – que pessoas ela veria, que eventos aconteceriam, que locais ela visitaria –, mas também sentir como seria vivenciar essas coisas. Pedi-lhe para criar a visão em sua mente até ficar tão clara e real que o pensamento se tornasse a experiência, e as sinapses de seu cérebro começassem a conectar essas informações como se fossem uma realidade.

Se ela continuasse "sendo" a jovem no dormitório da faculdade com um sonho de ir para a Itália, então ainda seria a mesma pessoa vivendo a mesma realidade. Assim, lá em março, ela tinha de começar a "ser" aquela jovem que estivera na Itália durante metade do verão.

"Sem problema", disse ela. Minha filha já tivera experiências como essa antes, quando quis participar de um videoclipe e quando quis fazer uma maratona de compras sem limites. Ambas as experiências transcorreram em perfeita elegância.

A seguir relembrei minha filha: "Você não pode levantar-se depois da criação mental dessa experiência como a mesma pessoa que era antes

••• PARTE 1 | A CIÊNCIA DE VOCÊ •••

de sentar. Você tem que se levantar como se tivesse acabado de passar o verão mais incrível de sua vida".

"Saquei", disse ela. Minha filha entendeu o lembrete de que era preciso mudar para um novo estado de ser a cada dia. E, após cada criação mental, ela deveria passar o dia em um estado de ânimo elevado pela gratidão gerada por ter tido aquela experiência.

Minha filha telefonou algumas semanas depois. "Pai, a universidade está oferecendo um curso de verão sobre história da arte na Itália. Posso baixar o custo do programa e de todas as despesas de US$ 7 mil para US$ 4 mil. Você pode ajudar?"

Bem, não é que eu seja um pai que não apoia os filhos, mas aquilo não me causou a impressão de ser o que ela originalmente havia definido como meta. Ela estava tentando forçar e controlar o resultado daquele possível destino em vez de permitir que o campo quântico orquestrasse os eventos da forma certa para ela. Aconselhei-a a realmente viver aquela viagem à Itália e pensar, sentir, falar e sonhar "em italiano" até se perder na experiência.

Algumas semanas depois, quando ela ligou novamente, sua empolgação era palpável. Ela estivera na biblioteca batendo papo com a professora de história da arte, e acabaram falando em italiano; ambas são fluentes no idioma. Em dado momento, a professora disse: "Acabei de me lembrar. Um de meus colegas precisa de alguém para lecionar o nível básico de italiano para alguns alunos americanos que vão estudar na Itália nesse verão".

É claro que minha filha foi contratada. Veja: ela não apenas seria paga para ensinar (com todas as despesas cobertas), como iria a seis cidades italianas diferentes em seis semanas, passaria a última semana em Florença e conseguiria estar em casa na segunda metade do verão. Ela manifestou o trabalho sonhado e todos os aspectos da visão original.

Não se trata de uma jovem em busca de uma oportunidade com a tradicional determinação tenaz de encontrar um programa – pesquisando na internet, indo atrás de professores etc. Em vez de seguir a causa e o efeito, minha filha alterou seu estado de ser a ponto de causar um efeito. Ela viveu segundo a lei quântica.

1 | O você quântico

Ao se conectar eletromagneticamente a um destino pretendido que existia no *quantum*, seu corpo foi atraído para o evento futuro. A experiência encontrou-a. O resultado foi imprevisível, chegou de uma forma que ela jamais esperaria, foi sincrônico, e não houve dúvida de que era resultado de seus esforços internos.

Pense nisso por um momento. Que oportunidades estão lá fora esperando encontrar você? Quem você está sendo nesse momento... e em todos os outros momentos? E sendo desse jeito você vai atrair tudo que deseja?

Você consegue mudar seu estado de ser? E, quando habita uma nova mente, você consegue observar um novo destino? As respostas serão abordadas no restante deste livro.

CAPÍTULO 2

Superando seu ambiente

A essa altura, creio que você esteja começando a aceitar a ideia de que a mente subjetiva tem um efeito sobre o mundo objetivo. Pode até estar interessado em admitir que um observador pode afetar o mundo subatômico e influenciar um evento específico, simplesmente colapsando um único elétron de uma onda de energia em uma partícula. Nesse ponto, você também pode acreditar nos experimentos científicos de mecânica quântica que discuti, que provam que a consciência controla diretamente o mundo diminuto dos átomos, pois esses elementos são constituídos fundamentalmente de consciência e energia. Isso é física quântica em ação, certo?

Mas talvez você ainda esteja na dúvida quanto ao conceito de que sua mente tem efeitos mensuráveis e reais em sua vida. Você pode estar se perguntando: como é que minha mente pode influenciar eventos importantes de modo a mudar minha vida? Como posso colapsar elétrons em um evento específico chamado de uma nova experiência que desejo ter em algum tempo futuro? Eu não ficaria surpreso se você estiver se questionando sobre sua capacidade de criar experiências reais no mundo mais amplo da realidade.

Meu objetivo é que você entenda e possa ver em ação como seria possível haver uma base científica para aceitar que seus pensamentos podem criar sua realidade. Porém, quanto ao incrédulo, gostaria que cogitasse a possibilidade de que seu modo de pensar afeta diretamente sua vida.

Continue revisitando pensamentos e sentimentos familiares e continuará criando a mesma realidade

Se você consegue aceitar esse paradigma como uma possibilidade, então, por pura lógica, também teria de concordar que o seguinte é possível: para criar algo diferente daquilo com que está acostumado em seu mundo pessoal, você tem que mudar o modo como pensa e sente a cada dia.

Senão, ao pensar e sentir da mesma forma que ontem e anteontem, você continuará a criar as mesmas circunstâncias em sua vida, que farão com que experimente as mesmas emoções, que influenciarão você a pensar de modo "equivalente" a essas emoções.

Assumindo uma posição de risco aqui, permita-me comparar essa situação com o proverbial hamster na roda. Ao pensar continuamente em seus problemas (consciente ou inconscientemente), você só criará mais do mesmo tipo de dificuldade para si mesmo. E talvez você pense tanto em seus problemas porque foi seu pensamento que inicialmente os criou. Talvez seus problemas pareçam tão reais porque você revisita constantemente os sentimentos familiares que inicialmente geraram o problema. Se você insiste em pensar e sentir de modo equivalente às circunstâncias de sua vida, você reafirma essa realidade particular.

Assim, nos próximos capítulos, quero focar no que você precisa entender a fim de mudar.

Para mudar, seja maior que seu ambiente, que seu corpo e que o tempo

A maioria das pessoas enfoca três coisas na vida: seu ambiente, seu corpo e o tempo. Não apenas focam nesses três elementos, como pensam igual a eles. Mas, para quebrar o hábito de ser você mesmo, é preciso pensar maior do que as circunstâncias de sua vida, ser maior do que os sentimentos que memorizou em seu corpo e viver em uma nova linha de tempo.

Se você quer mudar, deve ter um eu idealizado em seus pensamentos – um modelo que possa emular, que seja diferente do e melhor que o "eu" que existe hoje em seu ambiente, corpo e tempo particulares. Todo grande personagem da história soube como fazer isso, e você pode alcançar a grandeza em sua vida uma vez que domine os conceitos e técnicas que vêm a seguir.

Neste capítulo, enfocaremos como você pode superar seu ambiente e preparar o terreno para os dois capítulos seguintes, nos quais discutiremos como superar seu corpo e o tempo.

Nossas memórias compõem nosso ambiente interno

Antes de começarmos a falar sobre como é possível quebrar o hábito de ser você mesmo, quero apelar a seu bom senso por um momento. Como teve início o hábito de pensar e sentir da mesma forma repetidamente?

Só posso responder essa pergunta falando do cérebro – o ponto de partida de nossos pensamentos e sentimentos. A atual teoria neurocientífica diz que o cérebro é organizado para refletir tudo o que sabemos em nosso ambiente. Toda informação a que fomos expostos ao longo da vida, na forma de conhecimento e experiências, é armazenada nas conexões sinápticas do cérebro.

Os relacionamentos com as pessoas que conhecemos, a variedade de coisas que possuímos e com que estamos familiarizados, os lugares que visitamos e em que vivemos em tempos diferentes de nossa vida, além da miríade de experiências que tivemos ao longo dos anos, estão todos configurados nas estruturas do cérebro. Até o vasto conjunto de ações e comportamentos que memorizamos e repetidamente desempenhamos durante a vida estão gravados nas intrincadas dobras de nossa massa cinzenta.

Portanto, todas as nossas experiências pessoais com pessoas e coisas em tempo e lugares específicos estão literalmente refletidas nas redes de neurônios (células nervosas) que compõem nosso cérebro.

Como chamamos coletivamente todas essas "memórias" de pessoas e coisas que experimentamos em tempos e lugares diferentes de nossa vida? De ambiente externo. Na maior parte, nosso cérebro é igual ao nosso ambiente, um registro de nosso passado pessoal, um reflexo da vida que tivemos.

Durante as horas de vigília, enquanto interagimos rotineiramente com os diversos estímulos de nosso mundo, nosso ambiente externo ativa vários circuitos cerebrais. Como consequência dessa resposta quase que automática, começamos a pensar (e reagir) igual ao nosso ambiente. À medida que o ambiente nos faz pensar, redes familiares de células nervosas disparam aquelas experiências prévias refletidas, já conectadas no cérebro. Em essência, pensamos automaticamente, de maneiras familiares derivadas de memórias passadas.

Se os seus pensamentos determinam sua realidade e você continua a ter os mesmos pensamentos (que são um produto e reflexo do ambiente), você continuará a produzir a mesma realidade, dia após dia. Assim, seus pensamentos e sentimentos internos correspondem exatamente à sua vida externa, pois é sua realidade exterior – com todos seus problemas, condições e circunstâncias – que influencia como você pensa e sente em sua realidade interior.

Memórias familiares "mentalizam" a reprodução das mesmas experiências

Todos os dias, quando você vê as mesmas pessoas (seu chefe, por exemplo, e sua esposa e filhos), faz as mesmas coisas (dirige até o trabalho, executa as tarefas diárias e faz a mesma atividade física), vai aos mesmos locais (seu café preferido, a mercearia que frequenta e seu local de trabalho) e olha para os mesmos objetos (seu carro, sua casa, sua escova de dentes... e até seu próprio corpo), suas memórias familiares relacionadas ao mundo conhecido o levam a "mentalizar" a reprodução das mesmas experiências.

Poderíamos dizer que o ambiente está de fato controlando sua mente. Como a definição neurocientífica de mente é cérebro em ação, você repetidamente reproduz o mesmo nível mental ao "mentalizar" quem você pensa que é em referência ao mundo externo. Sua identidade fica definida por todas as coisas externas, pois você se identifica com todos os elementos que compõem seu mundo exterior. Assim, você está observando sua realidade com uma mente que é igual a ela; portanto, você colapsa as infinitas ondas de probabilidades do campo quântico em eventos que refletem a mente que você usa para experimentar sua vida. Você cria mais do mesmo.

Talvez você não pense que seu ambiente e seus pensamentos sejam tão rigidamente semelhantes e que sua realidade seja tão facilmente reproduzida. Mas, quando considera que seu cérebro é um registro completo de seu passado e sua mente é o produto de sua consciência, em certo sentido você estaria sempre pensando no passado. Ao responder com o mesmo *hardware* cerebral que corresponde ao que você lembra, você está criando um nível mental idêntico ao do passado, pois seu cérebro está disparando automaticamente circuitos existentes para refletir tudo o que você já sabe, experimentou e, portanto, pode prever. De acordo com a lei quântica (que, a propósito, ainda assim trabalha para você), seu passado agora está se tornando seu futuro.

Raciocine: quando pensa a partir de suas memórias passadas, você só pode criar experiências passadas. Todos os "conhecidos" de sua vida levam seu cérebro a pensar e sentir de maneira familiar; assim, criando resultados conhecíveis, você reafirma continuamente sua vida como a conhece. E, como seu cérebro é igual a seu ambiente, a cada manhã seus sentidos conectam você à mesma realidade e iniciam a mesma corrente de consciência.

Todos os dados sensoriais do mundo exterior processados por seu cérebro (via visão, olfato, audição, tato e paladar) ativam seu cérebro a pensar igual a todas as coisas familiares em sua realidade. Você abre os olhos e sabe que a pessoa deitada a seu lado é sua esposa devido às experiências de vocês juntos no passado. Você ouve um latido do lado de fora do quarto e sabe que é seu cachorro querendo dar uma volta na rua. Você sente uma dor nas costas e lembra que é a mesma dor sentida ontem. Você associa seu mundo familiar, exterior, a quem você pensa que é, lembrando de si mesmo nessa dimensão, nesse tempo e espaço particulares.

Nossas rotinas: plugando no passado

O que a maioria de nós faz todas as manhãs após sermos plugados à realidade por esses lembretes sensoriais de quem somos, onde estamos etc? Bem, permanecemos plugados nesse eu do passado seguindo um conjunto inconsciente, extremamente rotineiro, de comportamentos automáticos.

Por exemplo, você provavelmente acorda no mesmo lado da cama, coloca o roupão do mesmo jeito de sempre, olha-se no espelho para lembrar quem é e toma banho seguindo uma rotina automática. Em seguida, se arruma para ter a aparência esperada por todos e escova os dentes da maneira usual memorizada. Bebe café em sua caneca favorita e come o desjejum costumeiro de cereais. Coloca a jaqueta que sempre usa e inconscientemente fecha o zíper.

A seguir, dirige automaticamente até o trabalho por uma rota conveniente, costumeira. No trabalho, faz as coisas usuais que memorizou como fazer muito bem. Vê as mesmas pessoas, que ativam as mesmas reações emocionais, o que faz com que você tenha os mesmos pensamentos sobre essas pessoas, seu trabalho e sua vida.

Mais tarde, volta para casa apressadamente para poder comer às pressas, para se apressar para assistir seu programa de TV favorito, para ir correndo para a cama, para poder se apressar e fazer tudo isso de novo. Seu cérebro mudou alguma coisa que seja nesse dia?

Por que você espera secretamente que algo diferente aconteça em sua vida quando tem os mesmos pensamentos, executa as mesmas ações e experimenta as mesmas emoções todo santo dia? Não é essa a definição de insanidade? Todos nós ficamos presos nesse tipo de vida limitada uma vez que outra. Agora você entende por quê.

No exemplo acima, é seguro dizer que você está reproduzindo o mesmo nível mental todos os dias. E, se o mundo quântico mostra que o ambiente é uma extensão de sua mente (e que mente e matéria são uma única coisa), então, enquanto sua mente permanecer a mesma, sua vida ficará no "status quo".

Assim, se o ambiente permanece o mesmo e você reage pensando da mesma forma, de acordo com o modelo quântico da realidade, você não deveria criar mais do mesmo? Pense da seguinte forma: os dados permanecem os mesmos; portanto, o resultado tem que ser o mesmo. Como então você pode criar algo novo?

Conectado a tempos difíceis

Existe uma outra possível consequência que devo mencionar no caso de você continuar a disparar os mesmos padrões neurais ao viver sua vida do mesmo jeito todos os dias. Cada vez que responde à sua realidade familiar recriando a mesma mente (ou seja, estimulando as mesmas células nervosas para fazer o cérebro trabalhar do mesmo jeito), você "conecta" seu cérebro para que corresponda às condições habituais de sua realidade pessoal, sejam elas boas ou más.

Existe um princípio de neurociência chamado lei de Hebb. Basicamente, afirma que "células nervosas que disparam juntas, permanecem conectadas". A teoria de Hebb demonstra que, se você ativa repetidamente as mesmas células nervosas, a cada vez que elas forem acionadas ficará mais fácil para que disparem em uníssono de novo. Consequentemente, esses neurônios desenvolverão um relacionamento de longo prazo.[5]

Assim, quando uso o termo conectado, significa que agrupamentos de neurônios dispararam tantas vezes do mesmo modo que se organizaram em padrões específicos de conexões duradouras. Quanto mais essas redes de neurônios disparam, mais se conectam em rotas estáticas de atividade. Com o tempo, o pensamento, comportamento ou sentimento repetido frequentemente – qualquer que seja ele – se tornará um hábito inconsciente, automático. Quando seu ambiente influencia sua mente a esse ponto, seu hábito torna-se seu habitat.

Assim, se continua pensando os mesmos pensamentos, fazendo as mesmas coisas e sentindo as mesmas emoções, você começa a conectar seu cérebro em um padrão definido que é o reflexo direto de sua realidade definida. Consequentemente, ficará mais fácil e natural para você reproduzir a mesma mente momento após momento.

Esse ciclo inocente de respostas faz com que seu cérebro e sua mente reforcem ainda mais a realidade particular que é o seu mundo exterior. Quanto mais você dispara os mesmos circuitos reagindo a sua vida externa, mais você conecta seu cérebro para que seja igual ao seu mundo pessoal. Você ficará neuroquimicamente ligado às condições de sua vida. Com o tempo, começará a pensar "dentro da caixa", pois seu cérebro irá disparar um conjunto definido de circuitos que então vão criar uma assinatura mental muito específica. Essa assinatura é chamada personalidade.

Como você forma o hábito de ser você mesmo

Como efeito da habituação neural, as duas realidades da mente interior e do mundo externo parecem se tornar praticamente inseparáveis. Por exemplo, se você jamais consegue parar de pensar em seus problemas, então sua mente e sua vida fundem-se como uma só. O mundo objetivo agora é tonalizado pelas percepções de sua mente subjetiva, e com isso a realidade adapta-se continuamente. Você fica perdido na ilusão do sonho.

Você poderia chamar isso de rotina, e todos nós caímos nela, mas a coisa vai muito mais fundo: não apenas nossas ações, mas também nossas atitudes e nossos sentimentos tornam-se repetitivos. Você criou o hábito de ser você mesmo ao se tornar de certo modo escravo de seu ambiente. Seu pensamento ficou igual às condições de sua vida; assim, como observador quântico, você está criando uma mente que apenas reafirma essas circunstâncias em sua realidade específica. Tudo o que você está fazendo é reagir a seu mundo externo, conhecido e imutável.

De uma forma muito real, você se tornou um efeito das circunstâncias externas. Você se permitiu desistir do controle de seu destino. Diferentemente do personagem de Bill Murray no filme *Feitiço do tempo*, você nem mesmo luta contra a incessante monotonia do que você parece e do que sua vida se tornou. Pior, você não é vítima de alguma força misteriosa e invisível que o colocou nesse *loop* repetitivo – você é o criador do *loop*.

A boa notícia é que, como foi você quem criou o *loop*, você pode optar por dar fim nele.

O modelo quântico da realidade diz que, para mudar nossa vida, devemos fundamentalmente mudar nosso modo de pensar, agir e sentir. Devemos mudar nosso estado de ser. Porque nossa maneira de pensar, sentir e nos comportarmos é em essência nossa personalidade, é a nossa personalidade que cria nossa realidade pessoal. Portanto, para criar uma nova realidade pessoal, uma vida nova, devemos criar uma nova personalidade; devemos nos tornar outra pessoa.

Mudar, então, é "ser" maior que nossas circunstâncias atuais, maior que o nosso ambiente.

Grandeza é agarrar-se a um sonho independentemente do ambiente

Antes de eu começar a explorar os modos pelos quais você pode pensar maior do que seu ambiente e assim quebrar o hábito de ser você mesmo, quero lembrá-lo de uma coisa.

É possível pensar maior do que sua presente realidade, e os livros de história estão repletos de nomes de pessoas que fizeram isso, homens e mulheres como Martin Luther King Jr., William Wallace, Marie Curie, Mahatma Gandhi, Thomas Edison e Joana D'Arc. Cada um desses indivíduos tinha em sua mente o conceito de uma futura realidade que existia como potencial no campo quântico. A visão estava viva em um mundo interior de possibilidades além dos sentidos, e, com o tempo, cada uma dessas pessoas transformou essas ideias em realidade.

Como traço comum, todas tinham um sonho, visão ou objetivo muito maior do que elas. Todas acreditavam em um destino futuro que era tão real em suas mentes que começaram a viver como se esse sonho já estivesse acontecendo. Elas não podiam ver, ouvir, saborear, cheirar ou palpar o sonho, mas estavam tão possuídas por ele que agiam de modo correspondente à realidade potencial à frente do tempo. Em outras palavras, comportavam-se como se o que visualizavam já fosse realidade.

Por exemplo, a autoridade imperialista que mantinha a Índia sob governo colonial no início do século 20 era desmoralizante para os indianos. Apesar disso, Gandhi acreditava em uma realidade que ainda não estava presente na vida de seu povo. Ele defendia ardentemente os conceitos de igualdade, liberdade e não violência com uma convicção inabalável.

Ainda que Gandhi defendesse a liberdade para todos, a realidade da tirania e do controle britânico à época era muito diferente. As crenças convencionais daquele tempo contrastavam com suas esperanças e aspirações. Embora a experiência de liberdade não fosse uma realidade quando Gandhi começou a agir para mudar a Índia, ele não deixou que evidências externas de adversidade o influenciassem a desistir de seu ideal.

Por um longo tempo, a maior parte do retorno do mundo externo não mostrou a Gandhi que ele estivesse fazendo diferença. Mas raramente ele permitia que as condições do ambiente controlassem seu modo de ser. Ele acreditava em um futuro que ainda não conseguia ver ou experimentar com os sentidos, mas que estava tão vivo em sua mente que ele não conseguia viver de nenhum outro modo. Gandhi adotou uma nova vida futura enquanto fisicamente vivia na vida presente. Ele entendeu que o modo como pensava, agia e sentia alteraria as condições atuais de seu ambiente. E por fim a realidade começou a mudar como resultado de seus esforços.

Quando nosso comportamento combina com nossas intenções, quando nossas ações são iguais aos nossos pensamentos, quando nossa mente e nosso corpo trabalham juntos, quando nossas palavras e ações estão alinhadas... existe um poder imenso por trás de cada indivíduo.

Gigantes da história: por que seus sonhos eram "irrealistas e sem sentido"

Os maiores indivíduos da história estavam inabalavelmente comprometidos com um destino futuro, sem qualquer necessidade de uma resposta imediata do ambiente. Para eles não importava que ainda não tivessem recebido alguma indicação sensorial ou prova física da mudança que queriam; devem ter "mentalizado" diariamente a realidade que eles enfocavam. Suas mentes estavam à frente de seu ambiente atual, pois o ambiente em que se encontravam não mais controlava seus pensamentos. Na verdade, eles estavam à frente de seu tempo.

Outro elemento fundamental compartilhado por todos esses personagens célebres é que tinham claro em mente exatamente o que queriam que acontecesse. (Lembre-se: deixamos o como para uma mente superior, e eles deviam saber disso.)

Pois bem, algumas pessoas da época podem tê-los chamados de irrealistas. De fato, eles eram completamente irrealistas, bem como seus sonhos. O evento que estavam adotando em pensamento, ação e emoção não era realista, pois a realidade ainda não havia ocorrido. Os ignorantes e os céticos também podem ter dito que suas visões não faziam sentido, e esses opositores estariam corretos – uma visão da realidade futura era "sem sentido", existia em uma realidade além dos sentidos.

Tomando outro exemplo, Joana D'Arc foi considerada insensata, até mesmo insana. Suas ideias desafiavam as crenças da época e fizeram dela uma ameaça ao sistema político vigente. Mas, quando sua visão se manifestou, ela foi considerada profundamente virtuosa.

Quando uma pessoa tem um sonho independente do ambiente, isso é grandeza. A seguir, veremos que superar o ambiente está indissociavelmente ligado a superar o corpo e o tempo. No caso de Gandhi, ele não foi influenciado pelo que estava acontecendo em seu mundo exterior (ambiente), não se preocupou com o que sentia e o que aconteceria com ele (corpo) e não se importou com o quanto demoraria para concretizar o sonho de liberdade (tempo). Ele simplesmente sabia que mais cedo ou mais tarde todos esses elementos se curvariam a suas intenções.

No caso de todos os gigantes da história, é possível que suas ideias se desenvolvessem no laboratório de suas mentes a tal ponto que, para seus cérebros, fosse como se a experiência já tivesse ocorrido? Você também pode mudar quem é apenas pelo pensamento?

Ensaio mental: como nossos pensamentos podem se tornar nossa experiência

A neurociência comprovou que podemos mudar nosso cérebro – e, portanto, nossos comportamentos, atitudes e crenças – simplesmente pensando de modo diferente (em outras palavras, sem mudar nada em nosso ambiente). Por meio de ensaio mental (imaginar repetidamente a execução de uma ação), os circuitos cerebrais conseguem se organizar para refletir nossos objetivos. Podemos tornar nossos pensamentos tão reais que o cérebro muda para parecer que o evento já se tornou uma realidade física. Podemos mudar o cérebro para que fique à frente de qualquer experiência real em nosso mundo externo.

Aqui está um exemplo. Em *Evolve Your Brain*, discuto como indivíduos de uma pesquisa que ensaiaram exercícios ao piano mentalmente para uma das mãos durante duas horas ao dia por cinco dias (jamais realmente tocando nessas teclas) exibiram praticamente as mesmas alterações cerebrais que as pessoas que fisicamente executaram movimentos idênticos dos dedos em um teclado de piano durante o mesmo período de tempo.[6]

Varreduras funcionais do cérebro mostraram que todos os participantes ativaram e expandiram grupamentos de neurônios na mesma área específica do cérebro. Em essência, o grupo que ensaiou mentalmente a prática de escalas e acordes desenvolveu praticamente o mesmo número de circuitos cerebrais que o grupo que se engajou fisicamente na atividade.

Esse estudo demonstra dois pontos importantes. Não só podemos mudar nosso cérebro simplesmente se pensarmos de modo diferente, como, quando estamos focados e decididos, o cérebro não reconhece a diferença entre o mundo interno da mente e o que experimentamos no ambiente externo. Nossos pensamentos podem se tornar nossa experiência.

Essa noção é crítica para o sucesso ou o fracasso em seu esforço para substituir hábitos antigos (podar antigas conexões neurais) por novos (fazer brotar novas redes neurais). Assim, vamos olhar mais de perto como ocorreu a mesma sequência de aprendizado naquelas pessoas que praticaram mentalmente, mas que jamais tocaram quaisquer notas fisicamente.

• • •

Ao adquirirmos uma aptidão, seja física ou mentalmente, existem quatro elementos que todos nós utilizamos para mudar nosso cérebro: aprender o conhecimento, receber instruções práticas, prestar atenção e repetir.

Aprender é fazer conexões sinápticas; a instrução envolve o corpo a fim de se ter uma nova experiência que enriquece ainda mais o cérebro. Quando também prestamos atenção e repetimos nossa nova aptidão diversas vezes, nosso cérebro muda.

O grupo que tocou as escalas e acordes fisicamente desenvolveu novos circuitos cerebrais porque seguiu essa fórmula.

Os participantes que ensaiaram mentalmente também seguiram essa fórmula, só que não tiveram o corpo envolvido fisicamente. Na mente, foram tranquilamente capazes de se imaginar tocando piano.

Lembre: depois de esses indivíduos praticarem mentalmente várias e várias vezes, seus cérebros mostraram as mesmas alterações neurológicas dos participantes que de fato tocaram piano. Foram forjadas novas redes de neurônios (redes neurais), demonstrando que na verdade eles já tinham se engajado na prática de escalas e acordes de piano sem a real experiência física. Poderíamos dizer que seus cérebros "existiram no futuro", à frente do evento físico de tocar piano.

Devido ao nosso lobo frontal aumentado e nossa aptidão singular para tornar os pensamentos mais reais do que qualquer coisa, o prosencéfalo pode naturalmente "reduzir o volume" do ambiente externo para que nada mais seja processado a não ser um único pensamento focado. Esse tipo de processamento interno nos permite ficar tão envolvidos em nossas imagens mentais que o cérebro modifica suas conexões sem ter experimentado o evento real. Quando conseguimos mudar nossa mente independentemente do ambiente e a seguir adotar firmemente um ideal com concentração sustentada, o cérebro fica à frente do ambiente.

Isso é ensaio mental, uma ferramenta importante para quebrarmos o hábito de sermos nós mesmos. Se pensamos repetidamente em alguma coisa e excluímos todo o resto, chegamos ao ponto em que o pensamento se torna a experiência. Quando isso ocorre, o *hardware* neural é reconectado para refletir o pensamento como a experiência. Esse é o momento em que nosso pensamento muda nosso cérebro e, com isso, nossa mente.

Entender que a alteração neurológica pode ocorrer na ausência de interações físicas com o ambiente é crucial para o êxito em quebrarmos o hábito de sermos nós mesmos. Considere as implicações mais amplas do experimento com o exercício dos dedos. Se aplicamos o mesmo processo – ensaio mental – em qualquer coisa que queremos fazer, podemos mudar nosso cérebro, colocando-o à frente de qualquer experiência concreta.

Se conseguir influenciar seu cérebro para que mude antes de você experimentar um evento futuro desejado, você criará os circuitos neurais apropriados que lhe permitirão comportar-se em linha com a intenção antes de ela tornar-se realidade em sua vida. Mediante o ensaio mental repetido de uma maneira melhor de pensar, agir ou ser, você "instalará" o *hardware* neural necessário para prepará-lo fisiologicamente para o novo evento.

De fato, você fará mais que isso. O *hardware* do cérebro, conforme a analogia que uso neste livro, refere-se às estruturas físicas e anatomia, do conjunto até os neurônios. Se você mantém-se instalando, reforçando e aprimorando seu *hardware* neurológico, o resultado final dessa repetição é uma rede neural – na realidade, um novo programa de *software*. A exemplo dos *softwares* de computador, esse programa (por exemplo, um comportamento, atitude ou estado emocional) roda automaticamente.

Assim, você cultiva o cérebro para ficar pronto para a nova experiência e, francamente, tem a mente a postos, de modo a poder enfrentar o desafio. Quando muda sua mente, seu cérebro muda; quando muda seu cérebro, sua mente muda.

Então, quando chegar a hora de demonstrar uma visão contrária às condições ambientais existentes, é bem possível que você já esteja preparado para pensar e agir com uma convicção firme e inabalável. De fato, quanto mais você formula uma imagem de seu comportamento em um evento futuro, mais fácil fica implementar um novo jeito de ser.

Sendo assim, você consegue acreditar em um futuro que ainda não vê ou vivencia com seus sentidos, mas que visualizou tanto em sua mente que seu cérebro de fato mudou, parecendo que a experiência já aconteceu antes do evento físico no ambiente externo? Se você consegue, então seu cérebro não é mais um registro do passado, mas se tornou um mapa do futuro.

Agora que você sabe que pode mudar seu cérebro pensando de forma diferente, é possível mudar seu corpo para também "parecer" que ele teve uma experiência antes das circunstâncias reais pretendidas? Sua mente tem tamanho poder? Fique ligado.

CAPÍTULO 3

Superando seu corpo

Ninguém pensa em um vácuo. Cada vez que você tem um pensamento, há uma reação bioquímica no cérebro – você produz uma substância química. E, como você aprenderá, o cérebro então libera sinais químicos específicos para o corpo, onde eles atuam como mensageiros do pensamento. Quando o corpo recebe mensagens químicas do cérebro, ele obedece instantaneamente, iniciando uma série de reações correspondentes, alinhadas diretamente com o que o cérebro está pensando. O corpo envia imediatamente uma mensagem para o cérebro, confirmando que agora ele está se sentindo exatamente igual ao que o cérebro está pensando.

Para entender esse processo – como você normalmente pensa igual a seu corpo e como formar uma nova mente – é preciso primeiro avaliar o papel que o cérebro e sua química desempenham em sua vida. Nas últimas décadas, descobrimos que o cérebro e o restante do corpo interagem via poderosos sinais eletroquímicos. Entre nossas orelhas existe uma imensa indústria química que orquestra uma miríade de funções corporais. Mas relaxe, isso será a aula básica de "química cerebral", e você só precisará conhecer uns poucos termos.

Todas as células possuem pontos receptores na superfície externa que recebem informação de fora de suas fronteiras. Quando ocorre uma correspondência na química, frequência e carga elétrica entre um ponto receptor e um sinal vindo de fora, a célula fica "ligada" para executar certas tarefas.

ATIVIDADES CELULARES

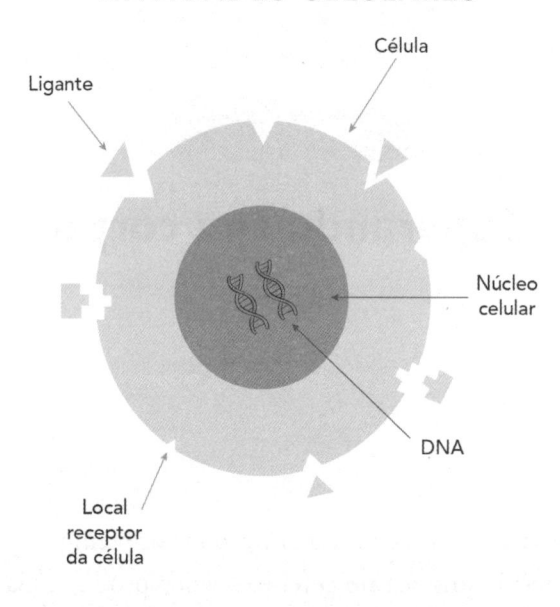

Figura 3A. Uma célula com pontos receptores que recebem informação vital proveniente de fora da célula. O sinal pode influenciar a célula a executar uma miríade de funções biológicas.

Neurotransmissores, neuropeptídeos e hormônios são as substâncias químicas de causa e efeito para a atividade cerebral e o funcionamento do corpo. Esses três tipos de substâncias químicas, chamadas ligantes, conectam-se e interagem com a célula ou a influenciam em questão de milissegundos.

NEUROTRANSMISSORES são mensageiros químicos que basicamente enviam sinais entre células nervosas, permitindo a comunicação entre o cérebro e o sistema nervoso. Existem diferentes tipos de neurotransmissores, e cada um é responsável por uma atividade específica. Alguns estimulam o cérebro, outros o deprimem, enquanto outros nos deixam sonolentos ou despertos. Eles podem mandar um neurônio desprender-se de sua conexão atual ou fazê-lo colar-se melhor à presente conexão. Podem inclusive alterar a mensagem enquanto ela é enviada a um neurônio, reescrevendo-a, de modo que uma diferente mensagem seja entregue a todas as células nervosas conectadas.

NEUROPEPTÍDEOS, o segundo tipo de ligante, constituem a maioria dos mensageiros. A maior parte é produzida em uma estrutura do cérebro chamada hipotálamo (estudos recentes mostram que nosso sistema imunológico também produz neuropeptídeos). Essas substâncias químicas passam pela glândula pituitária, que a seguir libera uma mensagem química com instruções específicas para o corpo.

Quando os neuropeptídeos chegam à corrente sanguínea, acoplam-se às células de vários tecidos (principalmente glândulas) e então ativam o terceiro tipo de ligante, os HORMÔNIOS, que posteriormente nos influenciam a sentir de determinadas maneiras. Os neuropeptídeos e os hormônios são as substâncias químicas responsáveis por nossos sentimentos.

Para os nossos propósitos, pense nos neurotransmissores como mensageiros químicos essencialmente do cérebro e da mente; nos neuropeptídeos como sinalizadores químicos que servem de ponte entre o cérebro e o corpo para nos fazer sentir da maneira como pensamos; e nos hormônios como as substâncias químicas relacionadas aos sentimentos principalmente no corpo.

••• PARTE 1 | A SUA CIÊNCIA •••

VISÃO GERAL DO PAPEL DOS LIGANTES NO CÉREBRO E NO CORPO

Ligantes do cérebro
Neurotransmissores
Neuropeptídeos

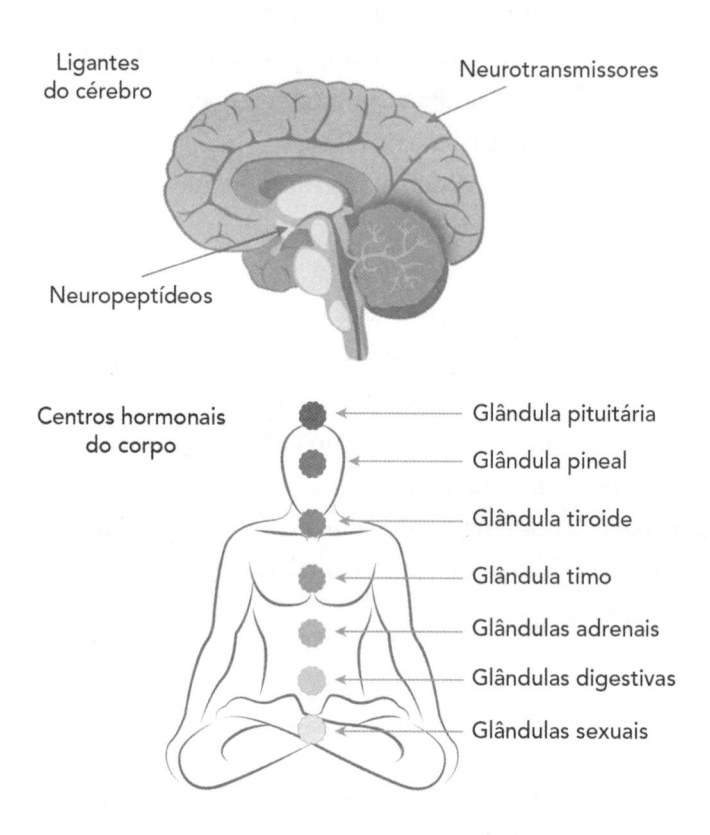

Centros hormonais do corpo
Glândula pituitária
Glândula pineal
Glândula tiroide
Glândula timo
Glândulas adrenais
Glândulas digestivas
Glândulas sexuais

Figura 3B. Neurotransmissores são os diversos mensageiros químicos entre os neurônios. Neuropeptídeos são transportadores químicos que sinalizam diferentes glândulas do corpo para que produzam hormônios.

Por exemplo, quando você tem uma fantasia sexual, os três fatores são convocados à ação. Primeiro, quando você começa a ter uns pensamentos, seu cérebro atiça alguns neurotransmissores que ativam uma rede de neurônios, que por sua vez cria imagens em sua mente. Essas substâncias químicas então estimulam a liberação de neuropeptídeos específicos em sua corrente sanguínea. Quando chegam às glândulas sexuais, esses peptídeos grudam nas células desses tecidos, ativam seu sistema hormonal, e – pronto – as coisas começam a acontecer. Você tornou os pensamentos da fantasia tão reais em sua mente que seu corpo começa a ficar preparado para uma experiência sexual verdadeira (à frente do evento). Assim é a poderosa correlação entre mente e corpo.

Da mesma maneira, se você começasse a pensar em confrontar seu filho adolescente sobre o novo amassado no carro, seus neurotransmissores iniciariam o processo do pensamento em seu cérebro para produzir um nível mental específico, seus neuropeptídeos sinalizariam quimicamente a seu corpo de forma específica, e você começaria a se sentir um pouco irritado. Quando os peptídeos chegassem às glândulas adrenais, elas seriam incitadas a liberar os hormônios adrenalina e cortisol – e você então se sentiria definitivamente exaltado. Do ponto de vista químico, seu corpo estaria preparado para a batalha.

O *loop* dos pensamentos e sentimentos

Para os diferentes pensamentos que você tem, seus circuitos cerebrais disparam sequências, padrões e combinações correspondentes que então geram níveis mentais iguais àqueles pensamentos. Quando essas redes específicas de neurônios são ativadas, o cérebro produz substâncias químicas específicas com a exata assinatura correspondente a esses pensamentos, a fim de que você possa sentir-se como estava pensando.

Portanto, quando tem pensamentos grandiosos, amorosos ou alegres, você produz substâncias químicas que o fazem sentir-se grandioso, amoroso ou alegre. O mesmo é válido se você tem pensamentos negativos, de temor ou impaciência. Em uma questão de segundos, você começa a se sentir negativo, ansioso ou impaciente.

Existe uma sincronia entre cérebro e corpo ocorrendo a cada instante. De fato, quando começamos a nos sentir do modo como estamos pensando – pois o cérebro está em constante comunicação com o corpo –, começamos a pensar do modo como o corpo está se sentindo. O cérebro monitora constantemente o modo como o corpo está se sentindo. Baseado na resposta química recebida, o cérebro gera mais pensamentos que produzem substâncias químicas correspondentes ao modo como o corpo está se sentindo, de modo que primeiro começamos a nos sentir de acordo com o que pensamos e a seguir pensamos conforme como nos sentimos.

CICLO DOS PENSAMENTOS E SENTIMENTOS

```
            Pensamentos
              ↑
        (figura humana)
              ↓
            Sentimentos
```

Pensamentos do cérebro
+
Sentimentos do corpo → ESTADO DE CONSCIÊNCIA

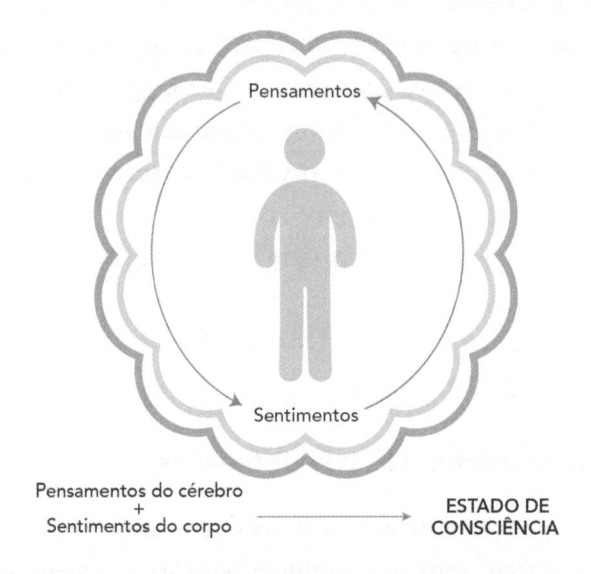

Figura 3C. O relacionamento neuroquímico entre cérebro e corpo. Quando você tem certos pensamentos, o cérebro produz substâncias químicas que fazem com que você se sinta exatamente da maneira como estava pensando. Ao sentir-se da forma como pensa, você começa a pensar conforme se sente. Esse ciclo contínuo cria um *loop* de retorno chamado "estado de ser".

Vamos nos aprofundar nessa ideia ao longo do livro, mas considere que os pensamentos relacionam-se principalmente com a mente (e o cérebro), e os sentimentos estão conectados ao corpo. Portanto, quando os sentimentos do corpo alinham-se aos pensamentos de um estado mental particular, mente e corpo trabalham juntos como um só. E, como você vai lembrar, quando mente e corpo estão em uníssono, o produto final é denominado "estado de ser". Poderíamos dizer ainda que o processo de continuamente pensar e sentir e sentir e pensar cria um estado de ser que produz efeitos em nossa realidade.

Um estado de ser significa que nos acostumamos a um estado mental-emocional, um modo de pensar e um modo de sentir que se tornaram parte de nossa autoidentidade. Assim, descrevemos quem somos pelo modo como pensamos (e, portanto, nos sentimos) ou somos no presente

3 | Superando seu corpo

momento. Estou furioso, estou sofrendo, estou inspirado, estou inseguro, estou pessimista...

No entanto, ao se passar anos tendo certos pensamentos e então sentindo-se do mesmo modo, e daí pensando igual a esses sentimentos (o hamster na roda), cria-se um estado de ser memorizado no qual podemos declarar enfaticamente nossa afirmação de eu sou como algo absoluto. Isso significa que estamos no ponto em que nos definimos como esse estado de ser. Nossos pensamentos e sentimentos fundiram-se.

Por exemplo, dizemos: sempre fui preguiçoso, sou uma pessoa ansiosa, sou normalmente inseguro de mim, tenho problemas para me dar valor, tenho pavio curto e sou impaciente, realmente não sou lá muito inteligente etc. E esses sentimentos particulares memorizados contribuem para todos os nossos traços de personalidade.

Aviso: quando os sentimentos tornam-se maneiras de pensar, ou se não conseguimos pensar maior do que nos sentimos, jamais podemos mudar. Mudar é pensar maior do que a forma como nos sentimos. Mudar é agir de forma maior do que os sentimentos do eu memorizado. Isso é ser maior do que o corpo.

Como exemplo prático, digamos que você está dirigindo para o trabalho de manhã e começa a pensar no encontro acalorado que teve uns dias atrás com um colega de trabalho. Ao ter pensamentos associados àquela pessoa e à experiência específica, seu cérebro começa a liberar substâncias químicas que circulam por seu corpo. Muito rapidamente, você começa a se sentir exatamente da forma como está pensando. Provavelmente você fica furioso.

Seu corpo envia uma mensagem de volta para o cérebro, dizendo: é sim, estou me sentindo realmente furioso. Claro que seu cérebro, que se comunica constantemente com o corpo e monitora sua organização química interna, é influenciado pela mudança súbita no modo como você se sente. Como resultado, você começa a pensar de modo diferente. (No momento em que você começa a se sentir do modo como pensa, começa a pensar do modo como se sente.) Inconscientemente, você reforça o mesmo sentimento ao ter pensamentos contínuos de raiva e frustração, que então fazem você sentir-se ainda mais furioso e frustrado. De fato, seus sentimentos agora controlam seus pensamentos. Agora seu corpo dirige sua mente.

Com a continuidade do ciclo, seus pensamentos raivosos produzem mais sinais químicos para o corpo, que ativam as substâncias adrenais associadas aos sentimentos de raiva. Aí você fica enraivecido e agressivo. Você sente o rosto avermelhar, o estômago dá um nó, a cabeça lateja, e os músculos começam a se retesar. Quando todos esses sentimentos inflamados inundam o corpo e alteram sua fisiologia, o coquetel químico dispara um conjunto de circuitos no cérebro, fazendo que você pense igual às emoções.

Agora, na privacidade de sua mente, você está xingando seu colega de dez jeitos diferentes. Indignado, evoca uma ladainha de eventos passados que validam a incomodação atual, dá tratos à bola numa carta relatando todas as reclamações que sempre quis apresentar. Em sua mente, você já encaminhou a carta ao seu chefe antes mesmo de chegar ao trabalho. Sai do carro aturdido, enlouquecido, com vontade de matar. Está aí o modelo ambulante de uma pessoa furiosa... e tudo começou com um único pensamento. Nesse momento, parece impossível pensar maior do que a forma como você se sente – e por isso é tão difícil mudar.

O resultado dessa comunicação cíclica entre seu cérebro e seu corpo é que você tende a reagir de forma previsível nesse tipo de situação. Você cria padrões dos mesmos pensamentos e sentimentos familiares, comporta-se inconscientemente de modo automático e fica atolado nessas rotinas. É assim que o "você" químico funciona.

Sua mente controla seu corpo?
Ou seu corpo controla sua mente?

Por que é tão difícil mudar?

Imagine que sua mãe adorava sofrer, e mediante longa observação você inconscientemente viu que esse padrão de comportamento permitia que ela conseguisse o que queria da vida. Vamos dizer também que você teve algumas experiências dolorosas na vida, que criaram um bocado de sofrimento para você. Essas memórias ainda desencadeiam uma reação emocional, centrada em uma pessoa específica, em um local particular e em determinado período de sua vida. Você pensou bastante no passado, e essas memórias de algum modo são fáceis de recordar, até mesmo automáticas. Agora, imagine que por mais de vinte anos você praticou pensar e sentir, sentir e pensar em termos de sofrimento.

Na realidade, você não precisa mais pensar no evento passado para criar o sentimento. Parece que você não consegue pensar ou agir de nenhuma outra forma a não ser aquela como sempre sentiu. Você memorizou o sofrimento por seus pensamentos e sentimentos recorrentes – aqueles relacionados ao incidente, bem como a outros acontecimentos em sua vida. Seus pensamentos sobre você mesmo e sua vida tendem a ser matizados por sentimentos de vitimização e pena de si mesmo. Repetir os mesmos pensamentos e sentimentos que você cortejou por mais de vinte anos condicionou seu corpo a lembrar do sentimento de sofrimento sem muito pensamento consciente. Isso agora parece muito natural e normal. É quem você é. E, sempre que tenta mudar algo, é como se a estrada retornasse para você. Você volta diretamente para o seu antigo eu.

O que a maioria das pessoas não sabe é que, quando pensam em uma experiência de carga emocional intensa, fazem o cérebro disparar nas exatas sequências e nos padrões de antes; estimulam e conectam o cérebro no passado ao reforçar esses circuitos em redes ainda mais interligadas. Também duplicam as mesmas substâncias químicas no cérebro e no corpo (em graus variáveis), como se estivessem vivenciando de novo o evento naquele momento. Essas substâncias químicas começam a treinar o corpo para memorizar ainda mais a emoção. Tanto os resultados químicos de pensar e sentir, sentir e pensar, quanto os disparos e conexões dos neurônios condicionam mente e corpo em um conjunto definido de programas automáticos.

Somos capazes de reviver um evento passado várias vezes, talvez milhares de vezes em uma existência. É a repetição inconsciente que treina o corpo para lembrar daquele estado emocional, igual ou melhor do que a mente consciente. Quando o corpo lembra melhor que a mente consciente – ou seja, quando o corpo é a mente –, isso é chamado de hábito.

Os psicólogos dizem que, quando estamos na metade dos trinta anos, nossa identidade ou personalidade está totalmente formada. Isso significa que aqueles de nós com mais de 35 anos memorizou um conjunto seleto de comportamentos, atitudes, crenças, reações emocionais, hábitos, habilidades, memórias associativas, respostas condicionadas e percepções que agora estão programadas subconscientemente dentro de nós. Esses programas nos governam, pois o corpo se tornou a mente.

Isso significa que teremos os mesmos pensamentos, os mesmos sentimentos, reagiremos da mesma maneira, acreditaremos nos mesmos dogmas e perceberemos a realidade do mesmo jeito. Cerca de 95% de quem somos na meia-idade[7] é uma série de programas subconscientes que se tornaram automáticos – dirigir o carro, escovar os dentes, comer demais quando se está estressado, preocupar-se com o futuro, julgar os amigos, reclamar da vida, culpar os pais, não acreditar em si e insistir em ser cronicamente infeliz, para citar apenas alguns.

Muitas vezes apenas parecemos despertos

Uma vez que o corpo se torna a mente subconsciente, é fácil ver que, nas situações em que o corpo se torna a mente, a mente consciente não tem mais muito a ver com nosso comportamento. No instante em que temos um pensamento, sentimento ou reação, o corpo atua no piloto automático. Prosseguimos de modo inconsciente.

Considere, por exemplo, uma mãe dirigindo uma minivan para largar os filhos na escola. Como ela consegue trafegar, beber café, acabar com discussões, trocar a marcha e ajudar o filho a assoar o nariz... tudo ao mesmo tempo? De um jeito muito parecido com um programa de computador, essas ações se tornaram funções automáticas que podem rodar muito fluida e rapidamente. O corpo da mãe faz tudo habilmente porque memorizou como executar todas essas tarefas graças a muita repetição. Ela não tem mais qualquer pensamento consciente sobre como fazer; são tarefas habituais.

Pense nisso: 5% da mente é consciente, lutando contra os 95% que rodam programas automáticos subconscientes. Memorizamos um conjunto de comportamentos tão bem que nos tornamos um corpo-mente habitual, automático. De fato, quando o corpo memorizou um pensamento, ação ou sentimento a ponto de o corpo ser a mente – quando mente e corpo são um –, estamos em um estado de ser a memória de nós mesmos. E, se 95% do que somos aos 35 anos é um conjunto de programas involuntários, comportamentos memorizados e reações emocionais habituais, por conseguinte estamos inconscientes em 95% de nossos dias. Apenas parecemos despertos. Nossa!

Assim, uma pessoa conscientemente pode querer ser feliz, saudável ou livre, mas a experiência de abrigar sofrimento e um ciclo repetido de reações químicas de dor e pena por vinte anos subconscientemente condicionaram o corpo a um estado habitual. Vivemos presos a hábitos quando não mais estamos cientes do que estamos pensando, fazendo ou sentindo; ficamos inconscientes.

O maior hábito que devemos quebrar é o hábito de ser nós mesmos.

Quando o corpo comanda o espetáculo

Aqui estão alguns exemplos práticos do corpo em estado habitual. Você alguma vez foi incapaz de lembrar conscientemente de um número de telefone? Por mais que tentasse, não conseguiu recordar nem três dígitos da série exigida para fazer a ligação? No entanto, pegou o telefone e observou seus dedos digitarem o número. Seu cérebro pensante, consciente, não consegue lembrar o número, mas você praticou essa ação com os dedos tantas vezes que seu corpo agora sabe e lembra melhor do que seu cérebro. (Esse exemplo é para quem cresceu antes do aparecimento dos telefones com memória e dos celulares; talvez você tenha passado pela mesma experiência ao digitar sua senha no caixa eletrônico ou ao entrar com uma senha *on-line*.)

De modo semelhante, consigo lembrar de quando malhava na academia e tinha um armário com cadeado de combinação. Às vezes eu ficava tão cansado depois do treino que não conseguia lembrar da combinação. Olhava fixamente para o dial, tentando recordar a sequência de três números, mas ela não vinha. No entanto, quando eu começava a girar o dial, a combinação surgia como num passe de mágica. Isso também acontece porque praticamos tantas vezes que nosso corpo sabe mais do que nossa mente consciente. O corpo subconscientemente se tornou a mente.

Lembre-se de que 95% do que somos ali pelos 35 anos encontram-se no mesmo sistema de memória subconsciente, no qual o corpo roda automaticamente um conjunto programado de comportamentos e reações emocionais. Em outras palavras, o corpo comanda o espetáculo.

Quando o servo torna-se o senhor

Na realidade, o corpo é o servo da mente. Por conseguinte, se o corpo tornou-se a mente, o servo tornou-se o senhor. E o ex-senhor (a mente consciente) foi dormir. A mente pode pensar que ainda está no comando, mas o corpo influencia as decisões de acordo com as emoções memorizadas.

Agora, digamos que a mente queira retomar o controle. O que você acha que o corpo dirá?

> Onde você esteve? Volte a dormir. Eu ajeitei tudo aqui. Você não tem disposição, persistência ou consciência para fazer o que eu fiz durante todo esse tempo em que você inconscientemente seguia minhas ordens. Eu até modifiquei meus pontos receptores ao longo dos anos a fim de servi-la melhor. Você pensava estar gerenciando as coisas, enquanto eu a influenciava o tempo todo e a incitava a tomar todas as decisões de acordo com o que parece certo e familiar.

E, quando os 5% conscientes rebelam-se contra os 95% que estão rodando programas automáticos subconscientes, estes 95% são tão reflexos que basta um pensamento disperso ou um único estímulo do ambiente para ativar o programa automático de novo. Então voltamos ao mesmo de sempre – pensando os mesmos pensamentos, executando as mesmas ações, mas esperando que algo diferente aconteça em nossa vida.

Quando tentamos retomar o controle, o corpo sinaliza ao cérebro para começar a nos dissuadir de nossas metas conscientes. Nossa tagarelice interna apresenta uma batelada de motivos por que não devemos tentar fazer nada fora do comum, nem romper o estado de ser habitual a que estamos acostumados. Cata todas as nossas deficiências, que ela conhece e alimenta, e joga uma por uma na nossa cara.

Criamos os piores cenários em nossa mente a fim de não termos de ultrapassar esses sentimentos familiares. Porque, ao tentar romper a organização química interna que tornamos uma segunda natureza, o corpo fica um caos. A aporrinhação interna parece quase irresistível – e muitas vezes sucumbimos.

Acesse o subconsciente para mudar

A mente subconsciente só conhece o que você a programou para fazer. Já aconteceu de você estar digitando em seu laptop e de repente o computador começar a rodar programas automáticos sobre os quais você não tem controle? Quando você tenta usar a mente consciente para parar os programas subconscientes e automáticos armazenados em seu corpo, é como esbravejar contra um computador que ficou louco, com diversos programas rodando, abrindo janelas e mostrando mais do que você possa lidar. Ei! Pare com isso! O computador nem vai registrar isso. Vai continuar fazendo o que faz até haver algum tipo de intervenção – até você conseguir acessar o sistema operacional e alterar algumas configurações.

Neste livro, você aprenderá a acessar o subconsciente e reprogramá-lo com um novo conjunto de estratégias. Na realidade, você tem de desprogramar, ou desconectar, seus velhos padrões de pensar e sentir e, em seguida, reprogramar, ou reconectar, seu cérebro com novos padrões de pensamento e sentimento, baseados em quem você quer ser. Quando você condiciona o corpo com uma nova mente, os dois não podem mais trabalhar em oposição, mas tem que ser em harmonia. Esse é o ponto da mudança... da autocriação.

Culpado até provar a inocência

Vamos utilizar uma situação real para ilustrar o que acontece quando decidimos romper algum estado emocional memorizado e mudar nossa mente. Penso que todos nós podemos nos identificar com um estado de ser comum: culpa. Assim, vou usá-la para ilustrar em termos práticos como esse ciclo de pensamento e sentimento funciona contra nós. Em seguida, identificaremos alguns dos esforços que o sistema cérebro-corpo fará para permanecer no controle e preservar esse estado de ser negativo.

Imagine que você frequentemente sinta-se culpado por uma coisa ou outra. Se alguma coisa dá errado em um relacionamento – uma simples falha na comunicação, uma pessoa despejando errônea e injustificadamente a raiva dela sobre você, ou o que seja –, você acaba assumindo a culpa e se sentindo mal. Veja-se como uma daquelas pessoas que repetidamente dizem ou pensam: foi culpa minha.

Depois de vinte anos fazendo isso consigo mesmo, você se sente culpado e automaticamente tem pensamentos de culpa. Você criou um ambiente de culpa para si mesmo. Outros fatores contribuíram para isso, mas de momento vamos ficar com essa noção de como seu pensamento e seu sentimento criaram seu estado de ser e seu ambiente.

Cada vez que você tem um pensamento de culpa, sinaliza a seu corpo para que produza as substâncias químicas específicas que constituem o sentimento de culpa. Você fez isso com tanta frequência que suas células estão nadando em um mar de substâncias químicas de culpa.

Os pontos receptores de suas células adaptam-se para poder assimilar e processar melhor essa expressão química particular de culpa. A enorme quantidade de culpa que banha as células começa a parecer normal para elas, e, no fim, o que o corpo percebe como normal começa a ser interpretado como prazeroso. É como viver anos a fio próximo de um aeroporto. Você fica tão acostumado com o barulho que não mais o ouve conscientemente, a menos que um jato voe mais baixo do que o habitual e o rugido do motor seja tão mais forte que chame sua atenção. Acontece o mesmo com suas células. Como resultado, elas ficam literalmente insensíveis ao sentimento químico de culpa; exigirão uma emoção mais forte, mais poderosa – um limiar mais alto de estímulo – para se ativar da próxima vez. E, quando esse "pico" mais forte de substâncias químicas de culpa consegue a atenção do corpo, suas células se "animam" com o estímulo, de forma muito parecida com o que uma xícara de café Java causa em quem bebe café.

E, quando cada célula se divide no final de sua vida e forma uma célula filha, os pontos receptores externos da nova célula exigirão um limiar mais alto de culpa para serem ativados. Agora o corpo exige um fluxo emocional mais forte de sentimentos ruins para se sentir vivo. Você fica viciado em culpa por suas próprias ações.

Quando qualquer coisa dá errado ou entorta em sua vida, você automaticamente presume que seja o culpado. Mas isso agora lhe parece normal. Você nem tem de pensar em se sentir culpado – você é. Não

3 | Superando seu corpo

apenas sua mente não está consciente de como você expressa seu estado de culpa por meio das coisas que diz e faz, como seu corpo quer sentir esse nível costumeiro de culpa porque você o treinou o para fazer isso. Inconscientemente, você tornou-se culpado na maior parte do tempo – seu corpo tornou-se uma mente de culpa.

Apenas quando, digamos, uma amiga comenta que você não precisava pedir desculpas ao caixa da loja por ele ter lhe dado o troco errado, você percebe o quanto esse aspecto de sua personalidade está disseminado. Digamos que isso deflagra um daqueles momentos de iluminação – uma epifania –, e você pensa: ela está certa. Por que eu me desculpo o tempo todo? Por que assumo a responsabilidade pelas falhas de outras pessoas? Após refletir sobre o histórico de "se declarar culpado" constantemente, você diz para si mesmo: hoje vou parar de me culpar e de pedir desculpas pelo mau comportamento dos outros. Vou mudar.

Por causa dessa decisão, você não vai mais pensar os mesmos pensamentos que produzem os mesmos sentimentos e vice-versa. E, caso vacile, você fez um trato consigo mesmo de parar e lembrar da sua intenção. Passam-se duas horas, e você se sente realmente bem consigo mesmo. Você pensa: uau, isso está mesmo dando certo.

Infelizmente, as células de seu corpo não estão se sentindo tão bem. Ao longo dos anos, você treinou-as para exigirem mais moléculas de emoção (culpa, neste caso) a fim de satisfazer suas necessidades químicas. Você treinou seu corpo para viver como uma continuidade química memorizada, mas agora está interrompendo isso, negando as necessidades químicas e indo contra os programas subconscientes dele.

O corpo fica viciado em culpa ou em qualquer emoção da mesma forma que ficaria viciado em drogas.[8] A princípio você só precisa de um pouco de emoção/droga para sentir; depois o corpo fica insensível, e as células exigem mais e mais apenas para sentir a mesma coisa de novo. Tentar mudar seu padrão emocional é como passar pela retirada de uma droga.

Quando suas células não mais obtêm os sinais usuais do cérebro para sentir culpa, começam a expressar preocupação. Antes, corpo e mente trabalhavam juntos para produzir o estado de ser chamado culpa; agora você não está mais pensando e sentindo, sentindo e pensando do mesmo modo. Sua intenção é produzir pensamentos mais positivos, mas o corpo ainda está muito no embalo de produzir sentimentos de culpa baseados em pensamentos de culpa.

Pense nisso como uma espécie de linha de montagem altamente especializada. Seu cérebro programou o corpo para esperar uma peça que se encaixa no todo. De repente, você enviou outra peça que não se encaixa no espaço onde cabia a antiga peça de "culpa". Um alarme dispara, e toda a operação é paralisada.

Suas células estão sempre espionando o que está acontecendo no cérebro e na mente; seu corpo é o melhor intérprete da mente de todos os tempos. Portanto, todas as células param o que estão fazendo, erguem o olhar para o cérebro e pensam:

> O que você está fazendo aí em cima? Você insistiu em ser culpado, e nós seguimos suas ordens fielmente durante anos! Subconscientemente memorizamos um programa de culpa a partir de seus pensamentos e sentimentos repetitivos. Alteramos nossos pontos receptores para refletir sua mente – modificamos nossa química a fim de que você pudesse se sentir culpado automaticamente. Mantivemos nossa organização química interna, independentemente de quaisquer circunstâncias externas em sua vida. Estamos tão acostumadas à mesma organização química que seu novo estado de ser parece desconfortável, não familiar. Queremos o familiar, o previsível, o que parece natural. De repente você vai mudar? Não aceitaremos isso!

Aí as células se aglomeram e dizem: vamos enviar uma mensagem de protesto para o cérebro. Mas temos de ser sorrateiras, pois queremos que pense que na verdade ele é o responsável por esses pensamentos. Não queremos que ele saiba que partiu de nós. As células então enviam uma mensagem marcada com URGENTE diretamente medula acima até a superfície do cérebro pensante. Chamo essa de "pista rápida", pois a mensagem vai diretamente para o sistema nervoso central em questão de segundos.

Ao mesmo tempo em que isso está acontecendo, a química do corpo – a química da culpa – está em um nível baixo, pois você não está pensando e sentindo do mesmo modo. Mas essa queda não passa despercebida. Um termostato no cérebro denominado hipotálamo também emite um alarme que diz: os índices químicos estão caindo. Precisamos fabricar mais!

O hipotálamo então sinaliza o cérebro pensante para que reverta ao antigo esquema habitual. Essa é a "pista lenta", pois demora mais tempo para as substâncias químicas circularem pela corrente sanguínea. O corpo quer que você retorne ao eu químico memorizado; por isso, influencia-o para pensar de forma familiar, rotineira. Assim, o corpo ativa as redes correspondentes de neurônios que dispararam e estiveram conectadas por anos, que são iguais à mente daquele sentimento.

Essas respostas celulares de "pista rápida" e "pista lenta" ocorrem simultaneamente. E em seguida você começa a ouvir a seguinte tagarelice de pensamentos em sua cabeça: você está cansado demais hoje. Você pode começar amanhã. Amanhã é melhor. Sério, você pode fazer isso mais tarde. E a minha favorita: isso não parece estar certo.

Se isso não funciona, ocorre um segundo ataque sorrateiro. O corpo-mente quer ficar no controle outra vez, por isso começa a implicar um pouco com você:

É compreensível que você se sinta um pouco mal neste momento. A culpa é do seu pai. Você não se sente mal por causa do que fez no passado? De fato, vamos dar uma olhada no seu passado para você poder lembrar por que é desse jeito. Olhe para você – você é um desastre, um perdedor. Você é patético e fraco. Sua vida é um fracasso. Você nunca vai mudar. Você é muito parecido com a sua mãe. Por que você simplesmente não desiste?

Enquanto você continua nessa "terrivelização", o corpo tenta seduzir a mente para voltar ao estado inconscientemente memorizado. Em nível racional, isso é absurdo. Mas, obviamente, em algum nível é bom sentir-se mal.

No momento em que ouvimos essas subvocalizações, acreditamos nesses pensamentos e respondemos sentindo os mesmos sentimentos familiares, instala-se uma amnésia mental e esquecemos nosso objetivo original. O engraçado é que realmente começamos a acreditar no que o corpo está falando ao cérebro para nos dizer. Imergimos novamente naquele programa automático e retornamos a ser nosso antigo eu.

A maioria de nós consegue identificar esse cenário. Não é diferente de nenhum hábito que tentamos romper. Quer sejamos viciados em cigarro, chocolate, álcool, jogo, fazer compras ou roer as unhas, no instante em que cessamos a ação habitual, irrompe o caos entre o corpo e a mente. Os pensamentos que adotamos estão intimamente identificados com os sentimentos de como seria experimentar a indulgência. Quando cedemos aos desejos, continuamos a produzir os mesmos resultados em nossa vida, pois mente e corpo estão em oposição. Nossos pensamentos e sentimentos trabalham um contra o outro, e, se o corpo tornou-se a mente, sempre seremos presas de como nos sentimos.

Enquanto usarmos sentimentos familiares como barômetro, como o retorno de nossos esforços para mudar, sempre nos dissuadiremos de novas possibilidades. Jamais seremos capazes de pensar maior do que nosso ambiente interno. Jamais seremos capazes de visualizar um mundo de possíveis resultados diferentes dos resultados negativos de nosso passado. Nossos pensamentos e sentimentos têm todo esse poder sobre nós.

A ajuda depende apenas de um pensamento

O próximo passo para quebrar o hábito de sermos nós mesmos é entender como é importante fazer com que mente e corpo trabalhem juntos e romper a continuidade química de nosso estado de ser culpado, envergonhado, furioso e deprimido. Resistir à exigência do corpo de restaurar a velha organização insalubre não é fácil, mas a ajuda depende apenas de um pensamento.

Nas páginas a seguir, você aprenderá que, para ocorrer uma mudança verdadeira, é essencial "desmemorizar" uma emoção que se tornou parte de nossa personalidade e então recondicionar o corpo para uma nova mente.

É fácil sentir-se desesperançado quando nos damos conta de que a química de nossas emoções habituou nosso corpo a um estado de ser que muito frequentemente é um produto de ira, ciúme, ressentimento, tristeza e assim por diante. Afinal, eu disse que esses programas, essas propensões, estão programados em nosso subconsciente.

A boa notícia é que podemos ficar conscientemente atentos a essas tendências. Tratarei mais desse conceito nas páginas a seguir. Por ora, espero que você possa aceitar que, para mudar sua personalidade, você precisa mudar seu estado de ser, que está intimamente conectado a sentimentos que você memorizou. Assim como as emoções negativas, as emoções positivas também podem ficar embutidas no sistema operacional de seu subconsciente.

Pensamentos conscientes positivos não conseguem por si só superar sentimentos subconscientes negativos

Em um momento ou outro, todos nós conscientemente já declaramos: quero ser feliz. Mas, até o corpo ser instruído em contrário, continuará expressando programas de culpa, tristeza ou ansiedade. A mente intelectual, consciente, pode raciocinar que quer alegria, mas o corpo foi programado para sentir outra coisa durante anos. Fazemos um estardalhaço proclamando a mudança como um de nossos principais interesses, mas no íntimo parece que não conseguimos produzir um sentimento de verdadeira felicidade. Isso se dá porque mente e corpo não estão trabalhando juntos. A mente consciente quer uma coisa, mas o corpo quer outra.

Se você dedicou-se a sentimentos negativos anos a fio, esses sentimentos criaram um estado de ser automático. Poderíamos dizer que você é subconscientemente infeliz, certo? Seu corpo foi condicionado a ser negativo, ele sabe como ser infeliz melhor do que sua mente consciente sabe ser feliz. Você nem precisa pensar em como ser negativo. Você simplesmente sabe que é assim que você é. Como sua mente consciente pode controlar essa atitude no corpo-mente subconsciente?

Alguns sustentam que a resposta é "pensamento positivo". Quero deixar claro que, por si só, o pensamento positivo jamais funciona. Muitos supostos pensadores positivos sentiram-se negativos na maior parte da vida, e agora estão tentando pensar positivamente. Estão em um estado polarizado, no qual tentam pensar de uma maneira a fim de sobrepujar o que sentem dentro de si. Conscientemente eles pensam de um jeito, mas são o oposto. Quando mente e corpo estão em oposição, jamais ocorre a mudança.

Sentimentos memorizados limitam-nos a recriar o passado

Por definição, as emoções são produtos finais de experiências passadas de vida.

Quando você está no meio de uma experiência, o cérebro recebe informação vital do ambiente externo por cinco vias sensoriais diferentes (visão, olfato, audição, paladar e tato). À medida que os dados sensoriais cumulativos chegam ao cérebro e são processados, redes de neurônios arranjam-se em padrões específicos refletindo o evento externo. No momento em que essas células nervosas enfileiram-se em ordem, o cérebro libera substâncias químicas. Essas substâncias são chamadas de "emoção" ou "sentimento". (Neste livro, utilizo as palavras "sentimentos" e "emoções" de forma indistinta, pois são suficientemente próximas para o nosso entendimento.)

Quando essas emoções começam a inundar quimicamente seu corpo, você detecta uma alteração em sua ordem interna (você pensa e sente diferente de minutos antes). Naturalmente, quando nota essa mudança em seu estado interno, você presta atenção em qualquer pessoa ou coisa no ambiente externo que a tenha provocado. Quando consegue identificar o que quer que tenha provocado a mudança interna, esse evento em si e por si é chamado de memória. Neurológica e quimicamente, você codifica as informações ambientais em seu cérebro e corpo. Com isso, consegue lembrar melhor das experiências, pois recorda a sensação na época em que ocorreram – sentimentos e emoções são um registro químico de experiências passadas.

Por exemplo, seu chefe chega para a sua avaliação de desempenho. Imediatamente você nota que ele está com o rosto vermelho, até irritado. Quando ele começa a falar num tom de voz elevado, você sente o cheiro de alho em seu hálito. Ele o acusa de sabotá-lo perante os outros funcionários e diz que o preteriu para uma promoção. Nesse momento, você fica tenso, com as pernas bambas e nauseado; seu coração dispara. Você se sente assustado, traído e irritado. Todas as informações sensoriais acumuladas – tudo o que você está cheirando, vendo, sentindo e ouvindo – estão alterando seu estado interno. Você associa essa experiência externa à mudança que sente internamente e isso grava uma marca emocional.

3 | Superando seu corpo

Você vai para casa e revê a experiência em sua mente repetidamente. Cada vez que faz isso, você recorda o olhar acusador e intimidante de seu chefe, a forma como ele gritou com você, o que disse e até como ele cheirava. Então você fica assustado e irritado de novo, gera a mesma química em seu cérebro e corpo, como se a avaliação do desempenho ainda estivesse ocorrendo. Como seu corpo acredita que está experimentando o mesmo evento vez após vez, você o está condicionando a viver no passado.

Vamos analisar isso um pouco mais. Pense em seu corpo como a mente inconsciente, ou como um servo objetivo que recebe ordens de sua consciência. Ele é tão objetivo que não sabe a diferença entre as emoções criadas a partir de experiências no mundo externo e aquelas fabricadas em seu mundo interior somente pelo pensamento. Para o corpo, elas são iguais.

E se esse ciclo de pensamentos e sentimentos de que você foi traído continuasse durante anos a fio? Se permanece nessa experiência com seu chefe ou revive esses sentimentos familiares dia após dia, você continuamente sinaliza a seu corpo com sentimentos químicos que ele associa ao passado. Essa continuidade química engana o corpo, fazendo-o acreditar que ainda está vivenciando o passado, de modo que o corpo continua a reviver a mesma experiência emocional. Quando seus pensamentos e sentimentos memorizados forçam o corpo a "estar" no passado consistentemente, podemos dizer que o corpo torna-se uma memória do passado.

Se os sentimentos de traição memorizados dirigem seus pensamentos durante anos, então seu corpo vive no passado 24 horas por dia, sete dias por semana, 52 semanas por ano. Com o tempo, seu corpo fica ancorado no passado.

Você sabe que, quando recria repetidamente as mesmas emoções até não conseguir pensar com maior grandeza do que como se sente, seus sentimentos são o meio de seus pensamentos. E, como seus sentimentos são registros de experiências anteriores, você pensa no passado. E, pela lei quântica, você cria mais do passado.

Conclusão: muita gente vive no passado e resiste a viver em um novo futuro. Por quê? O corpo está tão habituado a memorizar os registros químicos de nossas experiências passadas que fica apegado a essas emoções. Em um sentido muito real, ficamos viciados nos sentimentos familiares.

Assim, quando queremos olhar para o futuro e sonhar com novos cenários e panoramas ousados em nossa realidade não muito distante, o corpo, cujo meio circulante são os sentimentos, resiste à mudança súbita de direção.

Realizar essa guinada de 180 graus é a maior tarefa da mudança pessoal. Muita gente luta para criar um novo destino, mas se vê incapaz de superar a memória passada de quem sente que é. Ainda que tenhamos um anseio por aventuras desconhecidas ou sonhos de novas possibilidades para o futuro, parece que somos forçados a revisitar o passado.

Sentimentos e emoções não são ruins. São os produtos finais da experiência. Mas, se revivemos sempre os mesmos sentimentos e emoções, não podemos adotar experiências novas. Você conhece pessoas que sempre parecem falar dos "velhos anos dourados"? O que elas estão realmente dizendo é: não há nada de novo ocorrendo em minha vida que estimule meus sentimentos; portanto, tenho que me reafirmar a partir de alguns momentos gloriosos do passado. Se acreditamos que nossos pensamentos têm alguma coisa a ver com nosso destino, então, como criadores, a maioria de nós está apenas andando em círculos.

Controlando nosso ambiente interno: o mito genético

Até aqui, ao discutir como o modelo quântico da realidade relaciona-se à mudança, passei a maior parte do tempo falando sobre nossas emoções, o cérebro e o corpo. Vimos que superar os pensamentos e sentimentos recorrentes que o corpo memoriza é obrigatório se queremos quebrar o hábito de sermos nós mesmos.

Outro aspecto importante de quebrar esse hábito tem a ver com nossa saúde física. Certamente, na hierarquia de fatores que a maioria de nós deseja mudar em sua vida, as questões de saúde estão no topo da lista. E, em se tratando do que gostaríamos de mudar em nossa saúde, há um conjunto de dogmas que teremos de examinar e dispensar – o mito de que os genes criam doenças e a falácia do determinismo genético. Também examinaremos um conhecimento científico que pode ser novidade para você, chamado epigenética: o controle dos genes a partir do exterior da célula, ou, mais precisamente, o estudo de alterações na função dos genes sem uma alteração na sequência do DNA.[9]

••• 3 | Superando seu corpo •••

Do mesmo modo que podemos criar novas experiências sozinhos, como minha filha fez, também podemos adquirir o controle de uma parte muito importante de nossa vida – o que costumamos pensar ser nosso destino genético. Ao prosseguirmos, você verá que saber alguma coisa sobre nossos genes e o que sinaliza para que se manifestem ou não é decisivo para entender por que você tem de mudar de dentro para fora.

A ciência tinha por máxima que nossos genes eram responsáveis pela maioria das doenças. Então, algumas décadas atrás, a comunidade científica casualmente mencionou que estivera errada e anunciou que o ambiente, ao ativar ou desativar genes específicos, é o fator mais causativo na produção de doenças. Todos nós sabemos que menos de 5% de todas as doenças hoje em dia derivam de desordens de um único gene (tais como a doença de Tay-Sachs e a coreia de Huntington), enquanto que cerca de 95% de todas as doenças estão relacionadas a escolhas no estilo de vida, estresse crônico e fatores tóxicos do ambiente.[10]

No entanto, fatores do ambiente externo são apenas parte do cenário. O que explica o fato de duas pessoas poderem ser expostas às mesmas condições ambientais tóxicas por anos e uma ficar doente e a outra não? Como é que, quando uma pessoa tem desordem de múltiplas personalidades, uma personalidade pode demonstrar uma alergia severa a alguma coisa e outra personalidade no mesmo corpo pode ser imune ao mesmo antígeno ou estímulo? Por que, embora expostos a patógenos diariamente, médicos e outros servidores da saúde não ficam continuamente enfermos?

Também existem numerosos estudos documentando gêmeos idênticos (que compartilham os mesmos genes) que tiveram experiências muito diferentes no que diz respeito à saúde e longevidade. Por exemplo, se ambos compartilhavam um histórico familiar de uma doença específica, essa doença muitas vezes se manifestava em um gêmeo, mas não no outro. Mesmos genes, resultados diferentes.[11]

Em todos esses casos, será que a pessoa que permanece saudável possui uma organização interna tão coerente, equilibrada e vital que, mesmo quando seu corpo é exposto às mesmas condições ambientais nocivas, o mundo externo não faz nada à sua expressão gênica e, portanto, não sinaliza aos genes para criar doenças?

É verdade que o ambiente externo influencia nosso ambiente interno. No entanto, será que, ao alterar nosso estado de ser, podemos superar os efeitos de um ambiente estressante ou tóxico de modo que certos genes não sejam ativados? Talvez não possamos controlar todas as condições de nosso ambiente externo, mas com certeza temos a opção de controlar nosso ambiente interno.

Genes: memórias do ambiente do passado

Para explicar como conseguimos controlar nosso ambiente interno, preciso falar um pouco sobre a natureza dos genes, que se expressam no corpo quando as células fabricam determinadas proteínas, os blocos de construção da vida.

O corpo é uma fábrica produtora de proteínas. As células musculares produzem proteínas musculares chamadas actina e miosina, as células epiteliais produzem as proteínas da pele chamadas colágeno e elastina, e as células estomacais produzem proteínas do estômago chamadas enzimas. A maioria das células do corpo produz proteínas, e os genes são os meios com os quais as produzimos. Expressamos genes particulares via certas células produzindo determinadas proteínas.

A maioria dos organismos adapta-se às condições de seu ambiente por meio de modificações genéticas graduais. Por exemplo, quando um organismo tem de enfrentar condições ambientais difíceis, como temperaturas extremas, predadores perigosos, presas rápidas, ventos destruidores, fortes correntes etc., ele é forçado a superar os aspectos adversos de seu mundo a fim de sobreviver. À medida que os organismos registram essas experiências nas conexões em seus cérebros e nas emoções em seus corpos, eles se modificarão com o tempo. Se os leões caçam presas que podem correr mais que eles, então, ao se engajar ativamente nas mesmas experiências por gerações, desenvolveram pernas mais longas, dentes mais afiados ou coração maior. Todas essas alterações resultam de os genes produzirem proteínas que modificam o corpo para que se adapte ao ambiente.

Vamos ficar no mundo animal para examinar como isso funciona em termos de adaptação ou evolução. Um grupo hipotético de mamíferos migrou para um ambiente em que as temperaturas oscilam entre 26 graus negativos e quatro graus. Os genes desses mamíferos, ao longo de várias gerações vivendo sob condições extremamente frias, eventualmente foram acionados para produzir uma nova proteína que produziu pelagem mais espessa e em maior quantidade (cabelo e pelagem são proteínas).

Numerosas espécies de insetos desenvolveram a habilidade de se camuflar. Alguns que vivem em árvores ou outras folhagens adaptaram-se para parecer gravetos ou espinhos, o que lhes permite escapar da atenção de pássaros. O camaleão provavelmente é o mais famoso dos "camufladores" e deve sua capacidade de mudar de cor à expressão gênica de proteínas. Nesses processos, os genes codificam as condições do mundo externo. Isso é evolução, certo?

A epigenética sugere que podemos sinalizar nossos genes para reescrever nosso futuro

Nossos genes são tão mutáveis quanto nosso cérebro. As pesquisas genéticas mais recentes mostram que diferentes genes são ativados em diferentes momentos – estão sempre em fluxo e sendo influenciados. Existem genes dependentes de experiência, que são ativados quando há crescimento, cura ou aprendizado; e existem genes dependentes do estado comportamental, que são influenciados durante estresse, excitação emocional ou sonhos.[12]

Uma das áreas de pesquisa mais ativas atualmente é a epigenética (literalmente, "acima da genética"), o estudo de como o ambiente controla a atividade dos genes. A epigenética vai de encontro ao modelo genético convencional, que estabeleceu que o DNA controla toda a vida e que toda a expressão gênica se dá no interior da célula. Esse antigo entendimento condenou-nos a um futuro previsível, no qual nosso destino caía preso de nossa herança genética e toda a vida celular era predeterminada, como um "fantasma na máquina" automático.

De fato, as alterações epigenéticas na expressão do DNA podem ser passadas para as futuras gerações. Mas como são repassadas se o código de DNA permanece o mesmo?

Embora uma explicação científica esteja além do escopo deste livro, podemos usar uma analogia. Vamos comparar uma sequência genética a um projeto técnico. Imagine que você comece a planta para uma casa e

••• PARTE 1 | A SUA CIÊNCIA •••

a escaneie no computador. Depois, usando o Photoshop, poderia alterar sua aparência na tela, mudando uma série de características sem mudar a planta. Por exemplo, poderia mudar a expressão de variáveis como cor, tamanho, escala, dimensões, materiais etc. Milhares de pessoas (representando variáveis ambientais) poderiam gerar imagens diferentes, mas todas seriam expressões da mesma planta.

A epigenética nos dá o poder de pensar sobre as mudanças em maior profundidade. O paradigma epigenético nos dá livre-arbítrio para ativar nossa atividade genética e modificar nosso destino genético. Para fins de exemplo e simplificação, quando eu falar em ativar um gene expressando-o de diferentes maneiras, vou me referir a "ligar". Na realidade, os genes não ligam ou desligam; eles são ativados por sinais químicos e se expressam de modos específicos fabricando várias proteínas.

Ao simplesmente mudar nossos pensamentos, sentimentos, reações emocionais e comportamentos (por exemplo, fazendo escolhas para um estilo de vida mais saudável em termos de nutrição e nível de estresse), enviamos novos sinais às nossas células, e elas expressam novas proteínas sem alterar o projeto genético. Assim, embora o código de DNA continue o mesmo, quando uma célula é ativada de uma nova forma por novas informações, ela pode criar milhares de variações do mesmo gene. Podemos sinalizar nossos genes para reescrever nosso futuro.

A perpetuação de velhos estados de ser nos configura para um destino genético indesejado

Certas áreas do cérebro têm conexões mais rígidas, enquanto outras são mais plásticas (passíveis de mudança por aprendizado e experiência); acredito que os genes tenham as mesmas características. Certas partes de nossa genética são ligadas mais facilmente, enquanto outras sequências genéticas são de certa forma mais rígidas, o que significa que são mais difíceis de ativar, pois estão presentes há mais tempo em nossa história genética. Ao menos é isso que a ciência afirma atualmente.

Como mantemos certos genes ligados e outros desligados? Se ficamos no mesmo estado tóxico de raiva, no mesmo estado melancólico de depressão, no mesmo estado vigilante de ansiedade ou no mesmo estado abatido de não

3 | Superando seu corpo

merecimento, os sinais químicos redundantes que discutimos continuam apertando os mesmos botões genéticos que por fim provocam a ativação de certas doenças. Emoções estressantes, como você aprenderá, de fato puxam o gatilho genético, desregulando as células (desregulação refere-se à debilitação de um mecanismo fisiológico regulatório) e criando doenças.

Quando pensamos e sentimos do mesmo modo durante grande parte da vida e memorizamos estados de ser familiares, nosso estado químico interno segue ativando os mesmos genes, o que significa que continuamos fabricando as mesmas proteínas. Mas o corpo não consegue se adaptar a essas exigências repetidas e começa a colapsar. Se fazemos isso por dez ou vinte anos, os genes começam a se desgastar e passam a fabricar proteínas "mais baratas". O que estou dizendo? Pense no que acontece quando envelhecemos. Nossa pele enruga porque seu colágeno e sua elastina passam a ser feitos de proteínas mais baratas. O que acontece com nossos músculos? Eles se atrofiam. Bem, nenhuma surpresa nisso – actina e miosina também são proteínas.

Eis aqui uma analogia. Quando uma peça metálica de seu carro é fabricada, é produzida em uma matriz ou molde. Cada vez que a matriz ou molde é usado, é submetido a certas forças, incluindo calor e atrito, que começam a desgastá-lo. Como você pode imaginar, as peças automotivas são manufaturadas com tolerância muito estrita (referente à variação permitida nas dimensões da peça). Com o tempo, essa matriz ou molde se desgasta a ponto de produzir peças que não se ajustam adequadamente a outras peças. Isso é semelhante ao que acontece com o corpo. Como resultado do estresse ou do hábito de ser repetida e consistentemente furioso, receoso, triste etc., o DNA que os peptídeos usam para fabricar proteínas começa a funcionar mal.

Qual é o impacto genético se permanecemos em condições familiares, rotineiras – criando as mesmas reações emocionais ao fazer as mesmas coisas, pensar os mesmos pensamentos, ver as mesmas pessoas e memorizar nossa vida em um padrão previsível? Estamos a caminho de um destino genético indesejado, estamos presos nos mesmos padrões das gerações antes de nós que confrontaram situações iguais ou semelhantes. E, se estamos apenas revivendo nossas memórias emocionais, estamos a caminho de um fim previsível – nosso corpo começará a criar as mesmas condições genéticas que as gerações anteriores encararam.

Assim, o corpo permanecerá o mesmo enquanto nos sentirmos da mesma forma, dia após dia. E, se a ciência diz que é o ambiente que sinaliza os genes envolvidos na evolução, como fica se o nosso ambiente jamais muda? E se memorizamos as mesmas condições do mundo externo e vivemos conforme os mesmos pensamentos, comportamentos e sentimentos? E se tudo em nossa vida permanece igual?

• • •

Você acabou de aprender que o ambiente externo sinaliza os genes quimicamente por meio das emoções de uma experiência. Assim, se as experiências em sua vida não mudam, os sinais químicos transmitidos a seus genes não mudam. Nenhuma informação nova do mundo exterior chega a suas células.

O modelo quântico assegura que podemos sinalizar o corpo emocionalmente e começar a alterar a cadeia de eventos genéticos sem primeiro ter qualquer experiência física real correlacionada a essa emoção. Não precisamos ganhar a corrida, a loteria ou a promoção antes de experimentar a emoção desses eventos. Lembre-se: podemos criar uma emoção apenas com o pensamento. Podemos experimentar alegria ou gratidão antes do ambiente, a tal ponto que o corpo começa a acreditar que ele já está "no" evento. Como resultado, podemos sinalizar nossos genes para fabricarem novas proteínas a fim de mudar nosso corpo antes do atual ambiente.

Estados mentais elevados podem produzir expressões de genes mais saudáveis?

Aqui está um exemplo de como podemos sinalizar novos genes de novas maneiras quando começamos a adotar emocionalmente um evento no futuro antes de ele se manifestar.

No Japão, conduziram um estudo para descobrir que efeito o estado mental de uma pessoa poderia ter em doenças. Os sujeitos eram dois grupos de pacientes com diabetes tipo 2, todos dependentes de insulina. Tenha em mente que a maioria dos diabéticos é medicada com insulina

3 | Superando seu corpo

para remover o açúcar (glicose) da corrente sanguínea e depositá-lo nas células, onde podem ser usadas como energia. Na época do estudo, as pessoas envolvidas estavam sendo tratadas com pílulas ou injeções de insulina para ajudar a controlar os elevados níveis de açúcar no sangue.[13]

Cada grupo teve seu nível de açúcar no sangue testado em jejum para se estabelecer os parâmetros. A seguir, um conjunto de sujeitos assistiu a um programa cômico durante uma hora, enquanto o grupo de controle assistiu a uma palestra tediosa. Os sujeitos do teste então fizeram uma refeição deliciosa e depois seus níveis de glicose no sangue foram verificados novamente.

Houve uma discrepância significativa entre os sujeitos que assistiram ao programa cômico e os que ouviram a palestra monótona. Em média, o nível de açúcar no sangue dos que assistiram à palestra monótona subiu para 123 mg/dl – alto o bastante para necessitarem de insulina para se manterem fora da zona de perigo. No grupo alegre, que tinha rido por uma hora, os níveis de açúcar no sangue após o jantar subiram a metade daquele valor (ligeiramente fora da faixa normal).

De início, os pesquisadores que conduziram o experimento pensaram que os sujeitos descontraídos tinham diminuído seus níveis de açúcar pela contração dos músculos abdominais e do diafragma enquanto riam. O raciocínio foi que, quando se contrai, um músculo usa energia – e a energia circulante é a glicose.

Mas a pesquisa foi além. Examinaram as sequências genéticas dos indivíduos joviais e descobriram que esses diabéticos haviam alterado 23 expressões gênicas diferentes simplesmente por rirem ao ver a comédia. O estado mental elevado aparentemente estimulou seus cérebros a enviar novos sinais para as células, que ligaram as variações genéticas, permitindo que seus corpos naturalmente começassem a regular os genes responsáveis pelo processamento do açúcar no sangue.

O estudo mostrou claramente que nossas emoções podem ligar algumas sequências genéticas e desligar outras. Ao simplesmente sinalizar o corpo com uma nova emoção, os sujeitos sorridentes alteraram sua química interna para mudar a expressão de seus genes.

Às vezes, uma alteração na expressão genética pode ser súbita e drástica. Você já ouviu falar de pessoas cujo cabelo ficou grisalho da noite para o dia após submetidas a condições extremamente estressantes? Esse é um exemplo do funcionamento dos genes. Essas pessoas tiveram uma reação emocional tão forte que a química corporal alterada tanto estimulou o gene da expressão do cabelo grisalho como restringiu a expressão gênica para a cor natural do cabelo em uma questão de horas. Elas sinalizaram novos genes de novas maneiras, alterando seu ambiente interno emocionalmente e, com isso, quimicamente.

Conforme discuti no capítulo anterior, quando você "experimentou" um evento diversas vezes, ensaiando cada aspecto dele em sua mente, você sente como seria o evento antes de ele se desenrolar. Então, ao alterar os circuitos de seu cérebro por pensar de modo diferente e adotar as emoções de um evento antes de sua manifestação física, você pode mudar seu corpo geneticamente.

Você consegue selecionar um potencial do campo quântico (a propósito, todos os potenciais já existem) e adotar emocionalmente um evento futuro antes da experiência real? Você consegue fazer isso tantas vezes que emocionalmente condiciona seu corpo a uma nova mente, com isso sinalizando novos genes de novas maneiras? Se você consegue, é altamente provável que comece a formatar e modelar seu cérebro e seu corpo em uma nova expressão... de modo que mudem fisicamente antes da realidade potencial desejada se manifestar.

Mudando seu corpo: por que mover um dedo?

Podemos acreditar que temos condições de alterar nosso cérebro pela força do pensamento, mas que efeitos isso terá em nossos corpos, se é que terá algum? Mediante o simples processo de ensaiar mentalmente uma atividade, podemos obter grandes benefícios sem mover um dedo. Aqui está um exemplo de como isso literalmente aconteceu.

Conforme descrito em um artigo publicado no *Journal of Neurophisiology* de 1992,[14] sujeitos foram divididos em três grupos:

- Pediu-se ao primeiro grupo para se exercitar contraindo e relaxando um dedo da mão esquerda durante cinco sessões de treinamento de uma hora por semana, por quatro semanas.
- Um segundo grupo ensaiou mentalmente os mesmos exercícios, com a mesma frequência, sem ativar quaisquer músculos do dedo fisicamente.
- As pessoas do grupo de controle não exercitaram o dedo, tampouco a mente.

No final do estudo, os cientistas compararam os achados. O primeiro conjunto de participantes teve a força do dedo testada contra o grupo de controle. Moleza, certo? O grupo que efetivamente fez os exercícios exibiu uma força 30% maior no dedo do que o grupo de controle. Todos sabemos que, se colocarmos uma carga em um músculo repetidamente, aumentaremos a força de tal músculo. O que provavelmente não anteciparíamos é que o grupo que ensaiou mentalmente os exercícios demonstrou um aumento de 22% na força muscular! A mente, portanto, gerou um efeito físico quantificável no corpo. Em outras palavras, o corpo mudou sem ter uma experiência física real.

Assim como as pesquisas com sujeitos que ensaiaram mentalmente os exercícios com os dedos e outros que imaginaram tocar escalas no piano, experimentos compararam a experiência prática *versus* o ensaio mental de indivíduos fazendo rosca bíceps. Os resultados foram os mesmos. Fosse executando as roscas bíceps fisicamente ou ensaiando mentalmente a atividade, todos os participantes aumentaram a força do bíceps. Os praticantes mentais, no entanto, demonstraram alterações fisiológicas sem jamais ter a experiência física.[15]

Quando o corpo muda fisicamente/biologicamente apenas pela força do pensamento ou do esforço mental para parecer que uma experiência ocorreu, então, da perspectiva quântica isso oferece evidência de que o evento já aconteceu em nossa realidade. Se o cérebro atualiza seu *hardware* para parecer que a experiência ocorreu fisicamente, se o corpo é alterado genética ou biologicamente (dando provas de que isso ocorreu) e se ambos ficam diferentes sem "fazermos" nada nas três dimensões, então o evento ocorreu no mundo quântico da consciência e no mundo da realidade física.

PARTE 1 | A SUA CIÊNCIA

Quando você ensaia cuidadosamente uma realidade futura até seu cérebro mudar fisicamente para parecer que teve a experiência e quando você adota emocionalmente uma nova intenção tantas vezes que seu corpo é alterado para refletir que ele teve a experiência, espere aí... pois é nesse momento que o evento encontra você! E ele chegará da maneira que você menos espera, o que não deixa dúvida de que provém de seu relacionamento com uma consciência maior – de modo que o inspira a fazer isso mais e mais vezes.

CAPÍTULO 4

Superando o tempo

Muito já foi escrito sobre a importância de se permanecer no presente. Eu poderia citar estatísticas de tudo, desde dirigir distraidamente até divórcios, para sustentar a noção de que as pessoas realmente têm dificuldades de permanecer no momento presente. Permita-me fazer um acréscimo a esse corpo de conhecimento, expressando o conceito em termos quânticos. No presente, todos os potenciais existem no campo. Quando permanecemos presentes, quando estamos "no momento", podemos nos mover além do espaço e do tempo e podemos transformar qualquer um desses potenciais em realidade. Porém, quando estamos atolados no passado, nenhum desses novos potenciais existem.

Você aprendeu que, quando tentam mudar, os seres humanos reagem de forma muito parecida a viciados, pois ficam viciados em estados químicos de ser que são familiares. Você sabe que, quando tem um vício, é praticamente como se seu corpo tivesse uma mente própria. À medida que eventos passados desencadeiam a mesma resposta química que a do incidente original, seu corpo pensa que está vivenciando novamente o mesmo evento. Uma vez condicionado a ser a mente subconsciente ao longo desse processo, o corpo assume o lugar da mente – ele se torna a mente e, portanto, pode, de certo modo, pensar.

Eu comentei como o corpo torna-se a mente devido ao ciclo de pensar e sentir, sentir e pensar. Mas existe outra maneira para isso ocorrer, baseada nas memórias passadas.

Funciona assim: você tem uma experiência, que tem uma carga emocional. Daí você tem um pensamento sobre esse evento passado específico. O pensamento torna-se uma memória, que então reproduz reflexamente a emoção da experiência. Se você fica pensando nessa memória repetidamente, ela e a emoção fundem-se em uma, e você "memoriza" a emoção. Dessa maneira, viver no passado torna-se um processo mais subconsciente do que consciente.

MEMORIZANDO EMOÇÕES

Pensamento → Memória → Emoção

Pensamento é a memória → Emoção

Emoção memorizada

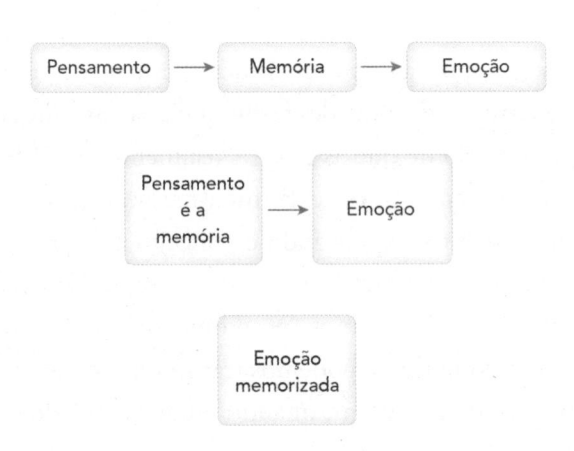

Figura 4A. O pensamento produz uma memória, que cria uma emoção. Com o tempo, o pensamento torna-se a memória e segue-se uma emoção. Se esse processo é repetido um número suficiente de vezes, o pensamento é a memória, que é a emoção. Memorizamos a emoção.

O subconsciente abrange a maioria dos processos físicos e mentais ocorridos abaixo de nossa percepção consciente. Grande parte dessa atividade envolve manter o corpo em funcionamento. Os cientistas referem-se a esse sistema regulador como o sistema nervoso autônomo. Não temos de pensar conscientemente em respirar, manter o coração batendo, elevar e reduzir nossa temperatura corporal ou em qualquer um dos outros milhões de processos que ajudam o corpo a se manter em ordem e se curar.

4 | Superando o tempo

Penso que você pode ver o quanto é potencialmente perigoso cedermos o controle de nossas respostas emocionais diárias a nossas memórias e ao ambiente – a esse sistema automático. Esse conjunto subconsciente de respostas rotineiras é comparado a um sistema de piloto automático ou então a programas rodando em segundo plano num computador. O que essas analogias tentam transmitir é a noção de que existe algo abaixo da superfície de nossa consciência que está no controle de nosso comportamento.

Como exemplo para reforçar esses pontos, imagine que, quando jovem, você chega em casa um dia e encontra seu animal de estimação favorito morto no chão. Cada impressão sensorial dessa experiência seria, como a expressão sugere, gravada a fogo em seu cérebro. Essa experiência deixaria cicatrizes.

No caso de experiências traumáticas como essa, é fácil entender como tais emoções podem se tornar respostas memorizadas e inconscientes aos lembretes de seu ambiente de que você perdeu um ente querido. Agora você sabe que, quando pensa naquela experiência, você cria as mesmas emoções em seu cérebro e em seu corpo, como se o evento estivesse ocorrendo outra vez. Basta um pensamento disperso ou uma reação a algum evento do mundo externo para ativar esse programa – e você começar a sentir a emoção do luto passado. O gatilho pode ser ver um cachorro parecido com o seu ou visitar um lugar aonde levou seu cãozinho. Independentemente do dado sensorial, ele ativa uma emoção. Esses gatilhos emocionais podem ser óbvios ou sutis, mas todos afetam em um nível subconsciente, e, antes de conseguir processar o que ocorreu, você retorna àquele estado emocional/químico de luto, raiva e tristeza.

Quando isso ocorre, o corpo controla a mente. Você pode usar sua mente consciente para tentar sair desse estado emocional, mas invariavelmente você se sente como se estivesse descontrolado.

Pense em Pavlov e seus cães nos anos 1890. O jovem cientista russo prendia alguns cachorros a uma mesa, tocava uma campainha e depois servia uma refeição substanciosa. Com o tempo, após expor os cães repetidamente aos mesmos estímulos, ele simplesmente tocava a campainha, e os cachorros salivavam em antecipação.

Isso é chamado resposta condicionada, e o processo ocorre automaticamente. Por quê? Porque o corpo começa a responder de forma autônoma (pense em nosso sistema nervoso autônomo). A cascata de reações químicas desencadeada em instantes altera o corpo fisiologicamente e ocorre de forma bastante subconsciente – com pouco ou nenhum esforço consciente.

Esse é um dos motivos por que é tão difícil mudar. A mente consciente pode estar no presente, mas o corpo-mente subconsciente está vivendo no passado. Se começamos a esperar que um evento futuro previsível ocorra com base em uma memória passada, somos iguais àqueles cães. Uma experiência envolvendo determinada pessoa ou coisa em determinado local e momento do passado automaticamente (ou autonomamente) provoca em nós uma resposta fisiológica.

Quando rompemos os vícios emocionais enraizados em nosso passado, não existe mais estímulo que nos faça retornar aos mesmos programas automáticos do antigo eu.

Começa a fazer sentido que, embora "pensemos" ou "acreditemos" estar vivendo no presente, existe uma boa possibilidade de que nosso corpo esteja no passado.

Emoção, humor, temperamento e traço de personalidade: condicionando o corpo a viver no passado

Infelizmente para a maioria de nós, como o cérebro sempre funciona por repetição e associação, não requer um grande trauma para se produzir o efeito de o corpo tornar-se a mente.[16] Os mais ínfimos gatilhos podem produzir respostas emocionais que parecem fora de nosso controle.

Por exemplo, você está dirigindo para o trabalho e para na cafeteria de sempre, que está sem café de avelã, o seu favorito. Desapontado, você resmunga para si mesmo como uma empresa desse tipo não consegue manter em estoque um tipo de sabor tão popular. No trabalho, você se irrita ao ver um carro na sua vaga preferida do estacionamento. Ao entrar em um elevador vazio, fica exasperado ao descobrir que uma pessoa antes de você apertou todos os botões.

Quando finalmente entra no escritório, alguém comenta: "O que aconteceu? Você parece meio abatido".

Você conta o ocorrido, e a pessoa se solidariza. Você resume: "Estou mal-humorado, mas vou superar".

A verdade é que não vai.

O humor é um estado de ser químico, geralmente breve, que é a expressão de uma reação emocional prolongada. Algo em seu ambiente – neste caso, a incapacidade do barista em atender suas necessidades, seguida de aborrecimentos menores – dispara uma resposta emocional. As substâncias químicas da emoção não se exaurem instantaneamente, de modo que os efeitos duram um tempo. Chamo isso de período refratário – o período após a liberação inicial e até a diminuição do efeito.[17] É óbvio que, quanto maior o período refratário, maior o tempo que você experimenta esses sentimentos. Quando o período refratário químico de uma reação emocional perdura de horas a dias, trata-se de um humor.

O que ocorre quando um humor recentemente desencadeado perdura? Você ficou meio desanimado desde aquele dia e agora olha ao redor durante uma reunião com a sua equipe e tudo em que pensa é que a gravata de uma pessoa é horrível e que a voz anasalada do seu chefe é pior do que o som de unhas arranhando um quadro-negro.

A essa altura você não manifesta apenas um humor. Você está refletindo um temperamento, uma tendência para a expressão habitual de uma emoção por meio de certos comportamentos. Temperamento é uma reação emocional com um período refratário que dura de semanas a meses.

Por fim, se você mantém o período refratário de uma emoção por meses e anos, essa tendência transforma-se em um traço de personalidade. Nesse ponto, as demais pessoas o descreverão como "amargo", "ressentido", "zangado" ou "crítico".

Nossos traços de personalidade, portanto, frequentemente têm base em nossas emoções passadas. Na maior parte do tempo, a personalidade (o modo como pensamos, agimos e sentimos) está ancorada no passado. Assim, para mudar nossa personalidade, devemos mudar as emoções que memorizamos. Temos de sair do passado.

CRIE DIFERENTES ESTADOS DE SER

E
X
P
E
R
I
Ê
N
C
I
A

Horas/dias
(Humor)

Semanas/Meses
(Temperamento)

Anos
(Traço de personalidade)

TEMPO DO PERÍODO REFRATÁRIO
(Extensão da reação emocional)

Figura 4B. A progressão de diferentes períodos refratários.
Uma experiência cria uma reação emocional, que pode se transformar em humor, depois em temperamento e finalmente em um traço de personalidade. Nós, como personalidades, memorizamos nossas reações emocionais e vivemos no passado.

Não conseguimos mudar vivendo no futuro previsível

Há ainda outra maneira de ficarmos presos e coibirmos a mudança. Também podemos treinar o corpo para ser a mente a fim de vivermos em um futuro previsível, baseado nas memórias do passado conhecido – e com isso de novo perdemos o precioso momento do "agora".

Como você sabe, podemos condicionar o corpo a viver no futuro. Claro que esse pode ser um modo de melhorarmos nossa vida, quando fazemos uma escolha consciente de focar em uma nova experiência desejada, como minha filha fez quando criou seu trabalho de verão na Itália. Conforme demonstrado pela história dela, se focarmos em um evento futuro planejado e então planejarmos nossos preparativos ou comportamento, haverá um momento em que estaremos tão claros e focados nesse futuro possível que nossos pensamentos se tornarão a experiência em si. Uma vez que o pensamento se torna a experiência, o produto final é uma emoção. Quando começamos a experimentar a emoção daquele evento antes de sua possível ocorrência, o corpo (na condição de mente inconsciente) começa a responder como se o evento já estivesse se desenrolando.

Por outro lado, o que acontece se começamos a antecipar alguma experiência futura indesejada ou ficamos até mesmo obcecados com o pior cenário, baseado numa memória de nosso passado? Ainda estamos programando o corpo para experimentar um evento futuro antes que ocorra. Agora, o corpo não está mais no momento ou no passado; está vivendo no futuro — mas num futuro baseado em algum constructo do passado.

Quando isso ocorre, o corpo não reconhece a diferença entre o evento de fato acontecendo na realidade e o que estamos cogitando mentalmente. Como estamos preparando o corpo para ser energizado pelo que quer que esperamos que possa ocorrer, ele começa a se aprontar. E, de forma muito real, o corpo está no evento.

Aqui está um exemplo de viver no futuro com base no passado. Imagine que você é convidado para dar uma palestra para 350 pessoas, mas tem medo do palco, baseado em memórias de desastres ao falar em público no passado remoto. Sempre que pensa na palestra vindoura, você se visualiza gaguejando e perdendo a linha de raciocínio. Seu corpo começa a responder como se o evento futuro estivesse se desenrolando no presente; seus ombros ficam tensos, o coração dispara, e você sua muito. À medida que você antecipa esse dia pavoroso, faz com que seu corpo já viva aquela realidade estressante.

Envolvido e obcecado pela possibilidade de falhar de novo, você fica tão atento a essa realidade esperada que não consegue se concentrar em qualquer outra coisa. Sua mente e seu corpo estão polarizados, movendo-se do passado para o futuro, indo e vindo. Como resultado, você nega a si mesmo a novidade de um maravilhoso resultado futuro.

Como exemplo mais universal de viver em um futuro previsível, digamos que por muitos anos você acorda a cada novo dia apenas para deslizar automaticamente para o mesmo velho conjunto de ações inconscientes. O corpo está tão acostumado a antecipar a execução de seus comportamentos diários que vai de uma tarefa para a outra quase que mecanicamente. Tem que alimentar o cachorro, escovar os dentes, vestir as roupas, fazer chá, levar o lixo para fora, pegar a correspondência... você entende a ideia.

••• PARTE 1 | A SUA CIÊNCIA •••

Embora possa ter acordado com o pensamento de fazer algo diferente, de alguma maneira você se descobre fazendo as mesmas velhas coisas como se simplesmente seguisse a correnteza.

Depois de você ter memorizado esses tipos de ação por uma ou duas décadas, seu corpo ficou treinado para continuamente "ansiar" por fazer essas tarefas. De fato, foi subconscientemente programado para viver no futuro e assim permitir que você durma ao volante... poderíamos inclusive dizer que você nem está mais dirigindo o carro. Agora seu corpo não pode existir no momento presente. Ele está preparado para controlar você, rodando uma série de programas inconscientes enquanto que você relaxa e permite que ele rume para algum destino conhecido e enfadonho.

Superar seus hábitos praticamente automáticos e não mais antecipar o futuro exige a habilidade de viver com mais grandeza que o tempo. (Voltaremos a isso mais adiante.)

Vivendo no passado, que é o seu futuro

Aqui está outro exemplo que demonstra como emoções familiares criam um futuro correspondente. Você é convidado para o churrasco de um colega de trabalho no 4 de Julho. O esperado é que todo mundo do seu departamento compareça. Você não gosta do anfitrião. Ele se acha o máximo e não tenta esconder isso de ninguém.

Todas as vezes em que foi à casa dele, você acabou tendo uma péssima experiência, com o cara irritando-o de todas as formas. Agora que está dirigindo para a casa dele, tudo em que você consegue pensar é que na última festa ele interrompeu a refeição para que pudesse presentear a esposa com uma nova BMW. Você tem certeza, como falou a semana inteira para a pessoa com quem se relaciona, que será um dia desgraçado. E é exatamente o que acontece. Você passa num sinal vermelho e leva uma multa. Um de seus colegas derrama cerveja nas suas calças e camisa. O hambúrguer que você pediu ao ponto é servido praticamente cru.

Dada a sua atitude (seu estado de ser) ao ir, como poderia esperar que as coisas fossem de outro jeito? Você acordou antecipando que o dia estava fadado a ser um *show* de horrores, e isso se confirmou. Você alternou entre ficar obcecado a respeito de um futuro indesejado (antecipando o que ocorreria em seguida) e viver no passado (comparando o estímulo que estava recebendo com o que recebera previamente), de modo que criou mais do mesmo.

Se você começar a monitorar e anotar seus pensamentos, vai descobrir que na maioria das vezes está pensando à frente ou olhando para trás.

Viva seu novo futuro desejado no presente precioso

Então aqui está outra daquelas grandes questões: se você sabe que, ao permanecer presente e cortar ou podar suas conexões com o passado, pode ter acesso a todos os possíveis resultados no campo quântico, por que optaria por viver no passado e continuar criando o mesmo futuro para si? Por que você não faria o que já tem o poder de fazer – alterar mentalmente a configuração física de seu cérebro e corpo de modo que você possa ser mudado antes de qualquer experiência real desejada? Por que você não optaria por viver no futuro de sua preferência – agora, antes do tempo?

Em vez de ficar obcecado com algum evento estressante ou traumático que você teme que ocorra em seu futuro, baseado em sua experiência do passado, fique obcecado por uma experiência nova e desejada que você ainda não acolheu emocionalmente. Permita-se viver nesse potencial novo futuro agora, a ponto de seu corpo começar a aceitar ou acreditar que você está experimentando as emoções elevadas desse novo resultado futuro no momento presente. (Você aprenderá a fazer isso.)

Lembra quando eu disse que minha filha precisava viver sua vida presente como se já tivesse as experiências do ótimo verão na Itália? Ao fazer isso, ela estava transmitindo para o campo quântico que o evento já havia ocorrido fisicamente.

As pessoas mais fantásticas do mundo demonstraram isso, milhares de pessoas supostamente comuns fizeram isso, e você também pode. Você tem toda a maquinaria neurológica para transcender o tempo e fazer disso uma habilidade. O que alguns chamariam de milagres eu descrevo como exemplos de indivíduos dedicados a mudar seus estados de consciência, de modo que seus corpos e mentes não mais são um mero registro de seus passados, mas sim parceiros atuantes, dando passos rumo a um novo e melhor futuro.

Transcendendo os Três Grandes: experiências de pico e estados alterados de consciência comuns

A esta altura você entende que o principal obstáculo para quebrar o hábito de ser você mesmo é pensar e sentir igual ao seu ambiente, ao seu corpo e ao tempo. Obviamente, então, aprender a pensar e sentir (ser) maior do que os Três Grandes é seu primeiro objetivo enquanto se prepara para o processo de meditação que aprenderá neste livro.

Aposto que em algum momento de sua vida (talvez até frequentemente) você já conseguiu pensar com mais grandeza que seu ambiente, seu corpo e o tempo. Esses momentos em que você transcende os Três Grandes são o que algumas pessoas denominam estar "no fluxo". Há uma série de maneiras de descrever o que acontece quando nosso ambiente, nosso corpo e nossa percepção da passagem do tempo desaparecem e ficamos "alheios" ao mundo. Em palestras para grupos mundo afora, pedi a membros do público para descreverem momentos criativos em que estavam tão absorvidos pelo que estavam fazendo ou tão relaxados e tranquilos que pareciam entrar em um estado alterado de consciência.

Essas experiências geralmente enquadram-se em duas categorias. A primeira são as chamadas experiências de pico, que consideramos momentos transcendentais, quando atingimos um estado de ser que associamos a monges e místicos. Comparados a esses eventos de alta espiritualidade, os outros podem ser mais mundanos, comuns e prosaicos – mas isso não significa que sejam menos importantes.

Esses momentos comuns aconteceram comigo muitas vezes (embora não tão frequentemente quanto eu gostaria) enquanto escrevia este livro. Quando sento para escrever, costumo ter muitas outras coisas em mente – minha agenda cheia de viagens, meus pacientes, meus filhos, meus funcionários, o quanto estou faminto/sonolento/feliz. Nos dias bons, quando as palavras parecem fluir, é como se minhas mãos e o teclado fossem uma extensão de minha mente. Não fico ciente de meus dedos movendo-se ou de minhas costas apoiadas na cadeira. As árvores balançando na brisa do lado de fora do meu escritório desaparecem, aquela leve rigidez no meu pescoço não requer atenção, e fico completamente focado e absorto nas palavras na tela do computador. Em algum momento, percebo que se passou uma hora ou mais no que pareceu um instante.

Esse tipo de coisa provavelmente já aconteceu com você – talvez enquanto estivesse dirigindo, assistindo a um filme, jantando em boa companhia, lendo, tricotando, tocando piano ou simplesmente sentado em um local tranquilo ao ar livre.

Não sei você, mas eu costumo me sentir maravilhosamente renovado após vivenciar um desses momentos quando meu ambiente, meu corpo e o tempo parecem desaparecer. Eles nem sempre acontecem enquanto escrevo, mas, após concluir meu segundo livro, constatei que eles ocorrem com maior frequência. Com a prática, adquiri a capacidade de assumir o controle, de modo que essas experiências de estar no fluxo não são tão acidentais ou inesperadas como no início.

Superar os Três Grandes para facilitar a ocorrência desses momentos é essencial para você perder a cabeça e criar uma nova mente.

CAPÍTULO 5

Sobrevivência *versus* criação

No último capítulo, utilizei propositadamente o exemplo de minha escrita para ilustrar meu ponto sobre transcender os Três Grandes porque, quando você escreve, está criando palavras (seja na página física ou em um documento digital). A mesma criatividade opera quando você pinta, toca um instrumento musical, trabalha madeira num torno ou se envolve em qualquer outra atividade que tem o efeito de romper as amarras dos Três Grandes sobre você.

Por que é tão difícil viver nesses momentos criativos? Se focamos em um passado indesejado ou num futuro temido, significa que vivemos essencialmente sob estresse – no modo de sobrevivência. Quer estejamos obcecados com a saúde (a sobrevivência do corpo), pagando a hipoteca (a necessidade de sobrevivência de abrigo do ambiente externo) ou sem tempo suficiente para fazer o que precisamos para sobreviver, a maioria de nós está muito mais acostumada ao estado viciado da mente que denominamos de "sobrevivência" do que a viver como criadores.

Em meu primeiro livro, entrei em grande detalhe sobre a diferença entre viver na criação *versus* viver na sobrevivência. Portanto, para uma explicação mais completa dessa diferença, você pode ler dos capítulos 8 ao 11 de *Evolve Your Brain*. Nas páginas a seguir, descreverei brevemente a diferença entre os dois.

Pense na vida no modo de sobrevivência imaginando um animal, como um cervo pastando calmamente na floresta. Vamos assumir que ele está em homeostase, em equilíbrio perfeito. Mas, se ele percebe algum perigo no mundo exterior – digamos, um predador –, seu sistema nervoso de lutar-ou-fugir é ativado. Esse sistema nervoso simpático faz parte do sistema nervoso autônomo, que mantém as funções automáticas do corpo, como digestão, ajuste da temperatura, nível de glicose no sangue etc. Para preparar o animal para lidar com a emergência detectada, o corpo é alterado quimicamente – o sistema nervoso simpático ativa automaticamente as glândulas adrenais para mobilizar enormes quantidades de energia. Se o cervo é caçado por uma matilha de coiotes, ele utiliza essa energia para fugir. Se é suficientemente ágil para escapar incólume, talvez após uns quinze a vinte minutos, quando a ameaça não estiver mais presente, ele voltará a pastar, com o equilíbrio interno recuperado. Isso é um estresse de curto prazo. Todos os organismos são projetados para estresse de curto prazo.

Nós humanos temos o mesmo sistema instalado. Quando percebemos o perigo, nosso sistema nervoso simpático é ativado, a energia é mobilizada etc., praticamente da mesma forma que no cervo. Nos primórdios da história humana, essa resposta fantasticamente adaptativa ajudou-nos a confrontar as ameaças dos predadores e outros riscos à sobrevivência. Essas qualidades animais serviram-nos muito bem para a evolução como espécie.

O pensamento em si pode desencadear a resposta humana ao estresse – e mantê-la ativa

Infelizmente existem várias diferenças entre o *Homo sapiens* e nossos coabitantes planetários do mundo animal que não nos servem tão bem. Cada vez que tiramos o corpo de nosso equilíbrio químico, isso é chamado de "estresse". A resposta ao estresse é como o corpo responde de forma inata quando é arrancado do equilíbrio e o que faz para retornar ao equilíbrio. Quer vejamos um leão no Serengeti, topemos com nosso ex não tão amigável na mercearia ou enlouqueçamos com o trânsito na autoestrada por estarmos atrasados para uma reunião, ativamos a resposta de estresse porque estamos reagindo ao ambiente externo.

5 | Sobrevivência *versus* criação

Diferentemente dos animais, temos a capacidade de acionar a resposta de lutar-ou-fugir apenas com o pensamento. E esse pensamento não precisa ter nada a ver com qualquer aspecto de nossas circunstâncias atuais. Podemos acionar essa resposta em antecipação de algum evento futuro. Ainda mais desvantajoso, podemos produzir a mesma resposta de estresse revisitando uma memória infeliz costurada no tecido de nossa massa cinzenta.

Assim, ou antecipamos experiências geradoras de respostas de estresse, ou as recordamos; nosso corpo existe no futuro ou no passado. Em nosso detrimento, transformamos situações estressantes de curto prazo em de situações de longo prazo.

Por outro lado, até onde sabemos, os animais não têm a capacidade (ou devo dizer incapacidade) de acionar a resposta de estresse com tanta frequência e facilidade que não consigam desativá-la. Aquele cervo pastando alegremente outra vez não é consumido por pensamentos sobre o que aconteceu há alguns minutos, muito menos sobre os coiotes que o perseguiram dois meses atrás. Esse tipo de estresse repetitivo nos é prejudicial, porque nenhum organismo foi projetado com um mecanismo para lidar com efeitos negativos no corpo quando a resposta ao estresse é acionada com tanta frequência e por tão longa duração. Em outras palavras, nenhuma criatura pode evitar os efeitos de viver em situações de emergência de longo prazo. Quando ativamos a resposta ao estresse e não conseguimos desativá-la, estamos fadados a algum tipo de colapso do corpo.

Digamos que você continue ativando o sistema de lutar-ou-fugir devido a alguma circunstância ameaçadora (real ou imaginária) em sua vida. Como seu coração acelerado bombeia volumes enormes de sangue para suas extremidades e seu corpo está nocauteado pela homeostase, você está ficando preparado pelo sistema nervoso para fugir ou lutar. Mas vamos encarar: você não pode fugir para as Bahamas, nem pode estrangular o seu parceiro de trabalho – seria primitivo. Portanto, a consequência é que você condiciona seu coração a bater acelerado o tempo todo, e com isso pode estar fadado a ter pressão alta, arritmias etc.

E o que sobra quando você mobiliza toda essa energia para uma situação de emergência? Se você está direcionando o grosso de sua energia para algum problema em seu ambiente externo, haverá pouca para o ambiente interno do seu corpo. Seu sistema imunológico, que monitora seu ambiente interno, não consegue repor a falta de energia para o seu crescimento e reparação. Portanto, você fica doente, seja com um resfriado, câncer ou artrite reumatoide. (Todas elas enfermidades mediadas pelo sistema imunológico.)

Quando se pensa nisso, a real diferença entre animais e humanos é que, embora os dois experimentem estresse, os humanos reexperimentam e "pré-experimentam" situações traumáticas. O que há de tão nocivo em ter respostas ao estresse desencadeadas por pressões do passado, presente ou futuro? Quando somos derrubados do equilíbrio químico com tanta frequência, o estado de desequilíbrio por fim torna-se a norma. Como resultado, estamos destinados a viver nosso destino genético, e na maioria dos casos isso significa sofrer de algumas doenças.

A razão é clara: o efeito dominó da cascata de hormônios e outras substâncias químicas que liberamos em resposta ao estresse pode desregular alguns de nossos genes, e isso pode criar doenças. Em outras palavras, o estresse repetido aperta os botões genéticos que começam a conduzir rumo a nosso destino genético. Assim, o que outrora era um comportamento muito adaptativo e uma resposta química benéfica (lutar-ou-fugir) torna-se um conjunto de circunstâncias extremamente nocivas e desadaptadas.

Por exemplo, quando um leão caçava nossos ancestrais, a resposta de estresse fazia o que foi planejado que fizesse – protegia-os de seu ambiente externo. Isso é adaptação. Mas, se por vários dias você fica ansioso com sua promoção, foca exageradamente em sua apresentação para a chefia ou se preocupa por sua mãe estar no hospital, essas situações criam as mesmas substâncias químicas como se você estivesse sendo perseguido por um leão.

Isso é má adaptação. Você está ficando tempo demais no modo de emergência. O mecanismo de lutar-ou-fugir está consumindo a energia de que seu ambiente interno necessita. Seu corpo está roubando essa energia vital de seus sistemas digestivo, endócrino e imunológico, entre outros, e direcionando-a para os músculos que você usaria para lutar com um predador ou fugir do perigo. Mas, em sua situação, isso está apenas trabalhando contra você.

5 | Sobrevivência *versus* criação

Do ponto de vista psicológico, a superprodução de hormônios de estresse gera as emoções humanas de raiva, medo, inveja e ódio; incita sentimentos de agressão, frustração, ansiedade e insegurança; e provoca dor, sofrimento, tristeza, desânimo e depressão. A maioria das pessoas passa a maior parte do tempo preocupada com pensamentos e sentimentos negativos. É possível que a maior parte das coisas que estejam acontecendo em nossas circunstâncias atuais sejam negativas? Obviamente que não. A negatividade fica tão alta porque ou vivemos em antecipação ao estresse ou o reexperimentamos graças a uma memória, de modo que a maioria de nossos pensamentos e sentimentos é impulsionada por esses fortes hormônios do estresse e da sobrevivência.

Quando nossa resposta ao estresse é disparada, focamos em três elementos, e eles são da maior importância:

- O corpo. (Deve ser cuidado.)
- O ambiente. (Aonde posso ir para escapar dessa ameaça?)
- Tempo. (Quanto tenho que usar a fim de escapar dessa ameaça?)

Viver na sobrevivência é o motivo pelo qual nós, humanos, somos tão dominados pelos Três Grandes. A resposta ao estresse e os hormônios que ela desencadeia obrigam-nos a focar no (e ficarmos obcecados com) corpo, ambiente e tempo. Como resultado, começamos a definir nosso "eu" dentro dos limites do reino físico; tornamo-nos, assim, menos espiritualizados, menos conscientes, menos cientes e menos atentos.

Colocado de outra forma, crescemos para sermos "materialistas" – ou seja, consumidos habitualmente por pensamentos sobre coisas do mundo externo. Nossa identidade fica acondicionada em nosso corpo. Somos absorvidos pelo mundo exterior, pois é nele que as substâncias químicas nos obrigam a prestar atenção – coisas que possuímos, pessoas que conhecemos, locais aonde devemos ir, problemas que enfrentamos, cortes de cabelo que detestamos, partes do nosso corpo, nosso peso, nossa aparência em comparação com os outros, quanto tempo temos ou não... você entende o cenário. E lembramos quem somos baseados primeiramente no que sabemos e nas coisas que fazemos.

Viver na sobrevivência obriga-nos a focar em 0,00001% e não nos 99,99999% da realidade.

Sobrevivência: viver como um "alguém"

A maioria de nós adota a noção tradicional de si como um "alguém". Mas quem realmente somos não tem nada a ver com os Três Grandes. Quem somos é uma consciência conectada a um campo de inteligência quântica.

Quando nos tornamos esse alguém, esse eu materialmente físico vivendo na sobrevivência, esquecemos quem realmente somos. Ficamos desconectados e nos sentimos separados do campo universal da inteligência. Quanto mais vivemos impactados pelos hormônios do estresse, mais essa corrida química se torna nossa identidade.

Se nos consideramos unicamente seres físicos, nos limitamos a perceber somente com nossos sentidos físicos. Quanto mais usamos nossos sentidos para definir nossa realidade, mais permitimos que nossos sentidos determinem nossa realidade. Escorregamos para o modelo de pensamento newtoniano, que nos prende à tentativa de prever o futuro com base em alguma experiência passada. Lembre-se: o modelo newtoniano da realidade se resume a prever resultados. Tentamos controlar nossa realidade em vez de nos rendermos a algo maior. Tudo o que fazemos é tentar sobreviver.

Se o modelo quântico da realidade no fim das contas define todas as coisas como energia, por que nos experimentamos mais como seres físicos do que como seres energéticos? Poderíamos dizer que as emoções orientadas pela sobrevivência (emoções são energia em movimento) são emoções de baixa frequência ou baixa energia. Elas vibram a um comprimento de onda mais lento e, portanto, aterram-nos no físico. Ficamos mais densos, mais pesados e mais corpóreos, pois essa energia nos faz vibrar mais lentamente. O corpo quase que literalmente fica composto de mais massa e menos energia... mais matéria, menos mente.[18]

EMOÇÕES DE SOBREVIVÊNCIA
VERSUS
EMOÇÕES ELEVADAS

Menos matéria / mais energia — Emoções elevadas

Mais amor

Amor

Ira, ódio, julgamento

Culpa, vergonha, medo, dúvida

Avidez, competição

Mais matéria / menos energia — Emoções de sobrevivência

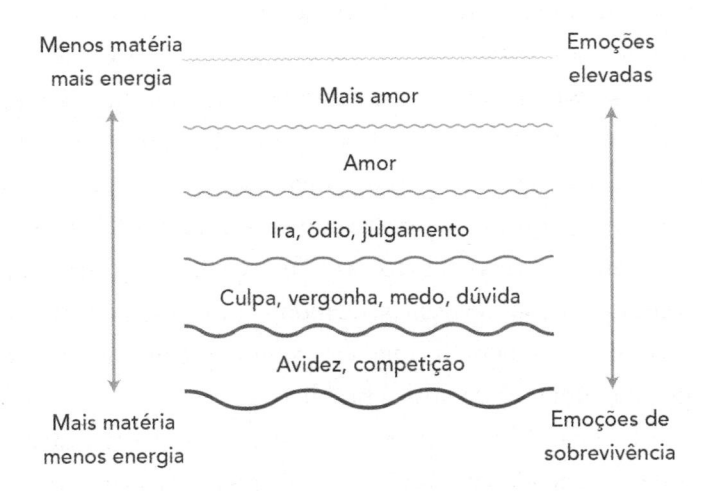

Figura 5A. As ondas de frequência mais alta no topo vibram mais rapidamente e, portanto, estão mais próximas à taxa vibratória da energia e menos à da matéria. Movendo-se para baixo na escala, você pode ver que, quanto mais lento o comprimento de onda, mais "materializada" a energia se torna. Consequentemente, as emoções de sobrevivência nos aterram para sermos mais como matéria e menos como energia. Emoções como raiva, ódio, sofrimento, vergonha, culpa, julgamento e luxúria fazem-nos sentir mais físicos, pois são de uma frequência mais lenta e mais parecida com a de objetos físicos. No entanto, as emoções mais elevadas, como amor, alegria e gratidão, têm frequências mais altas. Como resultado, são mais energia e menos físico/matéria.

Assim, pode fazer sentido que, se inibirmos nossas emoções mais primitivas de sobrevivência e começarmos a romper nosso vício nelas, nossa energia será de frequência mais alta e haverá menor probabilidade de nos enraizar no corpo. De certo modo, podemos liberar energia do corpo, quando o corpo "tornou-se" a mente, para o campo quântico. À medida que nossas emoções ficarem mais elevadas, naturalmente ascenderemos a um nível de consciência mais alto, próximo à Fonte... e nos sentiremos mais conectados à inteligência universal.

Viciado em ser um alguém

Quando a resposta ao estresse é ativada, seja em resposta a uma ameaça real ou imaginária, uma cascata poderosa de substâncias químicas flui rapidamente para o nosso sistema e nos dá um forte solavanco de energia, "despertando" momentaneamente nosso corpo e partes do cérebro para dirigir toda a nossa atenção aos Três Grandes. Isso é muito viciante, pois é como tomar um expresso triplo – ficamos "ligados" por alguns instantes.

Com o tempo, ficamos inconscientemente viciados em nossos problemas, nossas circunstâncias desfavoráveis ou nossos relacionamentos insalubres. Mantemos essas situações em nossa vida para alimentar nosso vício nas emoções de sobrevivência, de modo que possamos lembrar quem pensamos que somos como um alguém. Simplesmente adoramos o fluxo de energia que obtemos de nossos problemas!

Além disso, também associamos esse pico emocional a cada pessoa, coisa, local e experiência conhecidos e familiares de nosso mundo exterior. Ficamos viciados nesses elementos em nosso ambiente também; adotamos nosso ambiente como a nossa identidade.

Se você concorda que podemos estimular a resposta ao estresse simplesmente pela força do pensamento, então é razoável supor que podemos obter o mesmo fluxo de substâncias químicas viciantes do estresse como se estivéssemos sendo perseguidos por um predador. Em consequência, ficamos viciados em nossos próprios pensamentos; eles começam a nos oferecer um pico de adrenalina inconsciente, e concluímos que é muito duro pensar diferente. Pensar maior do que nos sentimos ou pensar fora da caixa torna-se simplesmente muito desconfortável. No momento em que começamos a nos negar a substância em que estamos viciados – no caso, os pensamentos e sentimentos familiares associados ao nosso vício emocional –, ocorrem anseios extremos, dores pela abstinência e uma série de subvocalizações nos incitando a não mudar. Desse modo, permanecemos acorrentados à nossa realidade familiar.

Assim, nossos pensamentos e sentimentos, que são predominantemente autolimitantes, prendem-nos a todos os problemas, condições, agentes estressantes e más escolhas que inicialmente produziram o efeito de lutar-ou-fugir. Mantemos todos esses estímulos negativos à nossa volta para que possamos produzir a resposta ao estresse, pois esse vício reforça a noção de quem somos, servindo apenas para reafirmar nossa identidade pessoal. Colocado de forma simples, a maioria das pessoas é viciada em problemas e condições de vida que produzem estresse. Não importa se estamos em um emprego ruim ou um relacionamento ruim, mantemos nossos problemas por perto porque ajudam a reforçar quem somos como um alguém, alimentam nossos vícios em emoções de baixa frequência.

O mais nocivo de tudo é que vivemos com medo de que, caso esses problemas fossem extirpados, não saberíamos o que pensar e como sentir, e não atingiríamos a experiência do fluxo de energia que nos faz lembrar quem somos. Para a maioria de nós, Deus proíbe que não sejamos um alguém. Quão horroroso seria ser um "ninguém", não ter uma identidade?

O eu egoísta

Como você pode ver, o que identificamos como nosso eu existe dentro do contexto de nossa associação emocional coletiva com nossos pensamentos e sentimentos, nossos problemas e todos aqueles elementos dos Três Grandes. Seria de admirar que as pessoas achem tão difícil deixar essa realidade autoproduzida para trás? Como saberíamos quem somos se não fosse nosso ambiente, nosso corpo e o tempo? Essa é a razão por que somos tão dependentes do mundo externo. Limitamo-nos a usar nossos sentidos para definir e cultivar emoções, de modo que possamos receber o retorno fisiológico que reafirma nossos vícios pessoais. Fazemos tudo isso para nos sentirmos humanos.

Quando nossa resposta de sobrevivência é desproporcional ao que está acontecendo no mundo exterior, esse excesso de hormônios de resposta ao estresse leva-nos a ficar fixados dentro dos parâmetros do eu. Por isso ficamos excessivamente egoístas. Ficamos obcecados com nosso corpo ou com um aspecto particular de nosso ambiente e vivemos escravizados pelo tempo. Ficamos presos nessa realidade particular e nos sentimos impotentes para mudar, para quebrar o hábito de ser nós mesmos.

Essas emoções excessivas de sobrevivência inclinam a balança de um ego saudável (o eu a que conscientemente nos referimos quando dizemos "eu"). Quando o ego está em cheque, sua função natural é assegurar que estejamos protegidos e seguros no mundo exterior. Por exemplo, o ego certifica-se de que fiquemos distantes de uma fogueira ou a alguns passos da beira de um precipício. Quando o ego está equilibrado, seu instinto natural é a autopreservação. Existe um equilíbrio saudável entre suas necessidades e as dos outros, sua atenção a si mesmo e aos outros.

Quando estamos no modo de sobrevivência em uma situação emergencial, faz sentido que o eu assuma a prioridade. Mas, quando substâncias químicas de estresse crônico de longo prazo desequilibram o corpo e o cérebro, o ego fica excessivamente focado na sobrevivência e prioriza o eu, com a exclusão de todas as demais coisas – somos egoístas o tempo todo. Portanto, tornamo-nos autoindulgentes, egocêntricos e presunçosos, cheios de autocomiseração e autoaversão. Quando o ego está sob constante estresse, sua prioridade é "eu primeiro".

Nessas condições, o ego está primeiramente preocupado em prever cada resultado de cada situação, pois está focado demais no mundo exterior e se sente completamente separado dos 99,99999% da realidade. Na verdade, quanto mais definimos a realidade com os nossos sentidos, mais essa realidade torna-se nossa lei. E a realidade material na forma de lei é o extremo oposto da lei quântica. Nossa realidade é qualquer coisa em que colocamos nossa atenção. Consequentemente, se nossa atenção está focada no corpo e em nosso reino físico, e se ficamos trancados em uma linha particular do tempo linear, esse cenário torna-se a nossa realidade.

Esquecer as pessoas que conhecemos, os problemas que temos, as coisas que possuímos e os lugares que frequentamos; perder a noção do tempo; ir além do corpo e de sua necessidade de alimentar seus hábitos; desistir do barato de experiências emocionalmente familiares que reafirmam a identidade; abandonar as tentativas de prever uma condição futura ou reviver uma memória; abrir mão do ego egoísta que se preocupa apenas com suas necessidades; pensar ou sonhar maior do que nossos sentimentos e desejar o desconhecido – esse é o começo da libertação de nossa vida atual.

5 | Sobrevivência *versus* criação

Se nossos pensamentos podem nos deixar doentes, também podem nos deixar saudáveis?

Vamos à próxima etapa. Expliquei anteriormente que podemos acionar uma resposta ao estresse somente com a força do pensamento. Mencionei ainda o fato científico de que as substâncias químicas associadas ao estresse acionam o gatilho genético ao criar um ambiente muito hostil do lado externo de nossas células e assim criam doenças. Por pura lógica, nossos pensamentos podem efetivamente nos deixar doentes. Se nossos pensamentos podem nos deixar doentes, poderiam nos deixar saudáveis também?

Digamos que uma pessoa teve algumas experiências em um breve período de tempo que a deixaram ressentida. Como resultado das reações inconscientes a essas ocorrências, ela agarrou-se a sua amargura. Substâncias químicas correspondentes a essa emoção inundaram suas células. Ao longo das semanas, a emoção transformou-se em humor, que continuou por meses e virou temperamento, que foi sustentado durante anos e formou um forte traço de personalidade chamado ressentimento. De fato, ela memorizou a emoção tão bem que o corpo reconhece o ressentimento melhor que a mente consciente, pois a pessoa permaneceu em um ciclo de pensamentos e sentimentos, sentimentos e pensamentos anos a fio.

Baseado no que aprendeu sobre emoções como a assinatura química de uma experiência, você não concordaria que, enquanto essa pessoa se aferrar ao ressentimento, seu corpo reagirá como se ainda estivesse vivenciando os eventos de um passado distante que inicialmente levaram-na a acolher essa emoção? Além disso, se a reação do corpo a essas substâncias químicas de ressentimento interrompeu a função de certos genes, e essa reação sustentada seguiu sinalizando os mesmos genes a responder do mesmo modo, o corpo poderia finalmente desenvolver uma condição física como o câncer?

Sendo assim, é possível que, quando a pessoa desmemorizasse a emoção de ressentimento contínuo – por não mais pensar os pensamentos que criaram os sentimentos de ressentimento e vice-versa –, seu corpo (como a mente inconsciente) ficasse livre dessa escravização emocional? Com o tempo, ela pararia de sinalizar os genes da mesma maneira?

PARTE 1 | A SUA CIÊNCIA

Finalmente, digamos que ela começou a pensar e sentir de outros modos, em um grau tal que inventou um novo ideal de si relacionado a uma nova personalidade. À medida que migrou para um novo estado de ser, ela poderia sinalizar seus genes de formas benéficas e condicionar o corpo em um estado emocional elevado, antes da experiência real de ter boa saúde? Ela poderia fazer isso a ponto de o corpo começar a mudar apenas pela força do pensamento?

O que acabei de descrever em termos simples aconteceu a um participante de minhas palestras, que superou um câncer.

• • •

Bill, de 57 anos, era construtor de telhados. Havia aparecido uma lesão em seu rosto, e um dermatologista diagnosticou como melanoma maligno. Embora Bill passasse por cirurgia, radiações e quimioterapia, o câncer reapareceu no pescoço, depois no flanco e finalmente na panturrilha. Em cada ocasião ele passou por tratamento semelhante.

Naturalmente, Bill teve momentos de: "Por que eu?". Ele entendia que sua excessiva exposição ao sol era um fator de risco, mas conhecia outros que tiveram exposições similares e não desenvolveram câncer. Ele se fixou nessa injustiça.

Após o tratamento para o mesmo câncer no flanco esquerdo, Bill ponderou se seus próprios pensamentos, emoções e comportamentos tinham contribuído para sua condição. Em um momento de autorreflexão, ele concluiu que, por mais de trinta anos, ficara atolado em ressentimento, pensando e sentindo que sempre teve que abrir mão do que queria em favor do bem-estar de outrem.

Por exemplo, ele desejara ser músico profissional após o ensino médio. Mas, quando uma lesão incapacitou seu pai de trabalhar, Bill teve de entrar na empresa familiar do ramo de telhados. Ele habitualmente reexperimentava esses sentimentos quando lhe diziam que teve de desistir de suas aspirações, a ponto de seu corpo ainda viver no passado. Isso também estabeleceu um padrão de sonhos adiados. Quando algo não saía a contento, tal como o colapso do setor da construção civil logo após ele expandir o negócio, Bill sempre encontrava algo ou alguém para culpar.

5 | Sobrevivência *versus* criação

Bill havia memorizado de tal maneira o padrão de amargura como resposta emocional que isso dominou sua personalidade e se tornou um programa inconsciente. Seu estado de ser havia sinalizado os mesmos genes por tanto tempo que eles criaram a doença que agora o afligia.

Bill não podia mais permitir que seu ambiente o controlasse: as pessoas, locais e influências em sua vida sempre tinham ditado como ele pensava, sentia e se comportava. Ele percebeu que, para quebrar os vínculos com seu antigo eu e reinventar um novo, teria de deixar seu ambiente familiar. Assim, durante duas semanas em Baja, no México, ele se retirou de sua vida familiar.

Nas primeiras cinco manhãs, Bill contemplou como ele pensava quando se sentia ressentido. Tornou-se um observador quântico de seus pensamentos e sentimentos; tornou-se consciente de sua mente inconsciente. Em seguida, prestou atenção a seus comportamentos e ações anteriormente inconscientes. Decidiu dar um basta a qualquer pensamento, comportamento ou emoção não amorosos em relação a si mesmo.

Após a primeira semana de vigilância, ele se sentiu livre, pois havia liberado o corpo do vício emocional no ressentimento. Ao inibir os pensamentos e sentimentos que impulsionavam seus comportamentos, de certo modo ele impediu que os sinais das emoções de sobrevivência condicionassem seu corpo para a mesma mente. Seu corpo então liberou energia, que ficou disponível para uso no projeto de um novo destino.

Na semana seguinte, Bill ficou tão inspirado que pensou sobre o novo eu que queria ser e como responderia às pessoas, locais e influências que anteriormente o controlavam. Por exemplo, ele decidiu que, sempre que sua esposa e filhos expressassem um desejo ou necessidade, ele responderia com bondade e generosidade em vez de fazê-los se sentirem como um fardo. Em resumo, ele focou em como queria pensar, agir e sentir diante de situações que o tinham desafiado no passado. Bill estava criando uma nova personalidade, uma nova mente e um novo estado de ser.

Ele começou a pôr em prática o que havia inserido em sua mente enquanto repousava naquela praia de Baja. Logo após seu retorno, ele notou que o tumor na panturrilha havia sumido. Cerca de uma semana depois, quando voltou ao médico, estava livre do câncer. E assim permaneceu.

Ao disparar seu cérebro de novas maneiras, Bill mudou o antigo eu biológica e quimicamente. Como resultado, sinalizou novos genes de novas maneiras, e as células cancerosas não conseguiram coexistir com sua nova mente, nova química interna e novo ser. Antes preso pelas emoções do passado, ele agora vive em um novo futuro.

Uma nova personalidade manifestou uma nova realidade pessoal. No caso de Bill, o câncer pertencia à antiga persona. Ele tornou-se literalmente outro.

Criação: vivendo como um ninguém

No final do capítulo anterior, descrevi brevemente como é viver no modo criativo. São aqueles momentos de estar plenamente envolvido e em fluxo, de modo que o ambiente, o corpo e o tempo parecem imateriais e não invadem nossos pensamentos conscientes.

Viver na criação é viver como um ninguém. Você já notou que, quando está realmente no meio da criação de algo, você esquece de si? Você se dissocia de seu mundo conhecido. Você não é mais uma pessoa que associa sua identidade a certas coisas que possui, pessoas específicas que conhece, certas tarefas que faz e diferentes locais em que viveu em determinados períodos. Você poderia dizer que, quando está em um estado criativo, esquece o hábito de ser você. Você abandona seu ego egoísta e se torna altruísta.

Você se move além do tempo e do espaço e passa a ser pura consciência imaterial. Como não está mais conectado a um corpo, não está mais focado em pessoas, locais ou objetos em seu ambiente externo; e, além do tempo linear, está acessando a porta do campo quântico. Você não consegue entrar como um alguém, deve fazer isso como um ninguém. Você tem que deixar o ego egoísta na porta e entrar no reino da consciência como consciência pura. Como afirmei no Capítulo 1, para mudar seu corpo (para fomentar uma saúde melhor), algo em suas circunstâncias externas (um novo trabalho ou relacionamento, talvez) ou sua linha de tempo (na direção de uma possível realidade futura), você tem que ficar sem corpo, sem coisas, sem tempo.

Portanto, essa é a grande dica: para mudar qualquer aspecto de sua vida (corpo, ambiente ou tempo), você deve transcendê-los e se soltar da realidade familiar presente. Você deve deixar os Três Grandes a fim de controlar os Três Grandes.

Lobo frontal: domínio da criação e da mudança

Quando estamos no modo de criação, estamos ativando o centro criativo do cérebro, o lobo frontal (parte do prosencéfalo que compreende o córtex pré-frontal). Essa é a parte mais evoluída e mais nova de nosso sistema nervoso humano e a mais adaptável do cérebro. Ela tende a ser o centro criativo de quem somos, e o CEO ou o aparelho de tomada de decisão do cérebro. O lobo frontal é a sede de nossa atenção, concentração focada, percepção, observação e consciência. É onde especulamos sobre possibilidades, demonstramos intenção firme, tomamos decisões conscientes, controlamos comportamentos emocionais e impulsivos e aprendemos coisas novas.

No interesse de nosso entendimento, o lobo frontal executa três funções essenciais. Elas entrarão em cena quando você aprender e exercitar as etapas meditativas práticas para quebrar o hábito de ser você mesmo da Parte III deste livro.

1. Metacognição: tornar-se autoconsciente para inibir estados indesejados da mente e do corpo

Se você deseja criar um novo eu, primeiro tem de parar de ser o antigo eu. No processo de criação, a primeira função do lobo frontal é se tornar autoconsciente.

Como possuímos capacidades metacognitivas – o poder de observar nossos próprios pensamentos e eu –, podemos decidir como não mais queremos ser... pensar, agir e sentir. Essa habilidade de autorreflexão permite o autoexame e depois a elaboração de um plano para modificar nossos comportamentos a fim de produzir resultados mais desejáveis ou iluminados.[19]

PARTE 1 | A SUA CIÊNCIA

Sua atenção está onde você coloca sua energia. Para usar a atenção de modo a empoderar sua vida, você terá de examinar o que já criou. É aí que você começa a "conhecer a si mesmo". Veja suas crenças sobre a vida, sobre si e os outros. Você é o que é, você está onde está e você é quem é por causa do que acredita sobre si. Suas crenças são os pensamentos que você mantém consciente ou inconscientemente, aceitando como a lei em sua vida. Quer esteja ou não ciente deles, ainda assim afetam a sua realidade.

Portanto, se você realmente quer ter uma nova realidade pessoal, comece observando todos os aspectos de sua atual personalidade. Como eles operam primariamente abaixo do nível da percepção consciente, muito parecido com programas automáticos de *software*, você terá de voltar-se para dentro e examinar esses elementos dos quais provavelmente não tinha ciência antes. Dado que sua personalidade abrange como você pensa, age e sente, você deve prestar atenção a seus pensamentos inconscientes, comportamentos reflexos e reações emocionais automáticas – colocá-los sob observação e determinar se são legítimos e se você deseja continuar a endossá-los com a sua energia.

Familiarizar-se com seus estados inconscientes de mente e corpo exige um ato de vontade, intenção e maior conscientização. Se você fica mais ciente, fica mais atento. Se você fica mais atento, fica mais consciente. Se você ficar mais consciente, observará mais. Se observa mais, tem uma capacidade maior de observar a si e os outros, tantos os elementos internos quanto externos de sua realidade. Em última análise, quanto mais você observa, mais desperta do estado mental inconsciente para uma atenção consciente.

O propósito de se tornar autoconsciente é não mais permitir que qualquer pensamento, ação ou emoção que não deseje experimentar passe por sua percepção. Assim, com o tempo, sua capacidade de conscientemente inibir esses estados de consciência cessará os mesmos disparos e conexões das antigas redes neurais relacionadas à antiga personalidade. E, como resultado de não mais recriar a mesma mente no dia a dia, você corta o *hardware* relacionado ao antigo eu. Além disso, ao interromper os sentimentos associados a esses pensamentos, você não mais sinaliza os genes da mesma maneira. Você impede o corpo de se reafirmar como

5 | Sobrevivência *versus* criação

a mesma mente. É por esse processo que você simplesmente começa a "perder a cabeça".

Portanto, quando desenvolve a habilidade de se familiarizar com todos os aspectos de seu antigo eu, você fica mais consciente. Seu objetivo aqui é desaprender o que costumava ser, para que possa liberar energia para criar uma nova vida, uma nova personalidade. Você não pode criar uma nova realidade pessoal com a mesma personalidade. Você tem de se tornar outra pessoa. A metacognição é sua primeira tarefa no processo de se deslocar de seu passado para criar um novo futuro.

2. Criar uma nova mente para pensar novos jeitos de ser

A segunda função do lobo frontal é criar uma nova mente – para interromper as redes neurais geradas pelo modo como seu cérebro esteve disparando por anos a fio e influenciá-lo de modo que se reconecte de outras formas.

Quando reservamos tempo e espaço privado para pensar sobre um novo modo de ser, o lobo frontal engaja-se na criação. Podemos imaginar novas possibilidades e fazer perguntas importantes sobre o que realmente queremos, como e quem queremos ser e o que queremos mudar em nós e nossas circunstâncias.

Como o lobo frontal tem conexões com todas as outras partes do cérebro, tem condições mapear todos os circuitos neurais para agrupar sem emendas pedaços de informação armazenados na forma de redes de conhecimento e experiência. Depois faz uma seleção entre esses circuitos neurais, combinando-os de formas variadas para criar uma nova mente. Ao fazer isso, cria um modelo ou representação interna que vemos como uma imagem de nosso resultado pretendido. Faz sentido então que, quanto mais conhecimento temos, maior a variedade de redes neurais que conectamos e maior a nossa capacidade de sonhar com modelos mais complexos e detalhados.

Para iniciar essa etapa de criação, é sempre bom entrar em um estado de admiração, contemplação, possibilidade, reflexão ou especulação, fazendo algumas perguntas importantes para si mesmo. Perguntas com final aberto são o método mais provocativo para produzir um fluxo fluente de consciência:

- Como seria...?
- Qual a melhor forma de ser...?
- E se eu fosse essa pessoa, vivendo nessa realidade?
- Quem na história eu admiro e quais são seus traços admiráveis?

As respostas obtidas naturalmente formarão uma nova mente porque, ao responder com sinceridade, seu cérebro começará a trabalhar de novas maneiras. Começando a ensaiar mentalmente novos jeitos de ser, você começa a se reconectar neurologicamente em uma nova mente – e quanto mais conseguir se "re-lembrar", mais mudará seu cérebro e sua vida.

Quer deseje ser rico ou ser um pai melhor – ou grande feiticeiro, quem sabe –, talvez não seja má ideia preencher seu cérebro com conhecimento sobre o tópico escolhido, de modo que você tenha mais blocos de construção para formar um novo modelo da realidade que deseja adotar. Toda vez que você adquire informações, está adicionando novas conexões sinápticas que servirão de matéria-prima para quebrar o hábito de seu cérebro disparar do mesmo modo. Quanto mais você aprende, mais munição tem para destituir a antiga personalidade.

O LOBO FRONTAL COMO CRIADOR

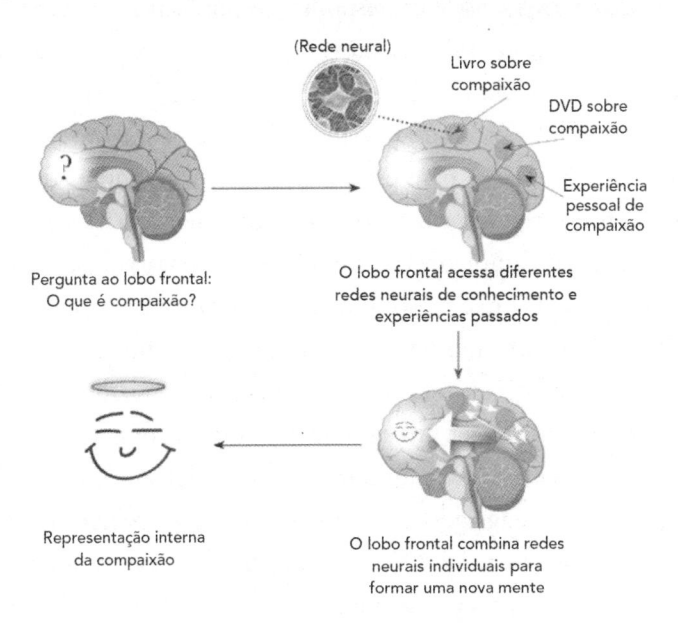

Figura 5B. Quando o lobo frontal está trabalhando no modo criativo, examina toda a paisagem cerebral e coleta todas as informações do cérebro para criar uma nova mente. Se o novo jeito de ser que você desejasse criar fosse a compaixão, então, quando perguntasse a si mesmo como seria ser compassivo, o lobo frontal naturalmente combinaria diversas redes neurais sob novos aspectos para criar um novo modelo ou nova visão. Ele pode ter armazenado informações de livros que você leu, de DVDs que viu, experiências pessoais etc. para fazer o cérebro trabalhar de outro modo. Quando a nova mente está instalada, você vê uma imagem, holograma ou visão do que compaixão significa para você.

3. Tornar o pensamento mais real do que qualquer outra coisa

Durante o processo criativo, o terceiro papel vital do lobo frontal é tornar o pensamento mais real do que qualquer outra coisa. (Continue sintonizado para ver como é a prática na Parte III.)

Quando estamos em um estado criativo, o lobo frontal fica extremamente ativado e reduz o volume nos circuitos do restante do cérebro, de modo que há pouca coisa sendo processada além do pensamento unidirecionado.[20] Como o lobo frontal é o executivo que medeia o restante do cérebro, ele consegue monitorar toda a "geografia". Desse modo, reduz o volume nos centros sensoriais (responsáveis por "sentir" o corpo), nos centros motores (responsáveis por mover o corpo), nos centros de associação (onde existe nossa identidade) e nos circuitos que processam o tempo... a fim de acalmá-los. Com pouquíssima atividade neural, poderíamos dizer que não há uma mente para processar os *inputs* sensoriais (lembre-se de que a mente é o cérebro em ação), nem uma mente para ativar os movimentos dentro do ambiente e nem uma mente para associar as atividades com o tempo; então não temos um corpo, nos tornamos "um nada" e não estamos em nenhum tempo. Nesse momento, somos consciência pura. Com o ruído silenciado nessas áreas cerebrais, o estado de criatividade caracteriza-se por não ter um ego ou eu como os conhecemos.

Quando você está no modo de criação, o lobo frontal está no controle. Ele fica tão engajado que seus pensamentos passam a ser sua realidade e experiência. O que for que você pense nesses momentos é tudo que existe para ser processado pelo lobo frontal. Como ele "reduz o volume" das outras áreas do cérebro, cala as distrações. O mundo interior dos pensamentos torna-se tão real como o mundo exterior da realidade. Seus pensamentos são capturados neurologicamente e rotulados em sua arquitetura cerebral como uma experiência.

Como você sabe, se executa o processo criativo de forma eficiente, essa experiência gera uma emoção, e você começa a sentir como se o evento estivesse ocorrendo no presente. Você é uno com os pensamentos e sentimentos associados à realidade desejada. Você está agora em um novo estado de ser. Você poderia dizer que, nesse momento, está reescrevendo os programas subconscientes ao recondicionar o corpo a uma nova mente.

5 | Sobrevivência *versus* criação

O LOBO FRONTAL COMO CONTROLE DO VOLUME

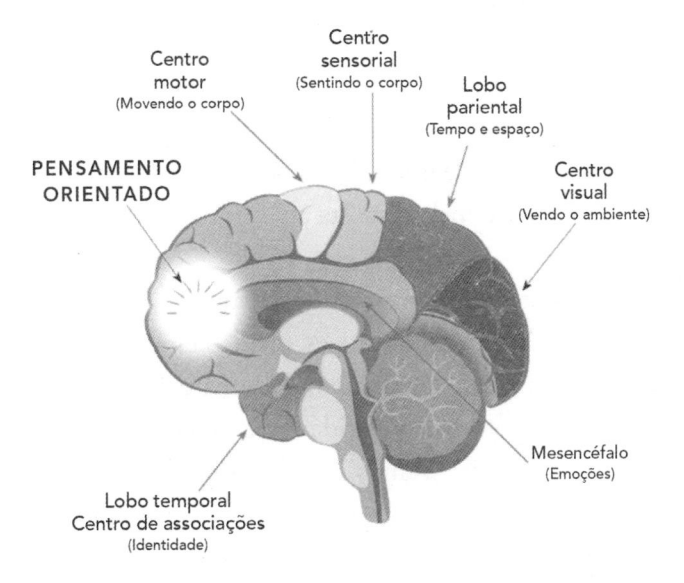

Diagrama do cérebro com as seguintes indicações:
- Centro motor (Movendo o corpo)
- Centro sensorial (Sentindo o corpo)
- Lobo parietal (Tempo e espaço)
- PENSAMENTO ORIENTADO
- Centro visual (Vendo o ambiente)
- Mesencéfalo (Emoções)
- Lobo temporal — Centro de associações (Identidade)

Figura 5C. Quando o pensamento que você está enfocando torna-se a experiência, o lobo frontal aquieta o restante do cérebro, de modo que nada mais é processado a não ser esse pensamento unidirecionado. Você fica calmo, não mais sente o corpo, não mais percebe o tempo e o espaço, e esquece de si mesmo.

Perca a cabeça, libere sua energia

No ato de criação, quando nos tornamos aquele ninguém ou nada em tempo nenhum, não mais criamos nossa assinatura química de costume, pois não somos a mesma identidade; não pensamos e sentimos do mesmo modo. Aquelas redes neurais que nosso pensamento de sobrevivência havia conectado estão desligadas, e a personalidade viciada em sinalizar continuamente ao corpo para produzir hormônios de estresse... se foi.

Em resumo, o eu emocional que vivia no modo de sobrevivência não mais está funcionando. No momento em que isso acontece, não existe mais nossa antiga identidade, nosso "estado de ser" vinculado a pensamentos e sentimentos baseados na sobrevivência. Como não "somos" mais o mesmo ser, a energia que estava vinculada ao corpo agora está livre para se mover.

Assim, para onde vai essa energia que outrora alimentava aquele eu emocional? Ela deve ir para algum lugar, de modo que se move para um novo local. Essa energia na forma de emoção sobe pelo corpo dos centros hormonais inferiores (sexual, digestivo e adrenal) para a área do coração (a caminho do cérebro)... e de repente nos sentimos maravilhosos, alegres e expandidos. Apaixonamo-nos por nossa criação. É quando experimentamos nosso estado de ser natural. Quando paramos de energizar aquele eu emocional energizado pela resposta ao estresse, migramos de egoístas para altruístas.[21]

Com a antiga energia transmutada em uma emoção de frequência mais alta, o corpo é liberado de sua escravidão emocional. Somos elevados acima do horizonte para contemplar uma paisagem inteiramente nova. Deixando de perceber a realidade pelas lentes daquelas antigas emoções de sobrevivência, vemos novas possibilidades. Somos agora observadores quânticos de um novo destino. E essa liberação cura o corpo e liberta a mente.

• • •

Vamos revisitar o gráfico de energia e frequências das emoções de sobrevivência para as emoções elevadas (veja a Figura 5A). Quando raiva, vergonha ou luxúria são liberadas do corpo, são transmutadas em alegria, amor ou gratidão. Nessa jornada para transmitir energias mais elevadas, o corpo (que condicionamos a ser a mente) torna-se menos "da mente" e se torna uma energia mais coerente; a matéria que constitui o corpo expressa uma taxa vibratória mais alta, e nos sentimos conectados a algo maior. Somos mais onda e menos partícula. Em resumo, estamos demonstrando mais de nossa natureza divina.

Quando você vive no modo de sobrevivência, está tentando controlar ou forçar um resultado; isso é o que o ego faz. Quando vive na emoção elevada da criação, você se sente tão elevado que jamais tenta analisar como ou quando um destino preferido chegará. Você confia que vai acontecer porque já o experimentou na mente e no corpo – em pensamentos e sentimentos. Você sabe que vai acontecer porque se sente conectado a

5 | Sobrevivência *versus* criação

algo maior. Você está em um estado de gratidão porque sente como se já tivesse acontecido.

Talvez você não conheça todos os detalhes de seu resultado pretendido – quando ele ocorrerá, onde e sob que circunstâncias –, mas confia em um futuro que não pode ver ou mesmo perceber com seus sentidos. Para você, ele já ocorreu no âmbito do sem espaço, sem tempo ou sem local de onde brotam todas as coisas materiais. Você está em um estado de conhecimento; pode relaxar no presente e não mais viver no modo de sobrevivência.

Antecipar ou analisar quando, onde ou como o evento ocorrerá somente faria você retornar à antiga identidade. Você está tão alegre que é impossível tentar descobrir essas coisas; isso é o que os seres humanos fazem quando vivem nos estados limitados da sobrevivência.

Quando você repousa no estado de criatividade em que não é mais sua identidade, as células nervosas que outrora disparavam juntas para formar aquela antiga personalidade não estão mais conectadas. É quando a antiga personalidade é biologicamente desmantelada. Os sentimentos conectados àquela identidade, que condicionaram o corpo à mesma mente, não estão mais sinalizando os mesmos genes das mesmas formas. E, quanto mais você supera seu ego, maior a evidência física de sua antiga personalidade é mudada. O antigo você se foi.

PARTE 1 | A SUA CIÊNCIA

OS DOIS ESTADOS DE MENTE & CORPO

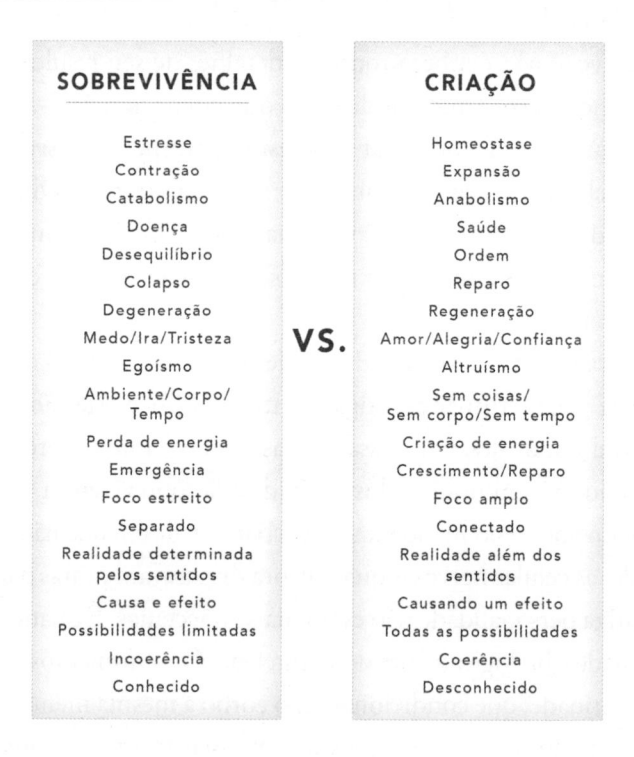

SOBREVIVÊNCIA		CRIAÇÃO
Estresse		Homeostase
Contração		Expansão
Catabolismo		Anabolismo
Doença		Saúde
Desequilíbrio		Ordem
Colapso		Reparo
Degeneração		Regeneração
Medo/Ira/Tristeza	VS.	Amor/Alegria/Confiança
Egoísmo		Altruísmo
Ambiente/Corpo/Tempo		Sem coisas/Sem corpo/Sem tempo
Perda de energia		Criação de energia
Emergência		Crescimento/Reparo
Foco estreito		Foco amplo
Separado		Conectado
Realidade determinada pelos sentidos		Realidade além dos sentidos
Causa e efeito		Causando um efeito
Possibilidades limitadas		Todas as possibilidades
Incoerência		Coerência
Conhecido		Desconhecido

Figura 5D. Modo de sobrevivência *versus* modo de criação.

Ao completar a Parte I deste livro, você adquiriu intencionalmente uma base de conhecimento que ajudará a criar sua nova identidade. Agora vamos desenvolver essa base.

Cobrimos uma porção de possibilidades: o conceito de que sua mente subjetiva pode afetar seu mundo objetivo; seu potencial para mudar seu cérebro e seu corpo ao tornar-se maior que seu ambiente, seu corpo e o tempo; e a perspectiva de que você pode abandonar o modo de vida estressante e reativo de sobrevivência, como se somente o mundo exterior fosse real, e entrar no mundo interior do criador. Espero que agora você possa ver essas possibilidades como realidades possíveis.

Se você pode, então convido-o para prosseguir na Parte II, em que receberá informações específicas sobre o papel do seu cérebro e do processo meditativo que vão prepará-lo para criar mudanças reais e duradouras em sua vida.

PARTE II

SEU CÉREBRO E A MEDITAÇÃO

CAPÍTULO 6

Três cérebros: pensar, fazer e ser

De modo geral, é apropriado comparar o cérebro de uma pessoa a um computador, e é verdade que seu cérebro já possui todo o *hardware* e o *software* de que você necessitará para mudar seu "eu" e sua vida. Mas você sabe qual é a melhor maneira de usar esse *hardware* para instalar novos *softwares*?

Imagine dois computadores com *hardware* e *software* idênticos – um nas mãos de um técnico novato e o outro utilizado por um operador de computadores experiente. O iniciante tem pouco conhecimento sobre os tipos de coisa que um computador pode fazer, que dirá como fazê-las.

Colocado de forma simples, a intenção por trás da Parte II é fornecer informações pertinentes sobre o cérebro, de modo que, quando você, na condição de operador, começar a utilizar o processo meditativo para mudar sua vida, saiba o que é preciso acontecer em seu cérebro e em suas meditações, e por quê.

Mudança acarreta novos modos de pensar, fazer e ser

Se você sabe dirigir um carro, provavelmente já experimentou o exemplo mais elementar de pensar, fazer e ser. De início você tinha de pensar em cada ação que executava e em todas as regras de trânsito. Mais adiante você ficou relativamente proficiente na direção, contanto que prestasse atenção consciente no que estava fazendo. Por fim, virou um motorista; sua mente consciente foi para o banco do passageiro e desde então sua mente subconsciente provavelmente ocupa o assento do motorista na maior parte do tempo; dirigir se tornou automático e uma segunda natureza. Muito do que você aprende é mediante essa progressão de pensar, fazer e ser, e as três áreas do cérebro facilitam esse modo de aprendizado.

No entanto, sabia que é possível ir diretamente do pensar para o ser – e que é provável que você já tenha tido essa experiência em sua vida? Com a meditação do cerne deste livro (este capítulo fornecerá um prelúdio), você pode ir do pensar na pessoa ideal que quer se tornar diretamente para ser essa nova pessoa. Essa é a chave da criação quântica.

A mudança começa toda com o pensar: podemos formar imediatamente novas conexões e circuitos neurológicos que refletem nossos novos pensamentos. E nada deixa o cérebro mais estimulado do que aprender – assimilar conhecimento e experiências. Esses são os afrodisíacos do cérebro; ele "afaga" cada sinal que recebe dos cinco sentidos. A cada segundo, processa bilhões de *bytes* de dados; analisa, examina, identifica, extrapola, classifica e armazena informações que consegue recuperar para nós "quando necessário". O cérebro humano é verdadeiramente o supercomputador definitivo deste planeta.

Como há de recordar, a base para o entendimento de como você pode efetivamente mudar sua mente é o conceito de *hardwiring* – como os neurônios se envolvem em relacionamentos habituais de longo prazo. Já comentei sobre o aprendizado hebbiano, que decreta: "Células nervosas que disparam juntas, permanecem conectadas". (Os neurocientistas acreditavam que, após a infância, a estrutura cerebral era relativamente imutável. No entanto, novas descobertas revelam que vários aspectos do cérebro e do sistema nervoso podem mudar estrutural e funcionalmente – incluindo o aprendizado, a memória e a recuperação de uma lesão cerebral – ao longo da idade adulta.)

Mas o oposto também é verdadeiro: "Células nervosas que não mais disparam juntas, não mais se conectam". Se você não usa, você perde. Você pode até enfocar o pensamento consciente para desconectar ou desligar conexões indesejadas. Assim, é possível soltar-se de alguns "trecos" a que você esteve preso e que influenciam seu modo de pensar, agir ou sentir. O cérebro reconectado não vai mais disparar de acordo com a circuitaria do passado.

A dádiva da neuroplasticidade (a capacidade do cérebro de se reconectar e criar novos circuitos em qualquer idade como resultado do *input* do ambiente e de nossas intenções conscientes) é que podemos gerar um novo nível mental. Há uma espécie de "fora o antigo, que venha o novo" neurológico, processo que os neurocientistas denominam de aparar e brotar. É o que chamo de desaprender e aprender, que cria a oportunidade para ascendermos acima de nossas atuais limitações e sermos maiores do que nosso condicionamento ou circunstâncias.

Ao criar um novo hábito de sermos nós mesmos, estamos essencialmente assumindo o controle consciente do que se tornou um processo inconsciente de ser. Em vez de a mente trabalhar rumo a um objetivo ("não serei uma pessoa furiosa") e o corpo rumo a outro ("vamos continuar furiosos e permanecer banhados nas substâncias químicas familiares"), queremos unificar a intenção da mente com as respostas do corpo. Para fazer isso, devemos criar um novo modo de pensar, fazer e ser.

Dado que para mudar nossas vidas temos primeiro que mudar nossos pensamentos e sentimentos, depois fazer alguma coisa (mudar nossas ações ou comportamentos) para ter uma nova experiência, que por sua vez produz um novo sentimento, e então memorizar o sentimento até migrarmos para um novo estado de ser (onde mente e corpo são unos), pelo menos temos algumas coisas que nos ajudam. Além de o cérebro ser neuroplástico, poderíamos dizer que temos mais de um cérebro com que trabalhar. Na verdade, temos três cérebros.

(Para os nossos propósitos, este capítulo limitará o foco às funções dos "três cérebros" relacionadas especificamente a quebrarmos o hábito de sermos nós mesmos. Como uma nota pessoal, constato que estudar o que o cérebro e os outros componentes do sistema nervoso fazem por nós é uma exploração interminavelmente fascinante. Meu primeiro livro, *Evolve Your Brain*, cobriu esse tópico com mais detalhes do que o necessário a nossos propósitos aqui; existem fontes adicionais de estudo em meu *site*, www.drjoedispenza.com, e com certeza várias outras excelentes publicações e *sites* estão disponíveis àqueles que desejam aprender mais sobre o cérebro, a mente e o corpo.)

OS TRÊS CÉREBROS

NEOCÓRTEX
1º cérebro

CÉREBRO LÍMBICO
MESENCÉFALO
2º cérebro

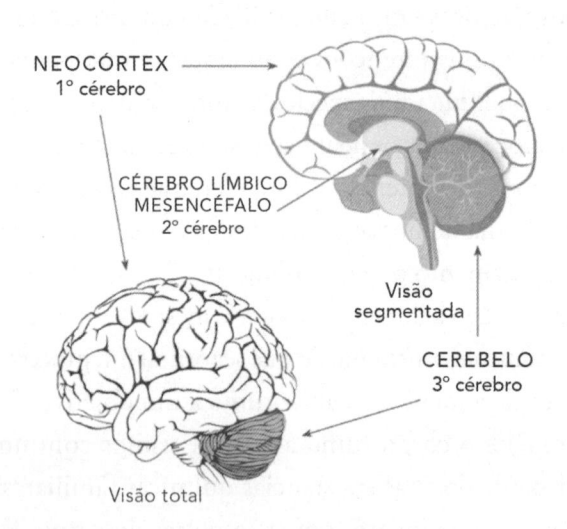

Visão
segmentada

CEREBELO
3º cérebro

Visão total

Figura 6A. O "primeiro cérebro", o neocórtex ou cérebro pensante (em branco). O "segundo cérebro" é o cérebro límbico ou emocional, responsável por criar, manter e organizar substâncias químicas no corpo (em cinza). O "terceiro cérebro", o cerebelo, acomoda a mente subconsciente (em cinza escuro).

Do pensar ao fazer: o neocórtex processa conhecimentos, depois nos incita a viver o que aprendemos

Nosso "cérebro pensante" é o neocórtex, a cobertura exterior do cérebro semelhante a uma noz. *Hardware* neurológico mais avançado e recente da humanidade, o neocórtex acomoda a mente consciente, nossa identidade e outras funções cerebrais elevadas. (O lobo frontal, discutido em capítulos anteriores, é uma das quatro partes do neocórtex.)

Essencialmente, o neocórtex é o arquiteto ou *designer* do cérebro. Permite que você aprenda, lembre, raciocine, analise, planeje, crie, especule possibilidades, invente e se comunique. Como é a área onde se registram dados sensoriais, tais como o que se vê e ouve, o neocórtex conecta à realidade externa.

No geral, o neocórtex processa conhecimento e experiências. Primeiro, você coleta conhecimento na forma de fatos ou informações semânticas (conceitos ou ideias filosóficos ou teóricos que você aprende intelectualmente), incitando o neocórtex a adicionar novas conexões e circuitos sinápticos.

Segundo, quando decide personalizar ou aplicar o conhecimento que adquiriu – demonstrar o que aprendeu –, você invariavelmente cria uma nova experiência. Isso provoca a formação de padrões de neurônios chamados de redes neurais no neocórtex. Essas redes reforçam os circuitos do que você aprendeu intelectualmente.

Se o neocórtex tivesse um lema, poderia ser: "O conhecimento é para a mente".

Colocado de maneira simples, o conhecimento é o precursor da experiência. Seu neocórtex é responsável por processar ideias que você ainda não experimentou, que existem como um potencial para você adotar em algum momento futuro. À medida que cogita novos pensamentos, você começa a pensar em modificar seu comportamento de modo que possa fazer algo diferente quando a oportunidade chegar, para obter um novo resultado. Quando você altera suas ações rotineiras e comportamentos típicos, algo diferente do normal deve acontecer, o que produzirá um novo evento para você experimentar.

De novos eventos a novas emoções: o cérebro límbico produz substâncias para ajudar a lembrar das experiências

O cérebro límbico (também conhecido por cérebro mamífero), localizado sob o neocórtex, é a área mais desenvolvida e especializada do cérebro em mamíferos não humanos – golfinhos e primatas superiores. Pense no cérebro límbico como "cérebro químico" ou "cérebro emocional".

Quando você está no meio da nova experiência e seus sentidos enviam um fluxo rápido de informações correspondentes do mundo externo para o neocórtex, as redes neurais do neocórtex organizam-se para refletir o evento. Com isso, a experiência enriquece o cérebro ainda mais do que o novo conhecimento.

No momento em que essas redes de neurônios disparam com um padrão específico da nova experiência, o cérebro emocional produz e libera substâncias químicas na forma de peptídeos. Esse coquetel químico tem uma assinatura específica que reflete as emoções que você está tendo no momento. Como você sabe, emoções são o produto final das experiências; uma nova experiência cria uma nova emoção (que sinaliza novos genes de novas formas). Com isso, as emoções sinalizam o corpo a registrar o evento quimicamente, e você começa a incorporar o que está aprendendo.

No processo, o cérebro límbico ajuda na formação de memórias de longo prazo: você consegue lembrar melhor de qualquer experiência porque consegue recordar como se sentiu emocionalmente enquanto o evento estava ocorrendo. (O neocórtex e o cérebro límbico juntos nos permitem formar memórias declarativas, significando que podemos declarar o que aprendemos ou experimentamos.[22] Veja a Figura 6B[1] para mais informações sobre memórias declarativas e não declarativas.)

Você pode ver então como somos marcados emocionalmente por experiências extremamente carregadas. Todas as pessoas casadas conseguem contar onde estavam e o que faziam quando foram pedidas em casamento. Talvez estivessem saboreando uma ótima refeição na área ao ar livre de seu restaurante favorito, sentindo a brisa refrescante de um entardecer de verão e desfrutando o pôr do Sol embaladas pelo som de cordas de uma peça de Mozart tocando suavemente ao fundo, quando o acompanhante do jantar ajoelhou-se e ofereceu a caixinha preta.

A combinação de tudo que estavam experimentando naquele momento fez com que se sentissem muito diferentes do eu normal. O equilíbrio químico interno típico que a identidade do eu dessas pessoas havia memorizado foi a nocaute com o que viram, ouviram e sentiram. De certa forma, elas despertaram dos estímulos ambientais rotineiros, familiares, que normalmente bombardeiam o cérebro e nos levam a pensar e sentir de modos previsíveis. Novos eventos nos surpreendem a ponto de ficarmos mais atentos ao momento presente.

Se o cérebro límbico tivesse um lema, poderia ser: "A experiência é para o corpo".

Se o conhecimento é para a mente e a experiência é para o corpo, quando você aplica o conhecimento e cria uma nova experiência, ensina ao corpo o que a mente aprendeu intelectualmente. Conhecimento sem experiência é meramente filosofia; experiência sem conhecimento é ignorância. Deve haver uma progressão. Você precisa obter conhecimento e vivenciá-lo – adotá-lo emocionalmente.

Se você me acompanhou enquanto discuti como mudar sua vida, aprendeu como obter conhecimento e então agir para ter uma nova experiência, o que produz um novo sentimento. A seguir, você tem de memorizar esse sentimento e transferir o que aprendeu da mente consciente para a subconsciente. Você já tem o *hardware* para fazer isso na terceira área cerebral que discutiremos.

Do pensar e fazer para o ser: o cerebelo armazena pensamentos, atitudes e comportamentos habituais

Lembra de meu comentário sobre a experiência corriqueira de não conseguir lembrar de um número telefônico, da senha do caixa eletrônico automático ou da combinação do cadeado, mas praticar com tanta frequência que o corpo sabe melhor que o cérebro e nossos dedos automaticamente conseguem executar a tarefa? Isso pode parecer uma coisa sem importância. Mas, quando o corpo sabe tanto quanto ou mais que a mente consciente, quando você consegue repetir uma experiência voluntariamente sem muito esforço consciente, você memorizou a ação, comportamento, atitude ou reação emocional até que isso se tornou uma habilidade ou hábito.

Quando atingiu esse nível de habilidade, você migrou para um estado de ser. No processo, ativou a terceira área cerebral que desempenha um papel principal na mudança de sua vida – o cerebelo, que acomoda o subconsciente.

Região mais ativa do cérebro, o cerebelo está localizado na parte traseira do crânio. Pense nele como o microprocessador e centro de memória do cérebro. Cada neurônio do cerebelo tem o potencial de se conectar a pelo menos 200 mil – e até um milhão de – outras células para processar equilíbrio, coordenação, percepção da relação espacial das partes do corpo e execução de movimentos controlados. O cerebelo armazena certos tipos de ações e habilidades simples, bem como atitudes conectadas, reações emocionais, ações repetidas, hábitos, comportamentos condicionados e reflexos inconscientes e habilidades que dominamos e memorizamos. Possuindo uma espantosa capacidade de armazenagem de memória, facilmente faz o *download* de várias formas de informações aprendidas para estados programados de mente e corpo.

Quando você está em um estado de ser, começa a memorizar um novo eu neuroquímico. Nesse momento o cerebelo assume o controle, tornando o novo estado uma parte implícita de sua programação subconsciente. (Estudos científicos da formação do hábito incluem uma parte adicional do cérebro chamada gânglios da base, que trabalha junto na programação. Para nossos propósitos, apenas faremos este registro.) O cerebelo é o local das memórias não declarativas, significando que você fez ou praticou algo tantas vezes que não precisa pensar a respeito; tornou-se tão automático que é difícil declarar ou descrever como fazê-lo. Quando isso acontece, você chega a um ponto em que a felicidade (ou qualquer que seja a atitude, comportamento, habilidade ou traço que esteve enfocando e ensaiando mental e fisicamente) torna-se um programa inato e memorizado do novo eu.

Vamos utilizar um exemplo factível para examinar na prática como esses três cérebros nos conduzem do pensar para o fazer e para o ser. Primeiro veremos como, por meio de ensaios mentais conscientes, o cérebro pensante (neocórtex) utiliza o conhecimento para ativar novos circuitos sob novas formas para compor uma nova mente. Depois, nosso pensamento cria uma experiência, e via cérebro emocional (límbico) produz uma nova emoção. Nossos cérebros do pensamento e do sentimento condicionam o corpo a uma nova mente. Finalmente, se atingimos o ponto em que mente e corpo trabalham como um, o cerebelo possibilita memorizar um novo eu neuroquímico, e agora nosso estado de ser é um programa inato em nosso subconsciente.

Um exemplo real dos três cérebros em ação

Como um exame prático dessas ideias, suponha que você recentemente leu alguns livros provocadores de reflexão sobre compaixão, incluindo um do Dalai Lama, uma biografia de Madre Teresa e um relato da obra de São Francisco de Assis.

Esse conhecimento permitiu pensar fora da caixa. Ler todo esse material forjou novas conexões sinápticas em seu cérebro pensante. Essencialmente, você aprendeu sobre a filosofia da compaixão (por meio das experiências de outras pessoas, não das suas). Além disso, você sustentou essas conexões neurais revisando o que aprendeu no dia a dia: você está tão entusiasmado que está resolvendo todos os problemas de seus amigos, oferecendo conselhos e sendo admirado. Você se tornou o grande filósofo. Intelectualmente, você entende do assunto.

Enquanto está dirigindo do trabalho para casa, sua esposa liga para dizer que você foi convidado para jantar com sua sogra dali a três dias. Você sai da estrada e já está pensando na intensidade com que detesta sua sogra desde que ela magoou seus sentimentos há dez anos. Logo tem uma imensa lista mental: você jamais gostou do jeito opinioso dela, do modo como interrompe as outras pessoas, do cheiro, até da comida dela. Sempre que está perto dela, seu coração acelera, sua mandíbula enrijece, seu rosto e corpo ficam tensos, você fica nervoso e somente quer cair fora.

Ainda sentado no carro, você lembra dos livros sobre a filosofia da compaixão e pensa no que aprendeu teoricamente. Então lhe ocorre: "Se eu tentar aplicar o que li nesses livros, talvez possa ter uma nova experiência com minha sogra. O que aprendi que posso personalizar para mudar o resultado desse jantar?".

Ao cogitar a aplicação desse conhecimento com sua sogra, algo maravilhoso começa a acontecer. Você decide não reagir com seu conjunto típico de programas automáticos. Em vez disso, começa a pensar em quem você não quer mais ser e em quem quer ser. Você se pergunta: "Como não quero me sentir e como não agirei quando a ver?". Seu lobo frontal começa a "esfriar" os circuitos neurais conectados ao antigo eu; você está começando a desconectar ou podar aquele funcionamento como identidade do antigo eu. Você poderia dizer que, como seu cérebro não está disparando do mesmo modo, você não está mais criando a mesma mente.

A seguir você revisa o que aqueles livros dizem para ajudar a planejar como você quer pensar, sentir e agir em relação à sogra. Você se pergunta:

"Como posso modificar meu comportamento, minhas ações e minhas reações, de modo que minha nova experiência conduza a um novo sentimento?". Aí você se imagina cumprimentando e abraçando a sogra, fazendo perguntas sobre coisas que sabe que a interessam e elogiando o novo corte de cabelo ou os novos óculos. Nos dias seguintes, enquanto ensaia mentalmente seu novo ideal de eu, você continua a instalar mais *hardware* neurológico, de modo que terá os circuitos apropriados a postos (de fato, um novo programa de *software*) quando efetivamente interagir com a sogra.

Para a maioria de nós, ir do pensar para o fazer é como inspirar caracóis a apertar o passo. Queremos permanecer no terreno filosófico e intelectual da nossa realidade; gostamos de nos identificar com o sentimento reconhecível, memorizado, de nosso eu familiar.

Em vez disso, ao abandonar antigos padrões de pensamento, interromper reações emocionais habituais e renunciar a comportamentos reflexos, depois planejar e ensaiar novos modos de ser, você está se colocando na equação do conhecimento que aprendeu e começando a criar uma nova mente – está lembrando a si mesmo quem você quer ser.

Mas há uma outra etapa que devemos abordar agora.

O que aconteceu quando você começou a observar sua "antiga personalidade do seu" referente a pensamentos familiares, comportamentos habituais e emoções memorizadas que você havia conectado previamente à sua sogra? De certo modo, você acessou o sistema operacional da mente subconsciente, onde esses programas existem, e foi o observador desses programas. Quando consegue notar ou ficar ciente de quem você está sendo, você fica consciente de seu eu inconsciente.

Quando você começou a se projetar psicologicamente em uma situação potencial à frente da efetiva experiência (o jantar), começou a reconectar seus circuitos neurais para parecer que o evento (ser compassivo com a sogra) já havia ocorrido. Quando as novas redes neurais começaram a disparar em uníssono, seu cérebro criou uma imagem, visão, modelo ou o que chamarei de holograma (uma imagem multidimensional) representando o eu ideal que você estava focado em ser. No instante em que isso aconteceu, você tornou o que estava pensando mais real do que qualquer outra coisa. Seu cérebro capturou o pensamento como experiência e "atualizou" sua massa cinzenta para parecer que a experiência já havia ocorrido.

Incorporando conhecimento por meio da experiência: ensinando ao corpo o que a mente aprendeu

Logo chega a hora, e você se vê sentado no jantar, cara a cara com a "sogrinha". Em vez de reagir reflexamente quando os comportamentos típicos dela se manifestam, você permanece consciente, lembra o que aprendeu e decide testar. Em vez de julgar, atacar ou sentir animosidade, você faz algo completamente diferente. Como os livros encorajaram, você fica no momento presente, abre seu coração e realmente escuta o que ela está dizendo. Você não a mantém mais no passado.

E eis que você modifica o comportamento e refreia suas reações emocionais impulsivas, criando desse modo uma nova experiência com sua sogra. Isso ativa o cérebro límbico a preparar uma nova mistura de substâncias químicas que gera uma nova emoção, e de repente você começa a sentir compaixão de verdade por ela. Você a vê como ela é; vê inclusive aspectos seus nela. Seus músculos relaxam, você sente o coração se abrindo e respira profunda e espontaneamente.

Você teve um sentimento tão maravilhoso nesse dia que ele perdura. Agora, você está inspirado e com a mente aberta, e constata que ama sua sogra de verdade. Quando combina seu novo sentimento interno de boa vontade e amor com essa pessoa em sua realidade externa, você conecta a compaixão a sua sogra. Você forma uma nova memória associativa.

Assim que você começou a sentir a emoção da compaixão, de certo modo instruiu (quimicamente) seu corpo sobre o que sua mente sabia (filosoficamente), e isso ativou e modificou alguns de seus genes. Agora você foi do pensar ao fazer: seus comportamentos correspondem a suas intenções conscientes; suas ações se igualam aos seus pensamentos; mente e corpo estão alinhados e trabalhando juntos. Você fez exatamente o que as pessoas fizeram em seus livros. Assim, ao aprender sobre a compaixão intelectualmente com seu cérebro e mente, e depois demonstrar esse ideal em seu ambiente por meio da experiência, você incorporou esse sentimento elevado. Você simplesmente condicionou seu corpo a uma nova mente de compaixão. Sua mente e seu corpo estão trabalhando juntos. Você incorporou a compaixão. De certo modo, a palavra tornou-se carne.

Dois cérebros levaram-no do pensar ao fazer, mas você consegue criar um estado de ser?

Graças a seus esforços para incorporar a compaixão, agora você tem o neocórtex e o cérebro límbico trabalhando juntos. Você está fora da caixa do eu familiar e habitual memorizado, que opera segundo um conjunto de programas automáticos, e está em um novo ciclo de pensamentos e sentimentos. Você experimentou a sensação da compaixão e gosta mais dela do que da hostilidade velada, da rejeição e da raiva reprimida.

Mas, alto lá, você ainda não está pronto para ser um santo! Não basta ter o corpo e a mente trabalhando juntos uma vez. Isso levou-o do pensar ao fazer, mas você consegue reproduzir esse sentimento de compaixão à sua vontade? Consegue incorporar repetidamente a compaixão, independentemente das condições de seu ambiente, de modo que nenhuma pessoa ou situação possa criar aquele antigo estado de ser em você outra vez?

Caso não, você ainda não dominou a compaixão. Minha definição de domínio é quando nosso estado químico interno é maior do que qualquer coisa em nosso mundo externo. Você é um mestre quando se condicionou com pensamentos e sentimentos escolhidos, memorizou estados químicos/emocionais desejados e nada em sua vida externa o impede de atingir seus objetivos. Ninguém, nada e nenhuma experiência, a qualquer hora ou em qualquer lugar, deve interromper sua coerência química interna. Você consegue pensar, agir e sentir diferentemente sempre que quer.

Se você consegue dominar o sofrimento, consegue dominar a alegria com a mesma facilidade

Você provavelmente conhece alguém que domina o sofrimento, certo? Você telefona para a pessoa e pergunta: "Como vai?".

"Mais ou menos."

"Ouça, eu e alguns amigos vamos a uma nova galeria de arte e depois em um restaurante que serve sobremesas realmente saudáveis. Depois vamos ouvir música ao vivo. Gostaria de ir com a gente?"

"Não, não estou com vontade."

Mas, se a pessoa dissesse o que efetivamente queria dizer, diria: "Eu memorizei esse estado emocional, e nada em meu ambiente – nenhuma pessoa, nenhuma experiência, nenhuma condição, coisa nenhuma – me fará migrar de meu estado químico interno de sofrimento. É melhor ter dor do que largar disso e ficar feliz. De momento estou desfrutando do meu vício, e todas essas coisas que você quer fazer me distrairiam de minha dependência emocional".

Mas sabe de uma coisa? Podemos dominar um estado químico interno como alegria ou compaixão com a mesma facilidade.

No exemplo anterior com sua sogra, se você praticasse seus pensamentos, comportamentos e sentimentos o suficiente, "ser" compassivo se tornaria bastante natural. Você evoluiria de apenas pensar nisso para fazer algo a respeito disso, para ser isso. "Ser" indica que é fácil, natural, habitual, rotineiro e inconsciente. Compaixão e amor seriam tão automáticos e familiares como as emoções autolimitantes que você acabou de mudar.

Agora você precisa então replicar a experiência de pensar, sentir e agir movido pela compaixão. Se fizer isso, romperá o vício em seu estado emocional passado e condicionará neuroquimicamente seu corpo e sua mente para memorizar o estado químico interno chamado compaixão melhor do que sua mente consciente. Por fim, se recriar repetidamente a experiência de compaixão quantas vezes quiser, praticando-a independentemente de qualquer circunstância em sua vida, seu corpo se tornará a mente de compaixão. Você memorizará a compaixão tão bem que nada em seu mundo exterior poderá tirá-lo desse estado de ser.

Agora todos os três cérebros estão trabalhando juntos, e você está biológica, neuroquímica e geneticamente em um estado de compaixão. Quando a compaixão se torna incondicionalmente comum e familiar, você progrediu do conhecimento para a experiência e desta para a sabedoria.

Progredindo para um estado de ser: o papel de nossos dois sistemas de memória

Temos três cérebros que nos permitem evoluir do pensar para o fazer e daí para o ser. Examine o diagrama a seguir:

SISTEMAS DE MEMÓRIA DO CÉREBRO

```
                DECLARATIVAS                    NÃO DECLARATIVAS
                Memórias explícitas              Memórias implícitas
                        │                               │
              ┌─────────┴─────────┐                     ▼
              ▼                   ▼               AUTOMÁTICO
      CONHECIMENTO           EXPERIÊNCIA          Habilidades
      Memórias               Memórias             Hábitos
      semânticas      ──▶    episódicas    ──▶    Atitudes
      Filosofia              Emoções              Reações emocionais
      Teoria                                      Crenças
                                                  Condicionamentos
                                                  Memórias associativas
              │                   │                     │
              ▼                   ▼                     ▼
        Neocórtex   ──▶    Cérebro límbico   ──▶    Cerebelo
              │                   │                     │
              ▼                   ▼                     ▼
        Cérebro            Cérebro dos              Cérebro
        pensante    ──▶    sentimentos      ──▶     do ser
```

Figura 6B(1). Memórias declarativas e não declarativas.

Existem dois sistemas de memória no cérebro:

- O primeiro sistema é chamado declarativo ou de memórias explícitas. Quando lembramos e conseguimos declarar o que aprendemos ou experimentamos, essas são as memórias declarativas. Existem dois tipos de memórias declarativas: conhecimento (memórias semânticas derivadas do conhecimento filosófico) e experiência (memórias episódicas derivadas de experiências sensoriais, identificadas como eventos com pessoas, animais ou objetos particulares, enquanto fazíamos ou testemunhávamos uma certa coisa em um tempo e local específicos). As memórias episódicas tendem a marcar o corpo e o cérebro por mais tempo que as memórias semânticas.

- O segundo sistema de memória é chamado não declarativo ou de memórias implícitas. Quando praticamos algo tantas vezes que se torna uma segunda natureza – não temos mais que pensar a respeito, é como se praticamente não conseguíssemos declarar como fazê-lo –, o corpo e a mente são um. Essa é a base de nossas habilidades, hábitos, comportamentos automáticos, memórias associativas, atitudes inconscientes e reações emocionais.

6 | Três cérebros: pensar, fazer e ser

CONHECIMENTO + EXPERIÊNCIA = SABEDORIA

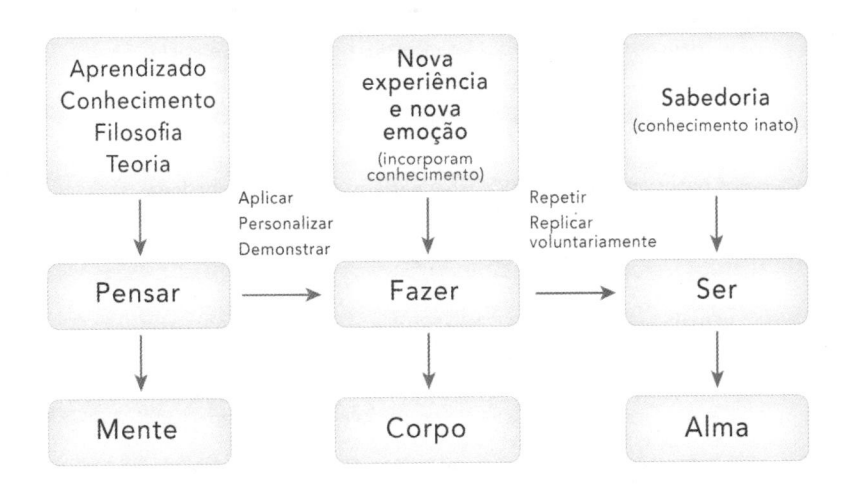

```
┌─────────────────┐         ┌─────────────────┐         ┌─────────────────┐
│   Aprendizado   │         │      Nova       │         │                 │
│  Conhecimento   │         │   experiência   │         │    Sabedoria    │
│    Filosofia    │         │     e nova      │         │(conhecimento    │
│     Teoria      │         │     emoção      │         │    inato)       │
│                 │         │  (incorporam    │         │                 │
│                 │         │  conhecimento)  │         │                 │
└────────┬────────┘ Aplicar └────────┬────────┘ Repetir └────────┬────────┘
         │       Personalizar         │        Replicar          │
         │       Demonstrar           │     voluntariamente      │
         ▼           →                ▼            →             ▼
┌─────────────────┐         ┌─────────────────┐         ┌─────────────────┐
│     Pensar      │   →     │      Fazer      │   →     │       Ser       │
└────────┬────────┘         └────────┬────────┘         └────────┬────────┘
         ▼                           ▼                           ▼
┌─────────────────┐         ┌─────────────────┐         ┌─────────────────┐
│     Mente       │         │      Corpo      │         │      Alma       │
└─────────────────┘         └─────────────────┘         └─────────────────┘
```

Figura 6B(2). Três cérebros: pensar, fazer e ser.

Portanto, quando tomamos o que aprendemos intelectualmente (neocórtex) e aplicamos, personalizamos ou demonstramos, modificamos nosso comportamento de alguma forma. Quando fazemos isso, criamos uma nova experiência, que gera uma nova emoção (cérebro límbico). Se conseguimos repetir, replicar ou vivenciar essa ação quando queremos, migramos para um estado de ser (cerebelo).

Sabedoria é conhecimento acumulado obtido por experiência repetida. Quando "ser" compassivo é tão natural como sofrimento, julgamento, culpa, frustração, pessimismo ou insegurança, então somos sábios. Estamos liberados para aproveitar novas oportunidades, pois de alguma forma a vida parece se organizar igual a como ou quem somos.

··· PARTE II | SEU CÉREBRO E A MEDITAÇÃO ···

EVOLUINDO SEU SER

Neocórtex →	Mesencéfalo →	Cerebelo
Pensar →	Fazer →	Ser
Conhecimento →	Experiência →	Sabedoria
Mente →	Corpo →	Alma
Ensaio mental →	Ensaio físico →	"Eu" neurológico
Intenção →	Comportamento →	Destino
Pensamentos →	Sentimentos →	"Eu" memorizado
Transmissor de sinais →	Atração de eventos →	Manifestação
Elétrico (partículas) →	Magnético (ondas) →	Campo eletromagnético (realidade)
Cabeça →	Mãos →	Coração
Aprendizado →	Instrução →	Retorno
Filósofo →	Iniciado →	Mestre

Figura 6C. Este diagrama exibe a progressão de como os três cérebros se alinham para correlacionar diversas avenidas de evolução pessoal.

Indo do pensar diretamente para o ser: um prelúdio para a meditação

Ir do pensar para o fazer e daí para o ser é uma progressão que todos nós já experimentamos várias vezes, seja quando aprendemos a dirigir, esquiar, tricotar ou quando falar uma segunda língua tornou-se uma segunda natureza.

Agora vamos falar de um dos grandes dons da evolução para nós como seres humanos: a habilidade de ir do pensar para o ser – sem executar nenhuma ação física. Dito de outra forma, podemos criar um novo estado de ser antes de termos uma real experiência material.

Fazemos isso o tempo todo e não se trata de "fingir até fazer". Por exemplo, você tem uma fantasia sexual em que experimenta internamente todos os pensamentos, sentimentos e ações que espera ansiosamente realizar quando seu parceiro retornar de viagem. Você está tão presente na experiência interna que seu corpo é quimicamente alterado e responde como se esse evento futuro já estivesse acontecendo naquele exato momento. Você migrou para um novo estado de ser. De modo similar, quer esteja ensaiando mentalmente a palestra que irá dar, lembrando como irá lidar com a confrontação que precisará ter com seu colega de trabalho ou imaginando o que quer comer quando está realmente faminto, mas preso no trânsito – e em cada caso você está pensando naquilo com a exclusão de tudo o mais –, seu corpo começa a migrar para um estado de ser unicamente pelo pensamento.

Tudo bem, mas até onde você pode levar isso? Graças unicamente a pensamentos e sentimentos você poder ser a pessoa que quer ser? Pode criar e viver uma realidade de sua escolha, como fez minha filha quando vivenciou o trabalho de verão de seus sonhos?

É nesse ponto que entra a meditação. As pessoas, como você sabe, utilizam técnicas de meditação por muitos motivos. Neste livro você aprenderá uma meditação especial concebida para um propósito específico – ajudar a quebrar o hábito de ser você mesmo e se tornar aquela pessoa ideal que você deseja ser. No restante deste capítulo, conectaremos alguns dos conhecimentos abordados até agora com a meditação que você aprenderá em breve. (Sempre que discutir meditação ou processo meditativo, estarei me referindo ao processo que será nosso foco na Parte III.)

A meditação nos permite mudar nosso cérebro, corpo e estado de ser. Mais importante, podemos fazer essas mudanças sem ter que executar nenhuma ação física ou ter qualquer interação com o ambiente externo. Pela meditação, podemos instalar o *hardware* neurológico necessário (que se tornará um programa de *software*), exatamente como aqueles pianistas fizeram. Também podemos influenciar o corpo como aqueles que exercitaram os dedos e realizaram mudanças por meio de ensaios mentais.

(Aqueles indivíduos da pesquisa utilizaram apenas ensaios mentais, mas para nossos propósitos isso é um dos componentes do processo meditativo, embora muito importante.)

Se eu pedisse para você pensar nas qualidades que sua pessoa ideal possuiria ou sugerisse que refletisse sobre como seria ser uma pessoa grandiosa, como Madre Teresa ou Nelson Mandela, apenas pela contemplação de um novo estado de ser você começaria a disparar seu cérebro de novas maneiras e a formar uma nova mente. É o ensaio mental em ação. Agora, peço que reflita sobre como seria sentir-se feliz, contente, satisfeito e em paz. O que você visualizaria para si se fosse criar um novo ideal de *você*?

Essencialmente, o processo meditativo lhe permite responder essa questão coletando toda a informação, aprendida e conectada sinapticamente em seu cérebro, sobre o que significaria estar feliz, contente, satisfeito e em paz. Na meditação, você toma esse conhecimento e então se coloca na equação. Em vez de meramente perguntar o que significaria estar feliz, você se coloca na posição de praticar e assim viver em um estado de felicidade. Afinal, você sabe como a felicidade se parece e qual é a sensação. Você já teve experiências; já viu versões de felicidade de outras pessoas. Agora você precisa fazer escolhas a partir desses conhecimentos e experiências para criar um novo ideal de si mesmo.

Expliquei como, por intermédio do lobo frontal, você ativa novos circuitos de novas maneiras para criar uma nova mente. Quando experimenta a nova mente, seu cérebro cria uma espécie de imagem holográfica que fornece um modelo a ser seguido na criação de sua realidade futura. Como você instalou novos circuitos neurais antes de qualquer real experiência, não precisa levar a cabo uma revolução pacífica como fez Gandhi, não tem de liderar seu povo e ser queimado na fogueira como Joana d'Arc. Você simplesmente tem de usar seus conhecimentos e experiências das qualidades de coragem e convicção para produzir um efeito emocional interior. O resultado será um estado mental. Produzindo repetidamente esse estado mental, ele se tornará familiar, e você estará conectando novos circuitos. Quanto mais frequentemente produzir esse estado mental, mais esses pensamentos passarão a ser a experiência.

Uma vez que ocorra a transformação pensamento-experiência, o produto final será um sentimento, uma emoção. Quando isso ocorre, seu corpo (como mente inconsciente) não sabe a diferença entre um evento que ocorre na realidade física e as emoções criadas apenas pelo pensamento.

Como alguém que está condicionando o corpo a uma nova mente, você constatará que seu cérebro pensante e o cérebro emocional agora trabalham juntos. Lembre-se de que pensamentos são para o cérebro, e sentimentos, para o corpo. Quando pensa e sente de modo específico como parte do processo meditativo, você está diferente de quando começou. Os circuitos recém-instalados, as alterações neurológicas e químicas produzidas por esses pensamentos e emoções alteram você de tal forma que existe evidência física no cérebro e no corpo mostrando essas mudanças.

Nesse ponto, você migrou para um estado de ser. Você não está mais apenas praticando felicidade, gratidão ou o que seja; você está sendo agradecido ou feliz. Você pode gerar esse estado de corpo e mente todos os dias; pode reexperimentar continuamente um evento e produzir a resposta emocional à experiência de como se sentiria se fosse esse novo eu ideal.

Se consegue levantar da sessão de meditação e estar nesse novo estado de ser – alterado neurológica, biológica, química e geneticamente –, você ativou essas mudanças antes de qualquer experiência e está mais propenso a agir e pensar de modo igual a quem você está sendo. Você quebrou o hábito de ser você mesmo!

••• PARTE II | SEU CÉREBRO E A MEDITAÇÃO •••

DO PENSAR PARA O SER

PENSAR	SENTIR	SER
Pelo lobo frontal, o ensaio mental ativa novos circuitos de novas maneiras > O cérebro pensante forma uma nova mente > Neocórtex.	O pensamento torna-se a experiência > O pensamento como a experiência cria um novo sentimento > O cérebro pensante aciona o cérebro dos sentimentos e condiciona o corpo a uma nova mente > Neocórtex e cérebro límbico (emocional).	O corpo torna-se a mente > a mente e o corpo trabalham como um > Eu neuroquimicamente memorizado > Cerebelo.

ESTADO DE SER

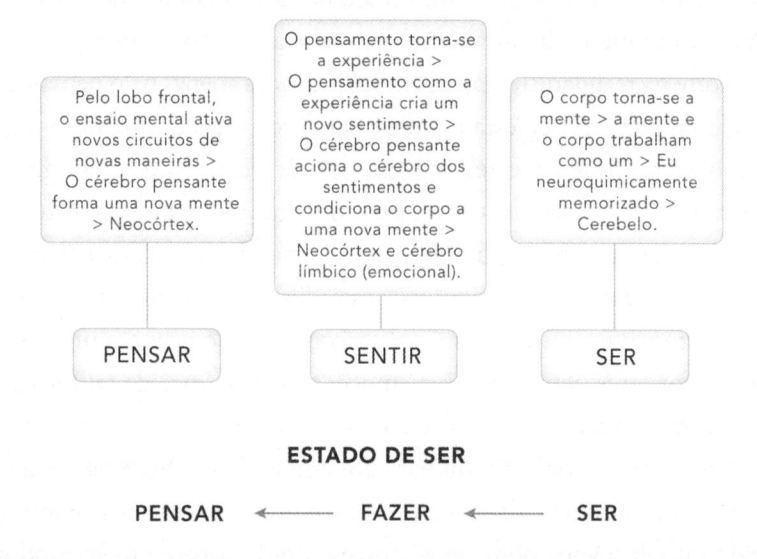

PENSAR ← FAZER ← SER

Figura 6D. Você pode ir do pensar para o ser sem ter que fazer nada. Se você está ensaiando mentalmente uma nova mente, chegará um momento em que o pensamento a respeito se tornará a experiência. Quando isso ocorrer, o produto final dessa experiência interior será uma emoção ou sentimento. Quando você consegue sentir como seria ser essa pessoa, seu corpo (como a mente inconsciente) começa a acreditar que está nessa realidade. Sua mente e seu corpo começam a trabalhar como um, e você está "sendo" aquela pessoa sem ter de fazer nada ainda. Ao migrar para um novo estado de ser apenas pelo pensamento, você ficará mais propenso a fazer e pensar coisas equivalentes a como você está sendo.

Como um lembrete, quando você está em um novo estado de ser – uma nova personalidade –, você também criou uma nova realidade pessoal. Deixe-me repetir isso. Um novo estado de ser cria uma nova personalidade... uma nova personalidade produz uma nova realidade pessoal.

Como você saberá se essa prática meditativa ativou seus três cérebros para produzir o efeito pretendido? Simples: você se sentirá diferente como resultado de investir no processo. Caso sinta-se exatamente como antes, se os mesmos catalisadores produzem as mesmas reações em você, então nada aconteceu no campo quântico. Seus mesmos pensamentos e sentimentos estão reproduzindo o mesmo sinal eletromagnético no campo. Você não mudou química, neurológica, geneticamente ou de qualquer outra maneira.

Mas se eventualmente você levanta das sessões de meditação e se sente diferente de quando começou e consegue manter esse estado modificado de corpo e mente, então você mudou.

O que você mudou internamente – o novo estado de ser que criou – agora deve produzir um efeito externo. Você transcendeu o modelo de causa e efeito do universo, aquele antigo conceito newtoniano de algo externo a você controlando seus pensamentos, ações e emoções. Retornarei a esse ponto daqui a pouco.

Você também saberá que sua meditação foi produtiva se algo inesperado e novo surgir em sua vida como resultado de seus esforços. Lembre-se: o modelo quântico afirma que, se você criou uma nova mente e um novo estado de ser, você tem uma assinatura eletromagnética alterada. Como está pensando e sentindo de maneira diferente, você está mudando a realidade. Juntos, pensamentos e sentimentos podem fazer isso; separados, não. Deixe-me lembrar novamente: você não pode pensar de um jeito, sentir de outro e esperar que qualquer coisa em sua vida mude. A combinação de seus pensamentos e sentimentos é seu estado de ser. Mude seu estado de ser... e mude sua realidade.

É aqui que os sinais coerentes realmente entram em cena. Se você consegue enviar para o campo quântico um sinal coerente em pensamento e sentimento (estado de ser), independente do mundo externo, então algo diferente acontecerá em sua vida. Quando isso acontecer, você sem dúvida experimentará uma resposta emocional poderosa, o que vai inspirá-lo a criar uma nova realidade mais uma vez – e você pode usar essa emoção para gerar uma experiência ainda mais maravilhosa.

Deixe-me voltar a Newton. Todos nós somos condicionados pelo conceito newtoniano de que a vida é dominada por causa e efeito. Quando algo de bom acontece, expressamos gratidão ou alegria. Assim, passamos a vida esperando que alguém ou algo fora de nós regule nossos sentimentos.

Em vez disso, estou pedindo a você que assuma o controle e inverta o processo. Em vez de esperar que uma ocasião provoque um certo sentimento, crie o sentimento antes de qualquer experiência no reino físico, convença seu corpo emocionalmente de que uma experiência "geradora de gratidão" já ocorreu.

PARTE II | SEU CÉREBRO E A MEDITAÇÃO

Para fazer isso, você pode escolher um potencial no campo quântico e contatar como se sentiria se estivesse experimentando-o. Estou pedindo que use pensamentos e sentimentos para se colocar no lugar do futuro eu, desse possível você, tão vividamente que comece a condicionar emocionalmente seu corpo a acreditar que você é essa pessoa agora. Quando você abre os olhos após a sessão de meditação, quem você quer ser? Como se sentiria sendo o eu ideal ou tendo a experiência desejada?

Para quebrar totalmente o hábito de ser você mesmo, diga adeus ao conceito de causa e efeito e adote o modelo quântico de realidade. Escolha uma realidade potencial que queira, viva-a em pensamentos e sentimentos e agradeça antes do evento concreto. Você consegue aceitar a ideia de que, quando altera seu estado interno, não precisa que o mundo externo dê uma razão para sentir alegria, gratidão, apreciação ou qualquer outra emoção elevada?

Quando seu corpo experimenta o evento que ocorre naquele momento e ele parece real, baseado unicamente naquilo em que você está focado mentalmente e sentindo emocionalmente, você está experimentando o futuro agora. No momento em que está nesse estado de ser, presente na experiência e naquele momento do agora, você está conectado a todas as realidades possíveis existentes no campo quântico. Lembre-se de que, se você está no passado ou no futuro, baseado em emoções familiares ou na antecipação de algum efeito, não tem acesso a todas as possibilidades contidas no campo quântico. O único meio de acessar o campo quântico é estar no agora.

Tenha em mente que isso não pode ser apenas um processo intelectual. Pensamentos e sentimentos devem ser coerentes. Em outras palavras, essa meditação exige que você desça uns 25 centímetros desde a cabeça e vá para o coração. Abra o coração e pense como seria se você incorporasse uma combinação de todos os traços que admira e que compõem seu eu ideal.

Você pode objetar que não pode saber como se sentiria porque jamais experimentou como seria ter esses traços e ser esse eu ideal. Minha resposta é que seu corpo pode experimentar isso antes de você ter qualquer evidência física, antes de seus sentidos: se um desejo futuro que você jamais experimentou efetivamente se manifestasse em sua vida, você teria de concordar que experimentaria uma emoção elevada como alegria, entusiasmo ou gratidão... assim, você naturalmente pode focar nessas emoções. Em vez de ficar escravizado a emoções que são somente resíduo do passado, você agora está usando emoções elevadas para criar o futuro.

As emoções elevadas de gratidão, amor etc. têm uma frequência mais alta que ajudará você a migrar para um estado de ser em que pode sentir como se os eventos desejados tivessem realmente ocorrido. Se você está em um estado de grandeza, então o sinal que envia para o campo quântico é que os eventos já se passaram. Agradecer permite condicionar emocionalmente seu corpo a acreditar que o que está produzindo a gratidão já aconteceu. Ao ativar e coordenar os três cérebros, a meditação lhe permite migrar do pensar para o ser – e, uma vez que esteja em um novo estado de ser, você fica mais propenso a agir e pensar de acordo com quem você está sendo.

Talvez você tenha se perguntado por que pode ser difícil migrar para um estado de gratidão ou agradecer antes da experiência real. É possível que você tenha vivido sob uma emoção memorizada que se tornou tão parte de sua identidade em nível subconsciente que agora você não consegue sentir de nenhuma outra forma além daquela com que está acostumado? Caso seja assim, talvez sua identidade tenha se tornado uma questão de como você se parece no mundo no exterior, para distraí-lo e alterar como se sente por dentro.

No próximo capítulo, examinaremos como fechar essa lacuna e provocar a verdadeira liberação. Quando você conseguir sentir prontamente gratidão ou alegria ou se apaixonar pelo futuro – sem necessitar que qualquer pessoa, coisa ou experiência faça você sentir isso –, essas emoções elevadas ficarão disponíveis para alimentar suas criações.

CAPÍTULO 7

A lacuna

Estava sentado em meu sofá certo dia pensando sobre o significado de ser feliz. Enquanto contemplava minha total falta de alegria, pensei como a maioria das pessoas que me eram importantes faria um discurso motivacional direto ao ponto. Imaginei as palavras exatas: "Você é incrivelmente afortunado. Tem uma família maravilhosa, com filhos lindos. É um quiroprático de sucesso. Dá palestras para milhares de pessoas, viaja pelo mundo, indo para destinos incomuns, apareceu no filme *Quem somos nós?* e muita gente adorou sua mensagem. Até escreveu um livro que está vendendo bem". Teriam tocado todas as notas emocionais e lógicas corretas. Mas para mim alguma coisa não estava bem.

Estava num momento de vida em que viajava de cidade em cidade ministrando palestras todos os fins de semana; às vezes ia a duas cidades em três dias. Ocorreu-me que eu estava tão atribulado que não tinha tempo para realmente praticar o que ensinava.

Foi um momento enervante, pois comecei a ver que toda a minha felicidade era criada fora de mim e a alegria que eu experimentava enquanto viajava e dava palestras não tinha nada a ver com alegria real. Pareceu que eu precisava de todo mundo, de tudo e de toda parte fora de mim para me sentir bem. A imagem que eu estava projetando para o mundo dependia de fatores externos. E, quando não estava palestrando, concedendo entrevistas ou tratando de pacientes e estava em casa, me sentia vazio.

Não me entenda mal: sob certos aspectos, essas coisas externas eram ótimas. Se você perguntasse a qualquer pessoa que me visse dando palestras, profundamente absorto trabalhando numa apresentação durante um voo ou respondendo a dezenas de e-mails no aeroporto ou saguão do hotel, na condição de observador, ela diria que eu parecia muito feliz.

A triste verdade é que, se você perguntasse para mim em um desses momentos, eu provavelmente responderia da mesma maneira: sim, está tudo ótimo, estou indo muito bem, sou um cara de sorte.

Mas, caso me pegasse em um momento tranquilo, quando todos esses outros estímulos não estivessem me bombardeando, eu responderia de modo completamente diferente: algo não está bem. Sinto-me inquieto. Tudo parece sempre igual. Está faltando alguma coisa.

No dia em que reconheci o motivo central da minha infelicidade, percebi também que precisava do mundo externo para lembrar quem eu era. Minha identidade havia se tornado as pessoas com quem eu conversava, as cidades que visitava, as coisas que fazia enquanto estava viajando e as experiências de que necessitava para me reafirmar como a pessoa chamada Joe Dispenza. Quando eu não estava perto de alguém que pudesse me ajudar a recordar dessa personalidade que o mundo reconhecia sendo eu, eu não sabia mais ao certo quem eu era. De fato, vi que toda a minha felicidade percebida era realmente apenas uma reação a estímulos do mundo externo que me faziam sentir de certos modos. Então entendi que estava totalmente viciado no meu ambiente e dependente de pistas externas para reforçar meu vício emocional. Que momento. Eu tinha ouvido milhões de vezes que a felicidade vem de dentro, mas isso nunca havia me impactado assim antes.

Quando sentei no sofá de minha casa naquele dia, olhei pela janela e me veio uma imagem. Visualizei minhas duas mãos, uma em cima da outra, separadas por uma lacuna.

7 | A lacuna

A LACUNA DA IDENTIDADE

COMO PARECEMOS
- A identidade que projeto para o ambiente externo
- Quem eu quero que você pense que sou
- A fachada
- O ideal para o mundo

QUEM REALMENTE SOMOS
- Como me sinto
- Quem realmente sou
- Como sou por dentro
- O ideal de eu

Figura 7A. A lacuna entre "quem realmente somos" e "como parecemos".

A mão de cima representava como eu parecia por fora, e a de baixo, como eu sabia que era por dentro. Em minha autorreflexão, ocorreu-me que os seres humanos vivem em uma dualidade, como duas entidades separadas – "como parecemos" e "quem realmente somos".

Como parecemos é a imagem ou fachada que projetamos para o mundo. Esse eu é tudo o que fazemos a fim de parecer de uma certa forma e apresentar às demais pessoas uma realidade exterior consistente. Esse primeiro aspecto do eu é um verniz de como queremos que todo mundo nos veja.

Como realmente somos, representado pela mão de baixo, é como nos sentimos, especialmente quando não somos distraídos pelo ambiente externo. São nossas emoções familiares quando não estamos preocupados com a "vida". É o que escondemos sobre nós.

Quando memorizamos estados emocionais viciantes, como culpa, vergonha, raiva, medo, ansiedade, julgamento, depressão, presunção ou ódio, desenvolvemos uma lacuna entre o modo como parecemos e o modo como realmente somos. O primeiro é como queremos que as outras pessoas nos vejam. O segundo é nosso estado de ser quando não estamos interagindo com todas as diferentes experiências, coisas e pessoas em diversos períodos e locais de nossa vida. Se sentamos por tempo suficiente sem fazer nada, começamos a sentir algo. Esse algo é quem realmente somos.

AS CAMADAS DE EMOÇÃO QUE MEMORIZAMOS E QUE CRIAM A LACUNA

| Indignidade |
| Raiva |
| Medo |
| Vergonha |
| Dúvida sobre si mesmo |
| Culpa |

EXPERIÊNCIAS PASSADAS COM PERÍODO REFRATÁRIO

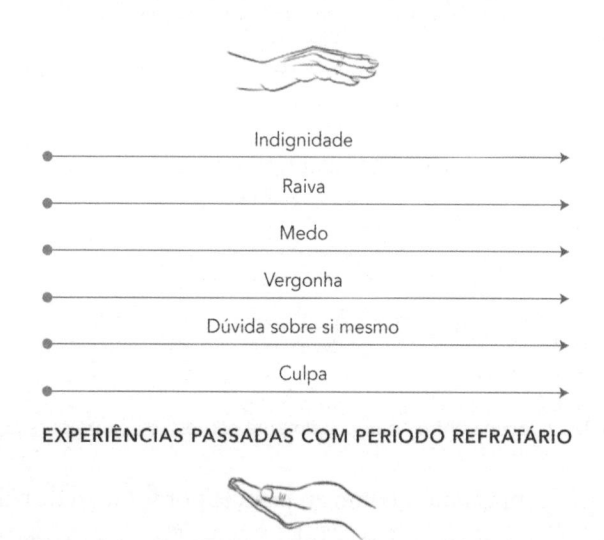

Figura 7B. O tamanho da lacuna varia de pessoa para pessoa. "Quem realmente somos" e "como parecemos" são separados pelos sentimentos que memorizamos ao longo de diferentes pontos de nossa vida (com base em experiências passadas). Quanto maior a lacuna, maior é o vício nas emoções que memorizamos.

Camada após camada, vestimos várias emoções que formam nossa identidade. A fim de lembrar quem pensamos que somos, temos de recriar as mesmas experiências para reafirmar nossa personalidade e as emoções correspondentes. Como identidade, ficamos apegados a nosso mundo externo, nos identificando com tudo e todos a fim de nos lembrarmos de como queremos nos projetar para o mundo.

Como parecemos torna-se a fachada da personalidade, que depende do mundo externo para lembrar quem é como um "alguém". A identidade está completamente ligada ao ambiente. A personalidade faz tudo que pode para esconder como realmente se sente ou fazer o sentimento de vazio ir embora: "Tenho esses carros, conheço essas pessoas, estive nesses lugares, sou bem-sucedido"... É quem pensamos que somos em relação a tudo que nos rodeia.

Mas isso é diferente de quem somos/como nos sentimos sem os estímulos de nossa realidade exterior: sentimentos de vergonha e raiva de um casamento fracassado. Medo da morte e incerteza sobre o pós-vida relacionados à perda de um ente querido ou até de um animal de estimação. Sensação de inadequação devido à insistência do pai ou da mãe em perfeccionismo e realização a qualquer custo. Senso de direito reprimido por ter crescido em circunstâncias muito próximas da pobreza. Preocupação com pensamentos de não ter o corpo certo para uma determinada maneira de aparecer no mundo. Esses tipos de sentimento são o que desejamos esconder.

Isso é quem realmente somos, o verdadeiro eu oculto por trás da imagem que projetamos. Não podemos encarar a exposição desse eu para o mundo, por isso fingimos ser outra pessoa. Criamos um conjunto de programas automáticos memorizados que trabalham para encobrir nossas partes vulneráveis. Essencialmente mentimos sobre quem somos porque sabemos que os costumes sociais não têm espaço para aquela pessoa. Esse é o "ninguém". É a pessoa que duvidamos que os demais vão gostar e aceitar.

Especialmente quando somos mais jovens e estamos formando nossa identidade, somos mais propensos a nos engajar nessa espécie de disfarce. Vemos jovens experimentando identidades como experimentam roupas. Na verdade, o que os adolescentes vestem muitas vezes é o reflexo do que querem ser, mais do que um reflexo de quem realmente são. Pergunte a qualquer profissional de saúde mental especializado em trabalhar com jovens, e ele dirá que uma única palavra define o que é ser um adolescente: insegurança. Como resultado, adolescentes e pré-adolescentes buscam conforto na conformidade e nos números.

Em vez de deixar o mundo conhecer o que você realmente é, adote e adapte-se (porque todo mundo sabe o que acontece com aqueles que são percebidos como diferentes). O mundo é complexo e assustador, mas deixe-o menos aterrorizante e muito mais simples amontoando todas as pessoas em grupos. Escolha seu grupo. Escolha seu veneno.

No final, essa identidade serve. Você cresceu nela. Ou pelo menos é o que diz para si mesmo. Junto com a insegurança surge uma grande dose de consciência de si. As perguntas são abundantes: "É esse quem realmente sou? É esse quem realmente quero ser?". Mas é muito mais fácil ignorar essas questões do que as responder.

As experiências de vida definem nossa identidade... Manter-se ocupado mantém as emoções indesejadas a distância

Todos nós já fomos emocionalmente lacerados por experiências difíceis ou traumáticas quando jovens. Em nossa juventude, tivemos eventos definidores, cujas emoções contribuíram, camada após camada, para quem nos tornamos. Vamos encarar: todos nós fomos marcados por eventos com carga emocional. À medida que revisamos mentalmente a experiência repetidas vezes, o corpo revive o momento pela simples força do pensamento. Mantemos o período refratário da emoção atuante por tanto tempo que passamos da mera reação emocional a um humor, um temperamento e, por fim, um traço de personalidade.

Enquanto somos jovens, mantemo-nos ocupados fazendo coisas que por um tempo afastam essas antigas e profundas emoções, varrendo-as para debaixo do tapete. É inebriante fazer novos amigos, viajar para destinos desconhecidos, trabalhar muito e conseguir uma promoção, aprender novas competências ou praticar um novo esporte. Raramente suspeitamos que várias dessas ações são motivadas por sentimentos remanescentes de certos eventos anteriores.

Então ficamos realmente ocupados. Vamos para a escola, depois possivelmente faculdade, compramos um carro, mudamos para uma nova cidade, estado ou país, começamos uma carreira, conhecemos novas pessoas, casamos, compramos uma casa, temos filhos, adotamos animais de estimação, podemos nos divorciar, praticamos exercícios físicos, iniciamos um novo relacionamento, praticamos uma habilidade ou um passatempo... Utilizamos tudo o que conhecemos do mundo exterior para definir nossa identidade e para nos distrair de como realmente nos sentimos por dentro.

E, como todas essas experiências singulares produzem uma miríade de emoções, notamos que essas emoções parecem remover quaisquer sentimentos que estejamos escondendo. E isso funciona por um tempo.

Não me leve a mal. Todos nós atingimos níveis mais elevados por nos empenharmos ao longo de diferentes períodos de nossa fase de crescimento. A fim de realizar várias coisas em nossas vidas, temos de sair da zona de conforto e ir além de sentimentos familiares que nos definiam no passado. Eu com certeza estou ciente dessa dinâmica de vida. Mas, quando jamais superamos nossas limitações e continuamos carregando o fardo do passado, ele sempre nos alcança. E isso normalmente ocorre na metade dos trinta anos (mas varia enormemente de pessoa para pessoa).

Meia-idade: uma série de estratégias para que sentimentos enterrados continuem enterrados

Na metade dos trinta ou quarenta anos, quando a personalidade está completa, experimentamos muito do que a vida tem a oferecer. E, como resultado, podemos muito bem antecipar o resultado da maior parte das experiências; já sabemos a sensação que teremos antes de nos dedicarmos a elas. Como tivemos muitos bons e maus relacionamentos, competimos nos negócios ou nos acomodamos em nossa carreira, sofremos perdas e obtivemos sucessos ou sabemos do que gostamos ou não, conhecemos as nuances da vida. Visto que conseguimos prever as prováveis emoções antes de uma experiência concreta, determinamos se queremos experimentar aquele evento "conhecido" antes de ele realmente ocorrer. Claro que tudo isso acontece nos bastidores de nossa consciência.

Aí é que a coisa complica. Como podemos prever os sentimentos causados pela maioria dos eventos, já sabemos o que fará desaparecer nossos sentimentos sobre quem realmente somos. No entanto, quando atingimos a meia-idade, nada consegue remover completamente a sensação de vazio.

Você acorda todas as manhãs e se sente a mesma pessoa. Seu ambiente, em que você confiava tanto para remover sua dor, culpa ou sofrimento, não está mais removendo esses sentimentos. Como poderia? Você já sabe que, quando as emoções derivadas do mundo externo se enfraquecem, você volta a ser o mesmo leopardo que não alterou suas manchas.

Essa é a crise da meia-idade conhecida pela maioria das pessoas. Algumas tentam arduamente fazer com que sentimentos enterrados continuem enterrados, mergulhando mais fundo no mundo externo. Compram o novo carro esportivo (coisa), outras alugam um barco (outra coisa). Algumas tiram férias longas (local). Outras ainda entram para um novo clube para fazer novos contatos ou novos amigos (pessoas). Algumas fazem cirurgia plástica (corpo). Muitas redecoram ou reformam suas casas completamente (adquirem coisas e experimentam um novo ambiente).

Tudo isso são esforços fúteis para fazer ou tentar algo novo para que possam se sentir melhores ou diferentes. Porém, emocionalmente, quando a novidade se esgota, elas ainda estão presas à mesma identidade. Retornam a quem realmente são (ou seja, a mão de baixo). São arrastadas de volta para a mesma realidade onde vivem anos a fio, somente para manter a sensação de quem pensam que são como uma identidade. A verdade é que, quanto mais fazem – quanto mais compram e depois consomem –, mais marcante fica a sensação de quem "realmente são".

Quando tentamos escapar desse vazio ou quando fugimos de qualquer emoção dolorosa, é porque olhar para isso é por demais desconfortável. Assim, quando o sentimento começa a ficar um pouco fora de controle, a maioria das pessoas liga a televisão, navega na internet ou manda mensagens ou telefona para alguém. Em questão de instantes podemos alterar nossas emoções muitas vezes... podemos ver uma comédia ou um vídeo no YouTube e rir histericamente, depois assistir a um jogo de futebol e nos sentirmos competitivos, em seguida ver o noticiário e ficarmos furiosos ou temerosos. Todos esses estímulos externos podem facilmente nos distrair dos sentimentos internos indesejados.

A tecnologia é uma ótima distração e um vício poderoso. Pense nisso: você pode alterar sua química interna na hora e afastar um sentimento mudando algo fora de você. E, para se desviar do seu eu repetidas vezes, você confiará no que quer que esteja em seu exterior que o faça se sentir melhor por dentro. Mas essa estratégia não tem que envolver tecnologia; qualquer coisa momentaneamente eletrizante funciona.

Quando continuamos com a distração, adivinhe o que eventualmente acontece? Ficamos mais dependentes de algo externo para mudar internamente. Algumas pessoas inconscientemente mergulham cada vez mais fundo nesse buraco sem fundo, utilizando diferentes aspectos de seu mundo para se manter absortas – em um esforço para recriar o sentimento original da primeira experiência que as ajudou a escapar. Elas ficam superestimuladas, de modo que podem sentir diferentemente de como realmente são. Porém, mais cedo ou mais tarde, todo mundo conclui que precisa mais e mais do mesmo para se sentir melhor. Isso se torna uma busca voraz por prazer e meios de evitar a dor a todo custo – uma vida hedonista inconscientemente impelida por alguns sentimentos que aparentemente não desaparecem.

Uma meia-idade diferente: tempo de encarar sentimentos e liberar ilusões

Nesse período da vida, outras pessoas que não se esforçam para manter seus sentimentos enterrados fazem algumas perguntas importantes: "Quem sou eu? Qual é meu objetivo na vida? Para onde estou indo? Para quem estou fazendo tudo isso? O que é Deus? Para onde vou quando morrer? Existe mais na vida além de 'sucesso'? O que é felicidade? O que tudo isso significa? O que é amor? Será que eu me amo? Será que amo outra pessoa?". E a alma começa a acordar...

Esse tipo de pergunta começa a ocupar a mente porque vemos através da ilusão e suspeitamos que nada externo possa nos deixar feliz. Alguns de nós definitivamente concluem que nada em nosso ambiente vai "consertar" o modo como sentimos. Reconhecemos também a enorme quantidade de energia necessária para manter essa projeção do eu como uma imagem para o mundo e como é exaustivo manter a mente e o corpo constantemente absortos. Por fim, passamos a ver que nossa tentativa fútil de manter um ideal para os outros é realmente uma estratégia para garantir que esses sentimentos iminentes dos quais estivemos fugindo jamais nos capturem. Por quanto tempo podemos atuar como malabaristas, mantendo tantas bolinhas no ar simplesmente para que nossa vida não venha abaixo?

Em vez de comprar uma televisão maior ou o mais novo *smartphone*, essas pessoas param de fugir do sentimento que vinham tentando fazer desaparecer há muito tempo, encaram de frente e examinam atentamente.

Quando isso acontece, o indivíduo começa a despertar. Após alguma autorreflexão, a pessoa descobre quem realmente é, o que estava escondendo e o que não mais funciona para ela. Assim, livra-se da fachada, dos jogos e das ilusões. É honesta sobre quem realmente é a todo custo e não tem medo de perder tudo. Essa pessoa para de gastar a energia que usava para manter intacta uma imagem ilusória.

Ela entra em contato com seus sentimentos e depois volta-se para as pessoas em sua vida e diz: "Sabe de uma coisa? Não importa se não o faço mais feliz. Estou farta de me obcecar com minha aparência ou com o que os outros pensam de mim. Chega de viver para os outros. Quero me livrar dessas correntes".

Esse é um momento profundo na vida de uma pessoa. A alma está despertando e cutucando a pessoa para contar a verdade sobre quem ela realmente é! Acabou a mentira.

Mudança e relacionamentos: cortando os laços que prendem

A maior parte dos relacionamentos é baseada no que você tem em comum com os outros. Pense nisso: você conhece uma pessoa, e imediatamente comparam suas experiências como se estivessem checando se suas redes neurais e memórias emocionais estão alinhadas. Você diz algo do tipo: "Conheço essas 'pessoas'. Sou desse 'lugar' e vivi nesses 'locais', nesses diferentes 'períodos' de minha vida. Fui para essa escola e estudei essa disciplina. Possuo e faço essas 'coisas'. E o mais importante: tive essas 'experiências'".

A outra pessoa então responde: "Conheço essas 'pessoas'. Vivi nesses locais durante esses 'períodos'. Faço essas 'coisas' também. Tive essas mesmas 'experiências'".

Assim vocês podem se relacionar uma com a outra. Forma-se então um relacionamento com base em estados de ser neuroquímicos, pois, se vocês compartilham as mesmas experiências, compartilham as mesmas emoções.

Pense nas emoções como "energia em movimento". Se vocês compartilham as mesmas emoções, compartilham a mesma energia. E, exatamente como dois átomos de oxigênio que compartilham um campo invisível de energia além do espaço e do tempo a fim de se unirem em um relacionamento para formar o ar, você está ligado a todas as coisas, pessoas

7 | A lacuna

e lugares em sua vida externa dentro de um campo invisível de energia. Os vínculos entre as pessoas, no entanto, são os mais fortes, pois as emoções contêm a energia mais forte. Contanto que nenhuma das partes mude, as coisas continuarão bem.

LIGAÇÕES EMOCIONAIS

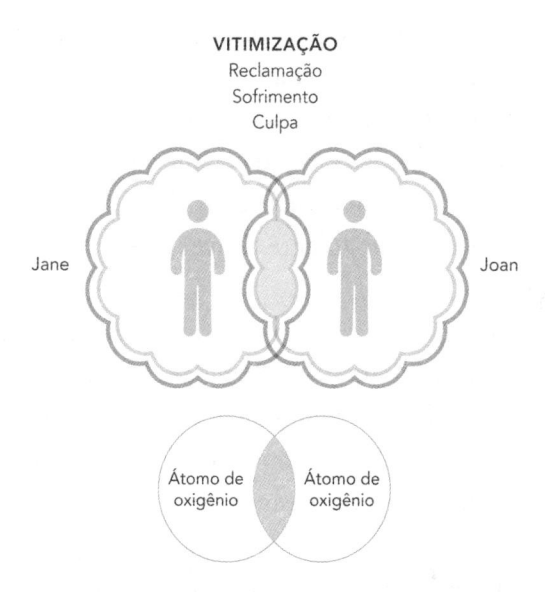

VITIMIZAÇÃO
Reclamação
Sofrimento
Culpa

Jane   Joan

Átomo de oxigênio   Átomo de oxigênio

Figura 7C. Se compartilhamos as mesmas experiências, compartilhamos as mesmas emoções e a mesma energia. A exemplo de dois átomos de oxigênio que se unem para formar o ar que respiramos, um campo de energia invisível (além do espaço e do tempo) liga-nos emocionalmente.

Assim, quando a pessoa do exemplo da última seção começa a contar a verdade sobre como realmente se sente, a coisa começa a ficar muito desconfortável. Se as amizades dela baseavam-se em reclamar da vida, ela está ligada energeticamente por emoções de vitimização em seus relacionamentos. Se, em um momento de iluminação, ela agora decide quebrar o hábito de ser ela mesma, não mais se mostra como aquela pessoa familiar com quem todos poderiam se relacionar. As pessoas de sua vida também usam-na para se recordar de quem são emocionalmente. Amigos e familiares respondem: "O que há de errado com você hoje? Você magoou meus sentimentos!", o que é traduzido por: "Pensei que tínhamos uma coisa boa rolando aqui! Usei você para reafirmar meu vício emocional a fim de lembrar quem penso que sou como um 'alguém'. Gostava mais de você do outro jeito".

No que se refere à mudança, nossa energia está conectada a tudo com que tivemos uma experiência no nosso mundo exterior. Quando rompemos o vício na emoção que memorizamos ou contamos a verdade sobre quem realmente somos, fazer isso requer energia de verdade. Assim como é necessário energia para separar dois átomos de oxigênio que estão unidos, é preciso energia para quebrar os vínculos com as pessoas em nossa vida.

Desse modo, os indivíduos na vida daquela pessoa que compartilhavam os mesmos vínculos emocionais com ela reúnem-se e dizem: "Ela não tem sido a mesma ultimamente. Talvez esteja desorientada. Vamos levá-la a um médico!".

Agora, lembre-se de que são pessoas com quem ela compartilhava as mesmas experiências; portanto, compartilhava as mesmas emoções. Mas agora ela está rompendo os vínculos energéticos com tudo e todos – inclusive todos os locais – que são familiares. Esse é um momento ameaçador para todos que fazem os mesmos jogos com ela há anos. Ela está saltando do trem.

Assim, levam a pessoa ao médico, que receita Prozac ou alguma outra medicação, e em um curto período de tempo a antiga personalidade retorna. E lá está ela, projetando a velha imagem para o mundo, saudando os acordos emocionais com os outros. Mais uma vez, ela está entorpecida e sorridente – nada que expulse o sentimento. A lição não foi aprendida.

Sim, a pessoa não estava sendo ela mesma – não o eu da "mão de cima" com que todos estavam acostumados. Pelo contrário, ela brevemente foi o eu da "mão de baixo" – aquele com o passado e a dor. E quem pode culpar os entes queridos que insistiram para que ela retornasse ao antigo eu entorpecido que "seguia nos conformes"? Aquele novo eu emergiu como algo imprevisível, até radical. Quem quer ficar perto dessa pessoa? Quem quer ficar perto da verdade?

O que realmente importa no final

Se você precisa do ambiente para lembrar quem você é como um alguém, o que acontece quando você morre e o ambiente se contrai e desaparece? Você sabe o que some com ele? O alguém, a identidade, a imagem, a personalidade (a mão de cima) que se identificava com todos os elementos conhecidos e previsíveis da vida, que estava viciado no ambiente. Você pode ter sido a pessoa mais bem-sucedida, popular ou bonita e pode ter tido toda a riqueza de que necessitava... mas, quando sua vida termina e sua realidade externa vai embora, todas as coisas exteriores já não o definem mais. Tudo se vai.

O que resta é quem você realmente é (a mão de baixo), não como você parece. Quando sua vida terminar e você não puder contar com seu ambiente externo para defini-lo, você ficará com aquele sentimento que jamais abordou. Você não terá evoluído como alma nessa existência.

Por exemplo, se você teve certas experiências há cinquenta anos que o marcaram como inseguro ou fraco e se sentiu assim desde então, você parou de crescer emocionalmente cinquenta anos atrás. Se o propósito da alma é aprender com as experiências e ganhar sabedoria, mas você ficou empacado naquela emoção particular, nunca transformou a experiência em lição; não transcendeu aquela emoção nem a trocou por qualquer entendimento. Enquanto esse sentimento ainda ancorar sua mente e seu corpo àqueles eventos passados, você jamais estará livre para se mover para o futuro. E, se ocorrer uma experiência semelhante em sua vida atual, o evento desencadeará a mesma emoção, e você agirá como a pessoa que era há cinquenta anos.

Por isso sua alma diz: "Preste atenção! Estou informando que nada está trazendo alegria. Estou enviando demandas urgentes. Se você continuar a fazer esse jogo, vou parar de tentar atrair sua atenção e você retornará ao sono. Aí verei você quando sua vida acabar...".

É preciso mais e mais sempre

A maioria das pessoas que não sabe como mudar, pensa: "Como posso fazer esse sentimento desaparecer?". E se a novidade de acumular coisas novas se esgota e não funciona mais, o que elas fazem? Miram coisas maiores, uma camada inteira acima de onde estavam, e suas estratégias de evasão tornam-se vícios: "Se eu consumir uma droga ou beber bastante álcool, isso fará esse sentimento desaparecer. Essa coisa externa vai produzir uma alteração química interna e me fazer sentir ótimo. Vou comprar bastante, pois comprar – mesmo que eu não tenha dinheiro – faz esse vazio desaparecer. Vou ver pornografia... jogar videogames... apostar... comer de montão...".

CRISE DA MEIA-IDADE: UMA TENTATIVA DE CRIAR UMA NOVA IDENTIDADE A PARTIR DO EXTERIOR

```
                    Compras
    Drogas/Álcool         Jogo
 Jogos de                      Pornografia
 computador
                    VÍCIOS
                      ↑
GENTE NOVA  ← COMO PARECEMOS NO EXTERIOR → COISAS NOVAS
Clube social                                Carros
Romances    NOVO CORPO      LUGARES NOVOS   Barcos
            Cirurgia plástica    Férias     Roupas
            Dieta
                    A Lacuna de Identidade

            COMO NOS SENTIMOS POR DENTRO
```

Figura 7D. Quando as mesmas pessoas e coisas em nossa vida criam as mesmas emoções e o sentimento que estamos tentando fazer desaparecer não muda mais, buscamos novas pessoas e coisas ou tentamos ir para novos lugares na tentativa de mudar como nos sentimos emocionalmente. Se isso não funciona, vamos para o próximo nível – vícios.

Qualquer que seja o vício, as pessoas ainda estão pensando que algo externo fará o sentimento interno desaparecer. E lembre-se: temos uma inclinação natural para associar um fator externo que está fazendo aquele sentimento desaparecer à nossa química interna. E gostamos desse fator externo se ele nos faz sentir bem. Desse modo, fugimos do que nos faz sentir mal ou ter dor e migramos para o que nos faz sentir bem e confortáveis ou traz prazer.

Como o entusiasmo que as pessoas obtêm de seus vícios estimula continuamente os centros de prazer no cérebro, elas conseguem uma enxurrada de substâncias químicas a partir da emoção da experiência. O problema é que, cada vez que apostam, enchem a cara ou jogam *on-line* até altas horas, elas precisam de um pouco mais na próxima vez.

O motivo por que as pessoas precisam de mais drogas, mais compras ou mais romances é que o jato químico criado a partir dessas atividades ativa os receptores externos de suas células, que "ligam" as células. Mas, se os receptores são constantemente estimulados, ficam dessensibilizados e desligam. Assim, precisam de um sinal mais forte, um pouco mais de estímulo para serem ligados da próxima vez – é preciso uma substância mais forte e mais poderosa para produzir os mesmos efeitos.

Desse modo, agora você precisa apostar $ 25mil em vez de $ 10 mil, porque do contrário não há emoção. Quando uma gastança de $ 5 mil em compras já não faz mais nada, você precisa estourar dois cartões de crédito para ter a mesma onda novamente. Tudo isso para fazer com que a sensação de quem você realmente é desapareça. É preciso continuar fazendo mais, com mais intensidade, de tudo o que você faz para obter o mesmo barato. Mais drogas, mais álcool, mais sexo, mais apostas, mais compras, mais TV. Você entende a ideia.

Com o tempo, ficamos viciados em algo para aliviar a dor, ansiedade ou depressão em que vivemos diariamente. Isso está errado? Não realmente. A maioria das pessoas faz essas coisas porque simplesmente não sabe como mudar a partir do interior. Seguem o impulso inato de obter alívio de seus sentimentos e, inconscientemente, pensam que a salvação vem do mundo exterior. Jamais lhes foi explicado que utilizar o mundo exterior para mudar o mundo interior piora a situação... só aumenta a lacuna.

E digamos que nossa ambição na vida seja obter sucesso e acumular mais coisas. Quando o fazemos, reforçamos quem somos sem jamais abordar como realmente nos sentimos. Chamo isso de ser possuído por nossas posses. Somos possuídos por objetos materiais, e essas coisas reforçam o ego, que precisa do ambiente para se lembrar de quem é.

Se esperamos que algo de fora nos faça felizes, não estamos seguindo a lei quântica. Estamos confiando no exterior para mudar o interior. Se estamos pensando que, assim que formos ricos para comprar mais coisas ficaremos muito felizes, entendemos ao contrário. Temos que ficar felizes antes de a abundância aparecer.

E o que acontece quando os viciados não conseguem obter mais? Ficam ainda mais furiosos, mais frustrados, mais amargos e mais vazios. Podem tentar outros métodos – acrescentar jogos à bebida, acrescentar compras ao escapismo com TV e filmes. Eventualmente, no entanto, nada é suficiente. Os centros de prazer recalibraram-se a um nível tão alto que, quando não há alteração química vinda do mundo exterior, parece que o viciado agora não consegue mais encontrar alegria nas coisas mais simples.

O ponto é: felicidade verdadeira não tem nada a ver com prazer, pois se basear em se sentir bem com coisas intensamente estimulantes apenas nos deixa mais distantes da verdadeira alegria.

A maior lacuna – vício emocional

Não pretendo diminuir a severidade dos danos causados pelo que mencionarei vagamente aqui como vícios materiais – em drogas, álcool, sexo, jogo, consumismo etc. Esses problemas geram grandes prejuízos às numerosas pessoas que sofrem deles e aos que amam e trabalham com esses "viciados". Embora várias pessoas que vivenciam esses e outros vícios possam utilizar as etapas descritas nestas páginas para superá-los – visto que são uma parte dos Três Grandes –, foge ao escopo deste livro lidar especificamente com esses tipos de vícios. No entanto, é imperativo compreender que por trás de cada vício existe alguma emoção memorizada que dirige o comportamento.

O que não foge ao escopo deste livro – e é de fato seu principal propósito – é ajudar as pessoas a quebrar o hábito de ser elas mesmas, quer visualizem esse eu como viciado em álcool, sexo, jogo, consumismo etc. ou como cronicamente solitário, deprimido, raivoso, amargurado ou fisicamente indisposto.

Ao pensar na lacuna, possivelmente você disse para si mesmo: "Bem, claro que escondemos nossos medos, inseguranças, fraquezas e nosso lado obscuro das outras pessoas. Se déssemos rédea solta para expressar livremente todas essas coisas, provavelmente ficaríamos além do cuidado que os outros têm por nós, para não mencionar os cuidados que temos por nós mesmos". De certa forma é verdade. Mas, se vamos nos libertar, isso significa que temos de confrontar o verdadeiro eu e trazer à luz o lado sombrio de nossa personalidade.

A vantagem do sistema que emprego é que você pode confrontar seus aspectos mais sombrios sem trazê-los à luz de sua realidade diária. Você não precisa chegar no local de trabalho ou numa reunião de família e anunciar: "Ei, pessoal, escutem aí! Sou uma má pessoa, pois por um longo período de tempo fiquei ressentida com meus pais por terem dedicado tanto tempo a meu irmão caçula, enquanto eu percebia que minhas necessidades eram negligenciadas. Portanto, agora sou uma pessoa realmente egoísta que anseia por atenção e precisa de gratificação instantânea para parar de se sentir não amada e inadequada".

Em vez disso, na privacidade de sua casa e de sua mente, você pode trabalhar na extinção de aspectos negativos do eu e substituir essas características (ou pelo menos metaforicamente reduzir o papel que desempenham e permitir apenas uma aparição breve e ocasional) por outras mais positivas e produtivas.

Quero que você esqueça os eventos passados que validam as emoções que memorizou e que se tornaram parte de sua personalidade. Seus problemas jamais serão resolvidos por análise enquanto você ainda estiver emaranhado nas emoções do passado. Examinar a experiência ou reviver o evento que criou o problema apenas trará as antigas emoções e um motivo para se sentir do mesmo modo. Quando tenta resolver sua vida dentro da mesma consciência que a criou, você descarta o exame de sua vida e dá desculpas para nunca mudar.

Em vez disso, vamos simplesmente desmemorizar nossas emoções autolimitantes. Uma memória sem carga emocional é denominada sabedoria. Aí olhamos em retrospecto de modo objetivo e vemos o evento e quem estávamos sendo sem o filtro da emoção. Se tratamos de desmemorizar o estado emocional (ou eliminá-lo com o máximo de nossa capacidade), obtemos a liberdade de viver, pensar e agir independentemente das restrições ou limitações daquele sentimento.

Assim, se uma pessoa renunciasse à infelicidade e seguisse sua vida – entrasse em um novo relacionamento, conseguisse um novo emprego, mudasse para uma nova cidade e fizesse novos amigos – e depois examinasse o evento passado, veria que o episódio proporcionou a adversidade necessária para ela superar quem era e se tornar uma nova pessoa. Sua perspectiva mudaria simplesmente por ver que conseguiu de fato superar o problema.

Fechar e até mesmo eliminar a lacuna entre quem somos e como nos apresentamos para o mundo é provavelmente o maior desafio que todos nós enfrentamos na vida. Quer denominemos viver de forma autêntica, conquistar a nós mesmos ou "dar jeito" de fazer as pessoas nos aceitarem como somos, isso é algo que a maioria deseja. Mudar – fechar a lacuna – deve começar de dentro.

Todavia, com excessiva frequência a maioria de nós só muda quando encara uma crise, um trauma ou um diagnóstico desencorajador de algum tipo. Essa crise geralmente aparece na forma de um desafio, que pode ser físico (digamos, um acidente ou uma doença), emocional (a perda de alguém que amamos, por exemplo), espiritual (quem sabe uma série de contratempos que nos faz questionar nosso valor e como o universo opera) ou financeiro (a perda de um emprego, talvez). Note que todos giram em torno de perder algo.

Por que esperar a perda ou o trauma ocorrer e ter o ego arrancado do equilíbrio devido a esse estado emocional negativo? É claro que, quando uma calamidade incide sobre você, é preciso agir – você não pode tratar do caso como de costume quando você cai, como diz a expressão, de joelhos.

Nesses momentos críticos em que realmente ficamos cansados de ser derrotados pelas circunstâncias, dizemos: "Isso não pode continuar. Não importa o que seja necessário ou como me sinto [corpo]. Não importa o quanto demore [tempo]. Não importa o que está ocorrendo em minha vida [ambiente], eu vou mudar. Tenho quê".

Podemos aprender e mudar em um estado de dor e sofrimento ou podemos fazê-lo em um estado de alegria e inspiração. Não temos que

7 | A lacuna

esperar até ficarmos tão desconfortáveis que nos sentimos forçados a sair de nosso estado de repouso.

Efeitos colaterais de fechar a lacuna

Como sabe, uma das habilidades-chave que você precisa desenvolver é a consciência e a observação de si mesmo. Essa é uma definição resumida do que abordo ao falar sobre meditação no próximo capítulo. Na meditação, você examinará o estado emocional negativo que teve impacto importante em sua vida. Reconhecerá o estado primário de sua personalidade que move seus pensamentos e comportamentos de modo a ficar intimamente familiarizado com todas as nuances. Com o tempo, utilizará esses poderes de observação para ajudar a desmemorizar aquele estado emocional negativo. Ao fazer isso, entregará essa emoção a uma mente maior, fechando a lacuna entre quem você é e quem você apresentou ao mundo no passado.

Imagine-se de pé em uma sala com os braços estendidos, empurrando as paredes opostas. Você tem ideia de quanta energia consumiria se tentasse evitar que as paredes o esmagassem? Em vez de fazer isso, que tal soltar as duas paredes, dar dois passos à frente (afinal, a lacuna se parece com uma porta, não é?) e sair daquela sala e entrar em outra completamente nova? E quanto à sala que você deixou para trás? Bem, as paredes se juntariam de tal forma que você nunca poderia voltar para dentro dela. A lacuna teria se fechado, e as suas partes separadas estariam unificadas. E o que acontece com toda a energia que você estava gastando? A física afirma que a energia não pode ser criada ou destruída; pode apenas ser transferida ou transformada. É exatamente o que vai ocorrer com você quando chegar ao ponto em que nenhum pensamento, emoção ou comportamento subconsciente passem despercebidos.

Você pode pensar nisso de outra forma: você estará acessando o sistema operacional do subconsciente e trazendo todos os dados e instruções à atenção consciente para realmente ver onde se localizam os impulsos e propensões que assumiram o controle de sua vida. Você fica consciente do seu eu inconsciente.

Quando quebramos os elos dessa corrente, liberamos o corpo. Ele não é mais a mente, vivendo no mesmo passado dia após dia. Quando liberamos o corpo emocionalmente, fechamos a lacuna. Quando fechamos a lacuna, liberamos a energia outrora usada para produzi-la. Com essa energia, agora temos matéria-prima que podemos utilizar para criar uma nova vida.

FECHANDO A LACUNA

Camada após camada, quando você apaga emoções da memória, está liberando energia.

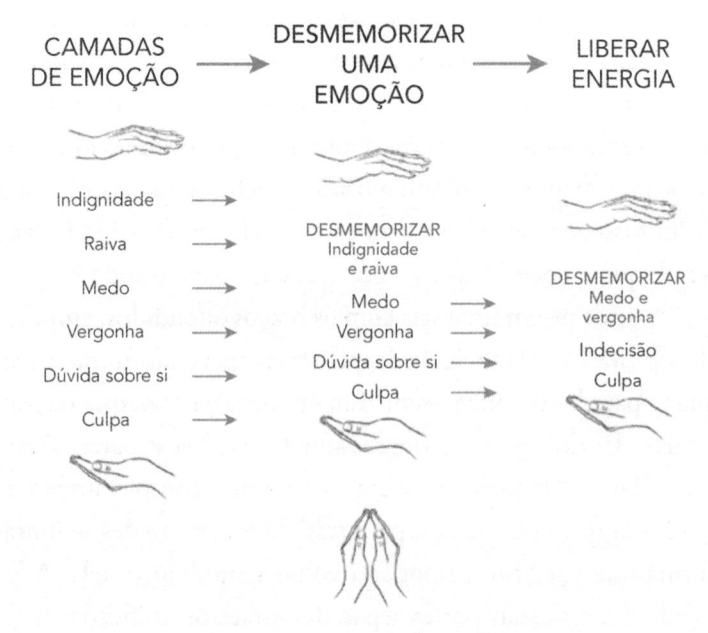

CAMADAS DE EMOÇÃO → DESMEMORIZAR UMA EMOÇÃO → LIBERAR ENERGIA

- Indignidade →
- Raiva →
- Medo →
- Vergonha →
- Dúvida sobre si →
- Culpa →

DESMEMORIZAR Indignidade e raiva
- Medo →
- Vergonha →
- Dúvida sobre si →
- Culpa →

DESMEMORIZAR Medo e vergonha
- Indecisão
- Culpa →

O objetivo final: **TRANSPARÊNCIA**
Quando como você parece é quem você realmente é.

Figura 7E. Quando desmemoriza qualquer emoção que se tornou parte de sua identidade, você fecha a lacuna entre como você parece e quem você realmente é. O efeito colateral desse fenômeno é a liberação de energia na forma de uma emoção armazenada no corpo. Assim que a mente dessa emoção é liberada do corpo, libera-se energia para o campo quântico para você usar como um criador.

Outro efeito colateral de quebrar os vínculos de seus vícios emocionais é que a liberação da energia é como uma injeção saudável de algum elixir maravilhoso. Você não só fica energizado, como sente algo que provavelmente não sentiu durante um bom tempo – alegria. Quando libera o corpo das correntes de uma dependência emocional, você se sente elevado e inspirado. Você já fez uma viagem longa de carro? Quando sai do veículo e finalmente dá uma esticada e respira o ar fresco, e os ruídos dos pneus do carro no pavimento, do sistema de arrefecimento do motor ou do ar-condicionado cessam, a sensação é ótima. Imagine como a sensação seria ainda mais maravilhosa se você tivesse ficado no porta-malas por três mil quilômetros! É exatamente assim que muitos de nós se sentem por um período significativo de tempo.

Tenha em mente que não basta apenas notar como você esteve pensando, sentindo ou se comportando. A meditação requer que você seja mais ativo do que isso. Você também tem de contar a verdade sobre si. Tem de ser claro e revelar o que esteve ocultando na parte sombria da lacuna. É preciso arrastar essas coisas para fora, à luz brilhante do dia. E, quando você realmente vê o que andou fazendo para si mesmo, tem de olhar a confusão e dizer: "Isso já não mais serve aos meus interesses. Já não me serve mais. Jamais foi amoroso comigo". Aí você pode decidir ser livre.

Da vitimização à abundância inesperada: como uma mulher fechou a lacuna

Uma pessoa que colheu os frutos de enfrentar a vida com a coragem de uma observadora quântica é Pamela, participante de um de meus seminários. Pamela teve sérios problemas financeiros porque por dois anos o ex-marido desempregado não pagou a pensão dos filhos. Frustrada, irada e sentindo-se vitimizada, ela reagia negativamente até mesmo a situações não relacionadas.

A meditação que fizemos naquele dia foi sobre como o produto final de qualquer experiência é uma emoção. Como várias de nossas experiências pessoais envolvem familiares e amigos, compartilhamos as emoções resultantes com eles. Em geral é uma boa ideia: vínculos relacionados a locais onde estivemos, coisas que fizemos – até mesmo objetos que compartilhamos – podem reforçar nossas conexões com as pessoas. Mas o outro lado é que também compartilhamos as emoções associadas a experiências negativas.

PARTE II | SEU CÉREBRO E A MEDITAÇÃO

Vinculamo-nos energeticamente uns com os outros em um lugar além do espaço e do tempo. Como estamos emaranhados com os outros (para usar termos quânticos) e frequentemente nos vinculamos por intermédio de emoções orientadas pela sobrevivência, é quase impossível mudar quando ainda estamos conectados por experiências e emoções negativas. Por isso a realidade permanece a mesma.

No caso de Pamela, a ansiedade, a culpa e os sentimentos de inferioridade do ex-marido por não ser capaz de sustentar seus filhos entrelaçaram-se a suas próprias emoções de vitimização, ressentimento e carência no estado de ser dela. Sempre que aparecia uma oportunidade, a condição de vítima erguia sua cabeça feia e produzia um resultado indesejável. Suas emoções destrutivas e a energia a elas associada haviam virtualmente congelado Pamela em um estado de pensar, fazer e ser estagnado. Não importava o que ela fazia para tentar mudar a situação, Pamela e o ex-marido estavam vinculados por suas experiências negativas, emoções e energias mútuas; com isso, nenhum dos esforços dela jamais alterava suas circunstâncias com ele.

O *workshop* ajudou Pamela a entender que ela tinha de quebrar esse vínculo. Tinha que abandonar as emoções que a definiam em sua realidade presente. Ela também aprendeu como um ciclo de pensar, sentir e agir da mesma forma anos a fio podia produzir um efeito cascata que poderia ativar genes de doenças – e ela não queria que isso ocorresse. Alguma coisa tinha que ceder.

Gosto dessa frase, pois, como a própria Pamela me contou depois, durante a meditação ela reconheceu as emoções injuriosas que sua vitimização haviam desencadeado – impaciência com os filhos, reclamações e imputação de culpa, sentimentos de desespero e carência. Ela abandonou essas emoções associadas a experiências passadas e as entregou para uma mente maior – simultaneamente liberando seu estado de ser autocentrado.

Ao fazer isso, Pamela liberou toda aquela energia congelada no campo quântico, fechando a lacuna entre quem ela pensava que era e quem ela apresentava ao mundo. Conseguiu fazer isso tão bem – começou a se sentir muito alegre e agradecida – que passou a desejar abundância para todos, não só para si. Passou de emoções egoístas para emoções altruístas. Saiu daquela meditação como uma pessoa diferente de quem era antes.

A liberação de energia de Pamela sinalizou o campo para começar a organizar resultados corretos para o novo eu que ela estava no processo de se tornar. Quase que imediatamente, ela recebeu prova disso de duas formas.

A primeira envolveu seu negócio na internet. Quando Pamela havia testado uma promoção anteriormente, preocupara-se com a resposta, checando o *website* constantemente, e tinha obtido apenas resultados medíocres. Ela havia dado início à segunda promoção na manhã do *workshop*, mas estava ocupada demais para pensar sobre os resultados durante o dia. Naquela noite, estava sentindo os efeitos positivos de ter se libertado do passado. E se sentiu ainda melhor quando descobriu que havia ganhado cerca de US$ 10 mil naquele dia com a promoção!

Pamela recebeu a segunda prova três dias depois, quando o assistente social telefonou para informar que o ex-marido havia enviado um cheque não apenas para aquele mês, mas no valor total de US$ 12 mil da pensão que devia. Ela ficou mais que satisfeita por ter "obtido" cerca de US$ 22 mil após fazer a meditação. Ela não fez nada no mundo físico para ocasionar aqueles resultados e não poderia ter previsto como o dinheiro chegaria, mas ficou enormemente agradecida.

O que a história de Pamela ilustra é o poder de abandonar emoções negativas. Quando estamos atolados em nossa mentalidade e nossos comportamentos e percepções habituais desgastados pelo tempo, não há como encontrar soluções para problemas enraizados no passado. E esses problemas (experiências, na realidade) produzem emoções energéticas poderosas. Quando renunciamos a elas, experimentamos uma enorme liberação de energia, e a realidade se reordena magicamente.

Ao sair do passado, podemos focar no futuro

Pense em quanto de sua energia criativa está presa à culpa, medo ou ansiedade relacionados a pessoas e experiências de seu passado. Imagine o bem que você poderia fazer convertendo qualquer energia destrutiva em energia produtiva. Contemple o que poderia realizar se não estivesse focado na sobrevivência (uma emoção egoísta) e trabalhasse para criar intenções positivas (uma emoção altruísta).

Pergunte a si mesmo: "Que energia de experiências passadas (na forma de emoções limitadas) estou mantendo que reforça minha identidade passada e me prende emocionalmente a minhas atuais circunstâncias? Será que eu poderia utilizar essa mesma energia e transformá-la em um estado elevado de onde criar um resultado novo e diferente?".

Meditar ajudará a retirar algumas das camadas, remover algumas das máscaras que você usa. Ambas as coisas bloqueiam o fluxo dessa inteligência grandiosa dentro de você. Como resultado da perda dessas camadas, você se tornará transparente. Você é transparente quando você aparece como você é. E, quando viver dessa maneira, você experimentará um estado de gratidão, de alegria elevada, que acredito ser o nosso estado de ser natural. À medida que você faz isso, começa a sair do passado de modo a poder focar no futuro.

Ao remover os véus que bloqueiam o fluxo dessa inteligência dentro de si, você fica mais parecido com ela. Você se torna mais amoroso, mais generoso, mais consciente, mais disposto – porque essa é sua mente. Fecha-se a lacuna.

Nesse estágio, você se sente feliz e inteiro. Não depende mais do mundo exterior para defini-lo. As emoções elevadas que você está sentindo são incondicionais. Ninguém e nenhum evento podem fazê-lo sentir-se assim. Você está feliz e sente-se inspirado simplesmente por causa de quem você é.

Você não vive mais em um estado de carência ou necessidade. E sabe o que é engraçado em não querer ou carecer de alguma coisa? É aí que você pode realmente começar a manifestar as coisas naturalmente. A maioria das pessoas tenta criar em um estado de carência, indignidade, separação ou alguma outra emoção limitada em vez de em um estado de gratidão, entusiasmo ou plenitude. E é aí que o campo responde de modo mais favorável.

Tudo isso começa com o reconhecimento de que a lacuna existe, e com a meditação sobre os estados emocionais negativos que produziram essa lacuna e dominaram sua personalidade. A menos que esteja preparado para se examinar atentamente e avaliar suas inclinações com honestidade afetuosa (sem se açoitar por suas falhas), você estará atolado para sempre em algum evento passado e nas emoções negativas que este produziu. Veja.

Entenda. Libere. Crie com a energia disponível, tirando a mente do corpo e liberando-a no campo.

A conexão publicitária

> Por favor, entenda que as agências de publicidade e seus clientes corporativos entendem completamente o conceito de carência e como isso desempenha um papel dominante em nosso comportamento. Querem nos fazer acreditar que têm as respostas para eliminar o vazio por meio de nossa identificação com seus produtos.
>
> Os anunciantes até colocam rostos famosos em suas peças publicitárias para plantar no subconsciente do consumidor a semente de que ele pode relacionar essa pessoa ao "novo eu". "Sentindo-se mal consigo mesmo? Compre algo! Não se encaixa socialmente? Compre algo! Sentindo alguma emoção negativa por causa de alguma sensação de perda, separação ou anseio? Esse micro-ondas/TV de tela grande/carro/celular... o que for... é simplesmente a solução. Você se sentirá melhor consigo mesmo, será aceito pela sociedade e também terá 40% a menos de cáries!". Todos nós somos emocionalmente controlados por essa noção de carência.

Como começou minha transformação... e quem sabe alguma inspiração para a sua

Comecei este capítulo contando sobre aquele momento em que estava sentado no meu sofá e percebi que havia uma lacuna e tanto entre quem eu realmente era e a identidade que apresentava para o mundo. Assim, gostaria de finalizar o capítulo contando o resto da história...

Na época em que isso aconteceu eu viajava muito, ministrando palestras para pessoas que tinham me visto no filme *Quem somos nós?* Quando falava na frente de grupos, me sentia realmente vivo e tenho certeza de que passava por feliz. Mas naquele momento estava me sentindo entorpecido. Foi quando caiu a ficha. Eu tinha de aparecer sendo o que todo mundo esperava que eu fosse, baseado em como eu aparecia no filme. Comecei a acreditar que eu era outra pessoa e que precisava que o mundo me lembrasse de quem eu pensava ser. Na realidade, eu estava vivendo duas vidas diferentes. Não queria mais ficar preso nisso.

PARTE II | SEU CÉREBRO E A MEDITAÇÃO

Sentado sozinho naquela manhã, senti meu coração batendo e comecei a pensar sobre quem fazia bater meu coração. Concluí instantaneamente que eu havia me distanciado dessa inteligência inata. Fechei os olhos e concentrei toda a minha atenção nisso. Comecei a admitir quem eu havia sido, o que estava escondendo e como estava infeliz. Comecei a entregar alguns aspectos de minha personalidade a uma mente maior.

A seguir, lembrei a mim mesmo quem eu não queria mais ser. Decidi como não queria mais viver baseado naquela mesma personalidade. A seguir observei meus comportamentos, pensamentos e sentimentos inconscientes que reforçavam o antigo eu e revisei-os até se tornarem familiares para mim.

Pensei então em quem eu queria ser como uma nova personalidade... até me tornar ela. De repente comecei a me sentir diferente – alegre. Isso não tinha nada a ver com todas as coisas externas; era parte de uma identidade independente de qualquer fator externo. Eu sabia que havia descoberto alguma coisa.

Tive uma reação imediata após aquela primeira meditação no sofá, e isso chamou minha atenção, pois não levantei como a mesma pessoa que havia sentado. Fiquei de pé e me senti muito consciente e muito vivo. Era como se estivesse vendo muitas coisas pela primeira vez. Alguma máscaras haviam sido removidas, e eu queria mais daquilo.

Assim, me recolhi por cerca de seis meses. Mantive o atendimento na clínica em certa medida, mas cancelei todas as palestras. Meus amigos pensaram que eu estava perdendo a cabeça (eu estava), pois o filme *Quem somos nós?* estava no auge e me lembravam de quanto dinheiro eu poderia estar ganhando. No entanto, eu disse que jamais subiria ao palco de novo enquanto vivesse um ideal para o mundo e não para mim. Eu não iria palestrar de novo até ser o exemplo vivo do que falava. Eu precisava de tempo para minhas meditações, para promover mudanças verdadeiras em minha vida e queria ter alegria vinda de dentro e não de fora. E queria que isso acontecesse enquanto dava as palestras.

Minha transformação não foi imediata. Meditei todos os dias, examinando minhas emoções indesejadas, e comecei a desmemorizar uma por uma. Dei início a meus processos meditativos de desaprender e reaprender e trabalhei durante meses para mudar. Nesse processo, desmantelei intencionalmente minha velha identidade e quebrei o hábito de ser eu mesmo.

Foi quando comecei a me sentir alegre sem motivo. Fiquei cada vez mais feliz, e não tinha nada a ver com algo externo. Atualmente dedico tempo para meditar todas as manhãs porque quero mais desse estado de ser.

• • •

Seja o que for que o atraiu para este livro, quando decide mudar, você tem que migrar para uma nova consciência. Deve ter muita clareza sobre o que está fazendo, como está pensando, vivendo, sentindo, e sendo... até o ponto em que isso não é você e você não quer mais ser isso. E essa mudança tem que ser visceral.

O que você está prestes a aprender é o que eu fiz, os passos que dei ao fazer minhas mudanças pessoais. Mas anime-se – você pode muito bem ter feito algo semelhante na vida. Só há mais um pouco de conhecimentos por vir, relacionados ao processo meditativo, a fim de que você possa fazer desse método de mudança uma habilidade. Vamos lá.

CAPÍTULO 8

Meditação, desmistificando o místico e as ondas do seu futuro

No capítulo anterior, escrevi sobre a necessidade de fechar o espaço entre quem realmente somos e a imagem que apresentamos para o mundo. Quando somos capazes de fazer isso, podemos dar os passos para liberar a energia necessária para sermos o eu ideal, modelado conforme alguns grandes nomes da história mundial, como Gandhi ou Joana d'Arc.

Como disse, uma das chaves para quebrar o hábito de ser você mesmo é trabalhar para ser mais observador – quer isso implique ser mais metacognitivo (monitorar seus pensamentos), adotar a calma ou focar mais atenção em seus comportamentos e em como os elementos de seu ambiente podem desencadear respostas emocionais. Assim, a grande pergunta aqui é: como você faz tudo isso?

Em outras palavras, como você se torna mais observador, rompe seus vínculos emocionais com o corpo, o ambiente e o tempo e fecha a lacuna?

A resposta é simples: meditação. Você deve ter notado que até este ponto do livro tenho provocado com breves alusões à meditação como método para quebrar o hábito de ser você mesmo e começar a criar uma nova vida como seu eu ideal. Disse que as informações nas partes I e II deste livro iriam prepará-lo para entender o que estará fazendo quando aplicar as etapas de meditação que praticará na Parte III. Agora é hora de explicar o funcionamento do processo a que me refiro como meditação.

Quando utilizo o termo meditação, pode vir à mente a imagem de uma pessoa sentada com as pernas cruzadas na frente de um altar em casa, um iogue barbudo de túnica sentado em uma caverna isolada nos Himalaias ou alguma outra visão. Esse indivíduo pode ser uma representação do que você entende como meio de "ficar quieto", esvaziar a mente, focar toda a atenção em um pensamento ou se engajar em qualquer uma das outras variações da prática de meditação.

Existem muitas técnicas meditativas, mas neste livro meu desejo é ajudar a produzir o benefício mais esperado da meditação – a capacidade de acessar e entrar no sistema operacional da mente subconsciente, de modo que você mude de simplesmente ser você e seus pensamentos, convicções, ações e emoções para observar essas coisas... e então, quando estiver lá, reprogramar subconscientemente seu cérebro e seu corpo para uma nova mente. Quando você sai da produção inconsciente de pensamentos, convicções, ações e emoções e assume o controle mediante a aplicação consciente de sua vontade, pode soltar as correntes de ser seu antigo eu para se tornar um novo eu. Como você chega ao ponto em que é capaz de acessar esse sistema operacional e trazer o inconsciente à consciência é o tópico que cobriremos no restante deste livro.

Uma definição de meditação: familiarizar-se com o eu

Na língua tibetana, meditar significa "familiarizar-se com". Assim sendo, utilizo o termo "meditação" como sinônimo para auto-observação, bem como autodesenvolvimento. Afinal, para nos familiarizarmos com alguma coisa, temos de passar algum tempo observando-a. Mais uma vez, o momento-chave para fazer qualquer mudança é deixar de simplesmente ser tal coisa para observá-la.

Outro modo de pensar nessa transição é que se trata de passar de agente para agente/observador. Uma analogia fácil que posso utilizar é a de que, quando atletas ou artistas – jogadores de golfe, esquiadores, nadadores, dançarinos, cantores ou atores – desejam mudar algo em sua técnica, a maioria dos treinadores faz com que assistam a vídeos deles mesmos.

Como você pode mudar de um antigo modo operacional para um novo a menos que possa ver como são o antigo e o novo?

É a mesma coisa com o seu antigo eu e o novo. Como você pode parar de fazer as coisas de um jeito sem saber como é esse jeito? Frequentemente utilizo o termo "desaprender" para descrever essa fase da mudança.

O processo de se familiarizar com o eu funciona em duas vias – você precisa "ver" o antigo e o novo eu. Você tem de se observar de maneira muito precisa e vigilante, como descrevi, que não permita que algum pensamento, emoção ou comportamento inconsciente passe despercebido. Como você tem o equipamento para fazer isso graças ao tamanho de seu lobo frontal, pode se examinar e decidir o que deseja mudar a fim ter melhor desempenho na vida.

Decida parar de ser o antigo você

Quando consegue ficar consciente dos aspectos inconscientes do antigo eu a que está acostumado, enraizado no sistema operacional do subconsciente, você começa o processo de mudar qualquer coisa em si.

Que passos você normalmente dá quando resolve seriamente fazer algo diferente? Você se isola de seu mundo externo por um período suficiente para pensar sobre o que fazer e não fazer. Começa a ficar ciente de muitos aspectos do antigo eu e começa a planejar um curso de ação relacionado ao novo eu.

Por exemplo, se você quer ficar feliz, o primeiro passo é parar de ser infeliz – isto é, parar de pensar os pensamentos que o fazem infeliz e parar de sentir as emoções de dor, tristeza e amargura. Se deseja ficar rico, provavelmente decidirá parar de fazer as coisas que o deixam pobre. Se quer ser saudável, terá que parar com um estilo de vida insalubre. Esses exemplos servem para mostrar que primeiro você tem de tomar a decisão de parar de ser o antigo você em tal medida que abra espaço para uma nova personalidade – pensar, agir e fazer.

Portanto, se elimina os estímulos de seu mundo exterior, fechando os olhos e ficando quieto (diminuindo o *input* sensorial), colocando o corpo em estado de tranquilidade, e não mais enfoca o tempo linear, você pode ficar ciente unicamente de como está pensando e sentindo. E, se começa a prestar atenção a seus estados inconscientes de mente e corpo e fica "familiarizado com" seus programas automáticos e inconscientes até eles se tornarem conscientes, você está meditando?

A resposta é sim. "Conhecer a si mesmo" é meditar.

Se não está mais sendo aquela antiga personalidade e em vez disso está notando diferentes aspectos dela, você não concordaria que você é a consciência observando os programas da antiga identidade? Em outras palavras, se você observa conscientemente o antigo eu, não está mais sendo o antigo eu. Quando você deixa de ser desinformado para ficar informado, começa a objetivar sua mente subjetiva. Ou seja, ao prestar atenção ao velho hábito de ser você, sua participação consciente começa a separá-lo daqueles programas inconscientes e a lhe dar maior controle sobre eles.

A propósito, se você tem sucesso em restringir conscientemente esses estados rotineiros de mente e corpo, então "as células nervosas que não mais disparam juntas, não mais se conectam juntas". Ao podar o *hardware* neurológico do antigo eu, você também não mais sinaliza os mesmos genes de modos idênticos. Você está quebrando o hábito de ser você.

Contemple uma nova e maior expressão do eu

Agora, vamos dar mais um passo. Você há de concordar que, quando fica familiarizado com o antigo eu a ponto de nenhum pensamento, nenhum comportamento e nenhum sentimento fazê-lo cair inconscientemente nos padrões anteriores, seria uma boa ideia começar a se familiarizar com o novo eu. Assim sendo, você pode se perguntar: "Qual é uma maior expressão de mim que eu gostaria de ser?".

Se você ativar o lobo frontal e contemplar esses aspectos do eu, começará a fazer seu cérebro funcionar de modo diferente do antigo eu. Quando o lobo frontal (o CEO) cogita essa nova questão, examina o panorama do restante do cérebro e combina homogeneamente todos os seus conhecimentos e experiências armazenados em um novo modelo de pensamento. Isso ajuda a criar uma representação interna para você começar a enfocar.

Esse processo de contemplação constrói novas redes neurológicas. Quando você pondera sobre a questão fundamental anterior, seus neurônios começam a disparar e se conectar em novas sequências, padrões e combinações porque você está pensando de forma diferente. E, sempre que faz seu cérebro funcionar de forma diferente, você muda sua mente. Ao planejar suas ações, especular sobre novas possibilidades, invocar modos inovadores de ser e sonhar com novos estados de corpo e mente, haverá um momento em que o lobo frontal ligará e baixará o volume dos Três Grandes. Quando isso ocorre, o(s) pensamento(s) que você está pensando se torna(m) uma experiência interna, você instala novos programas de *software* e *hardware* em seu sistema nervoso e parece que a experiência de ser seu novo eu já foi realizada no cérebro. E, se você repetir esse processo todos os dias, seu ideal se tornará um estado mental familiar.

Há mais um ponto aqui. Se você se ocupa tão bem do pensamento que está enfocando que este literalmente se torna uma experiência, o produto final é uma emoção. Uma vez que essa emoção é criada, você começa a se sentir o novo ideal, e o novo sentimento começa a se tornar familiar. Lembre-se de que, quando seu corpo começa a responder como se a experiência já fosse uma realidade presente, você sinaliza seus genes de novas maneiras... e seu corpo começa a mudar antes do evento físico em sua vida. Você fica à frente do tempo e, mais importante, migra para um novo estado de ser – mente e corpo trabalhando juntos. E, se você repete esse processo constantemente, este estado de ser também se torna familiar.

Se você consegue manter o estado modificado de corpo e mente, independentemente do ambiente externo, das necessidades emocionais do corpo e maior que o tempo, deve surgir algo diferente no seu mundo. Essa é a lei quântica.

Vamos resumir. De acordo com o nosso modelo de meditação, tudo o que você tem de fazer é se lembrar de quem não quer mais "ser" até isso ficar tão familiar que você conheça seu antigo eu – os pensamentos, comportamentos e emoções conectados ao antigo eu que você quer mudar – em tal medida que "não dispare" e "desconecte" a antiga mente e não mais sinalize os mesmos genes das mesmas maneiras. A seguir você contempla repetidamente quem você quer "ser". Como resultado, dispara e conecta novos níveis mentais, para os quais condicionará o corpo emocional e geneticamente até que se tornem familiares e uma segunda natureza. Isso é mudança.

Uma segunda definição de meditação: cultivar o eu

Além do significado em tibetano, "meditar" em sânscrito significa "cultivar o eu". Gosto especialmente dessa definição por causa das possibilidades metafóricas que oferece – por exemplo, jardinagem ou agricultura. Quando você cultiva o solo, pega uma camada de terra compactada que ficou inculta por um tempo e a revolve com uma pá ou outro implemento. Expõe terra e nutrientes "novos", facilitando a germinação das sementes e o enraizamento dos brotinhos. O cultivo ainda pode exigir que você remova plantas da temporada anterior, cuide das ervas daninhas que passaram despercebidas e retire quaisquer pedras que surjam na superfície pelo peneiramento natural.

Nessa metáfora, as plantas da última temporada podem representar suas criações passadas derivadas de pensamentos, ações ou emoções que definem o antigo eu familiar. As ervas daninhas podem significar atitudes, crenças ou percepções de longa data sobre você mesmo que subconscientemente minam seus esforços e que você não tinha notado porque estava muito distraído com outras coisas. E as pedras podem simbolizar suas várias camadas de bloqueios ou limitações pessoais (que naturalmente vêm à superfície com o tempo e bloqueiam seu crescimento). Tudo isso precisa ser tratado para que você possa plantar um novo jardim em sua mente. Do contrário, se você plantasse um novo jardim ou lavoura sem preparação adequada, obteria poucos frutos.

Minha esperança é que a essa altura você entenda que é impossível criar qualquer novo futuro quando você está enraizado em seu passado. Você deve limpar os antigos vestígios do jardim (da mente) antes de poder cultivar um novo eu plantando as sementes de novos pensamentos, comportamentos e emoções que criam uma nova vida.

O outro elemento-chave é assegurar que isso não ocorra ao acaso: não estamos falando de plantas em ambiente selvagem, que espalham sementes de qualquer jeito pelo solo, com porcentagem diminuta de eventualmente frutificar. Pelo contrário: cultivar exige a tomada de decisões conscientes – quando arar o solo, quando plantar, o que plantar, como cada uma das espécies plantadas conviverá em harmonia com as outras, o quanto misturar de água e fertilizantes etc. Planejamento e preparação são essenciais para o sucesso da iniciativa. Requerem nossa "atenção cuidadosa" diária.

De modo semelhante, quando falamos em cultivar um interesse por um tema específico, significa pesquisar detidamente aquela área de interesse. Além disso, uma pessoa cultivada é alguém que escolheu cuidadosamente ao que se expor e que acumulou amplo conhecimento e experiência. Novamente, nada disso é feito num capricho e pouca coisa é deixada ao acaso.

Quando você cultiva algo, busca ficar no controle. E isso é requerido quando você muda alguma parte do seu eu. Em vez de permitir que as coisas se desenvolvam "naturalmente", você intervém e dá passos conscientes para reduzir a probabilidade de fracasso. O propósito por trás de todo esse esforço é colher uma safra. Quando cultiva uma nova personalidade na meditação, a produção abundante que você busca é uma nova realidade.

Criar uma nova mente é como cultivar um jardim. As manifestações que você produz a partir do jardim de sua mente são como as colheitas extraídas do solo. Vigie direito.

O processo meditativo para a mudança: migrar do inconsciente para o consciente

Para resumir o processo meditativo, você tem de quebrar o hábito de ser você mesmo e reinventar um novo eu, perder a cabeça e criar uma nova mente, podar as conexões sinápticas e nutrir novas, desmemorizar emoções passadas e recondicionar o corpo para uma nova mente e novas emoções, liberar o passado e criar um novo futuro.

••• PARTE II | SEU CÉREBRO E A MEDITAÇÃO •••

MODELO BIOLÓGICO DA MUDANÇA

PASSADO FAMILIAR		NOVO FUTURO
Desaprender		Reaprender
Quebrar o hábito de ser você mesmo		Reinventar um novo eu
Podar conexões sinápticas		Fazer brotar novas conexões
Não disparar e desconectar	VS.	Disparar e conectar
Desmemorizar uma emoção ao corpo		Recondicionar o corpo para emoção
Perder a cabeça		Criar uma nova mente
Familiarizar-se com o antigo eu		Familiarizar-se com o novo eu
Desprogramar		Reprogramar
Viver no passado		Criar um novo futuro
Antiga energia		Nova energia

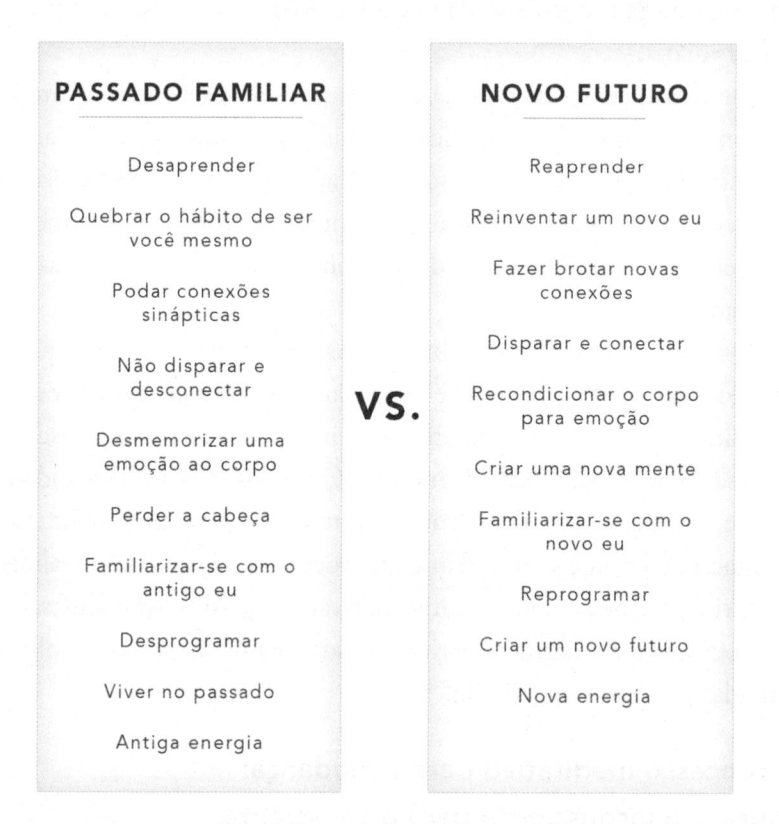

Figura 8A. O modelo biológico da mudança envolve transformar o passado familiar em um novo futuro.

Vamos examinar mais detalhadamente alguns elementos desse processo.

Obviamente, para não deixar que algum pensamento ou sentimento que você não quer experimentar passe sem verificação, é preciso desenvolver habilidades poderosas de observação e foco. Nós humanos temos uma capacidade limitada de enfocar e absorver *inputs* – mas podemos ser muito melhores nisso do que normalmente somos em nosso estado mais inconsciente.

Para quebrar o hábito de ser você mesmo, é preciso ser sábio na seleção de um traço, inclinação ou característica e enfocar a atenção nesse único aspecto do antigo eu que você quer mudar. Por exemplo, você poderia começar perguntando a si mesmo: "Quando sinto raiva, quais são meus padrões de pensamento? O que digo para os outros e para mim? Como eu ajo? Que outras emoções brotam da minha raiva? Qual a sensação da raiva em meu corpo? Como posso ficar consciente do que desencadeia minha raiva e como posso mudar minha reação?".

O processo de mudança exige primeiro desaprender e depois aprender. Este último é uma função dos disparos e conexões no cérebro; o primeiro significa que os circuitos estão podados. Quando você para de pensar do mesmo modo, quando inibe seus hábitos e interrompe os vícios emocionais, o antigo eu começa a ser neurologicamente podado.

E, se todas as conexões entre células nervosas constituem uma memória, quando esses circuitos são desmantelados, as memórias do antigo eu se vão com eles. Quando você pensa em sua vida anterior e em quem costumava ser, é como se fosse outra vida. Onde essas memórias estão armazenadas agora? Elas são doadas à alma como sabedoria.

Quando os pensamentos e sentimentos que costumavam sinalizar o corpo são interrompidos por nossos esforços conscientes, a energia liberada dessas emoções limitadas é lançada no campo. Aí você tem a energia para projetar e criar um novo destino.

Quando utilizamos a meditação como um meio de mudança, quando ficamos conscientes e atentos, familiarizados com e dispostos a fazer o que é necessário para erradicar um traço indesejado e cultivar um desejado, estamos fazendo o que os místicos fazem há séculos.

Embora eu adote uma abordagem claramente biológica para a mudança, os místicos fazem a mesma coisa. Apenas utilizam uma terminologia diferente para descrever o processo. O resultado final é o mesmo – romper o vício no corpo, no ambiente e no tempo. Só conseguimos mudar quando fazemos essa separação. Só quando pensamos maior que os Três Grandes conseguimos viver de forma verdadeiramente independente deles e restabelecer o domínio sobre como pensamos e sentimos no dia a dia.

Durante muito tempo, rodamos programas inconscientes que nos controlavam. A meditação nos permite retomar o controle.

Consciência é primordial – reconhecer quando e como essas respostas programadas assumem o controle é essencial. Quando você migra do inconsciente para o consciente, começa a fechar a lacuna entre como você parece e quem você é.

As ondas do seu futuro

Como o conhecimento é, conforme vimos, o precursor da experiência, ter um entendimento básico do que acontece no cérebro durante a meditação será útil quando você começar a aprender e experimentar o processo meditativo que virá em seguida na Parte III.

Você provavelmente sabe que o cérebro é de natureza eletroquímica. Quando as células nervosas disparam, trocam elementos carregados que então produzem campos eletromagnéticos. Como a atividade elétrica diversificada do cérebro pode ser medida, esses efeitos podem fornecer informações importantes sobre o que estamos pensando, sentindo, aprendendo, sonhando e criando e como estamos processando informações. A tecnologia mais comum utilizada pelos cientistas para registrar a atividade elétrica cambiante do cérebro é o eletroencefalograma (EEG).

As pesquisas descobriram uma ampla faixa de frequência de ondas cerebrais em humanos, desde os níveis muito baixos de atividade verificados no sono profundo (ondas Delta), o estado crepuscular entre o sono profundo e o despertar (ondas Teta), o estado criativo e imaginativo (Alfa), as frequências mais altas durante o pensamento consciente (ondas Beta) até as mais altas frequências registradas (ondas Gama), vistas em estados elevados de consciência.[23]

Para ajudá-lo a entender melhor sua jornada na meditação, vou dar uma visão geral de como cada um desses estados se relaciona a você. Quando souber o que são esses domínios, você ficará mais apto a saber quando está no estado de onda cerebral em que o ego tenta em vão mudar o ego (Deus sabe, eu estive lá) e quando está no estado de onda cerebral que é o solo fértil da verdadeira mudança.

À medida que as crianças crescem, as frequências predominantes em seus cérebros progridem de Delta para Teta, Alfa e depois Beta. Nosso trabalho na meditação é ficar como uma criança, migrando de Beta para Alfa, Teta e (para os peritos ou místicos) Delta. Portanto, entender a progressão da mudança das ondas cerebrais durante o desenvolvimento humano pode ajudar a desmistificar o processo da meditação.

Desenvolvimento das ondas cerebrais em crianças: da mente subconsciente à consciente

DELTA. Entre o nascimento e os dois anos de idade, o cérebro humano funciona essencialmente nos níveis de ondas cerebrais mais baixos, de 0,5 a 4 ciclos por segundo. Essa faixa da atividade eletromagnética é conhecida por ondas Delta. Os adultos em sono profundo estão em Delta; isso explica por que um recém-nascido não consegue permanecer acordado por mais de alguns minutos de cada vez (e por que, mesmo com os olhos abertos, os bebezinhos podem estar adormecidos). Quando bebês com um ano de idade estão acordados, ainda estão essencialmente em Delta, pois operam principalmente a partir do subconsciente. As informações do mundo exterior entram em seus cérebros com pouca edição, raciocínio crítico ou julgamento. O cérebro pensante – o neocórtex ou a mente consciente – opera em níveis muito baixos nesse ponto.

TETA. Dos dois aos cinco ou seis anos de idade, uma criança começa a demonstrar padrões de EEG ligeiramente mais altos. Essas frequências de ondas Teta medem de 4 a 8 ciclos por segundo. As crianças que operam em Teta tendem a ficar em um estado similar ao transe e estão essencialmente conectadas ao seu mundo interior. Vivem no abstrato e no reino da imaginação e exibem poucas nuances de raciocínio crítico, racional. Assim sendo, crianças nessa faixa etária provavelmente aceitarão o que lhes é contado. (P.S.: o Papai Noel existe.) Nesse estágio, frases como as seguintes têm um impacto enorme: "Meninos grandes não choram. Meninas devem ser vistas e não ouvidas. Sua irmã é mais inteligente que você. Se você ficar com frio, apanhará um resfriado". Afirmações desse tipo vão diretamente para a mente subconsciente, pois esses estados de ondas cerebrais lentas são o terreno do subconsciente (sugestão, sugestão).

ALFA. Entre os cinco e os oito anos de idade, as ondas cerebrais se alteram novamente, até uma frequência Alfa: 8 a 13 ciclos por segundo. A mente analítica começa a se formar nesse ponto do desenvolvimento infantil: as crianças começam a interpretar e tirar conclusões sobre as leis da vida externa. Ao mesmo tempo, o mundo interior da imaginação tende a ser tão real como o mundo exterior da realidade. As crianças dessa faixa etária normalmente têm um pé em ambos os mundos. É por isso que fingem tão bem. Por exemplo, você pode pedir a uma criança para fingir que é um golfinho no mar, um floco de neve ao vento ou um super-herói chegando para um resgate, e horas depois ela ainda está na pele do personagem. Peça a um adulto fazer o mesmo, e bem... você já sabe a resposta.

BETA. Dos oito aos doze anos e daí em diante, a atividade cerebral aumenta até frequências ainda mais altas. Algo acima de 13 ciclos por segundo em crianças é a fronteira para as ondas Beta. O estado Beta sobe em graus variados daí até a idade adulta, e representa o raciocínio analítico, consciente.

Após os 12 anos, a porta entre a mente consciente e a inconsciente geralmente se fecha. O estado Beta é na verdade dividido em ondas Beta de baixa, média e alta frequências. À medida que as crianças avançam para a adolescência, tendem a mudar de Beta de frequência baixa para as frequências média e alta, como visto na maior parte dos adultos.

DESENVOLVIMENTO DAS ONDAS CEREBRAIS

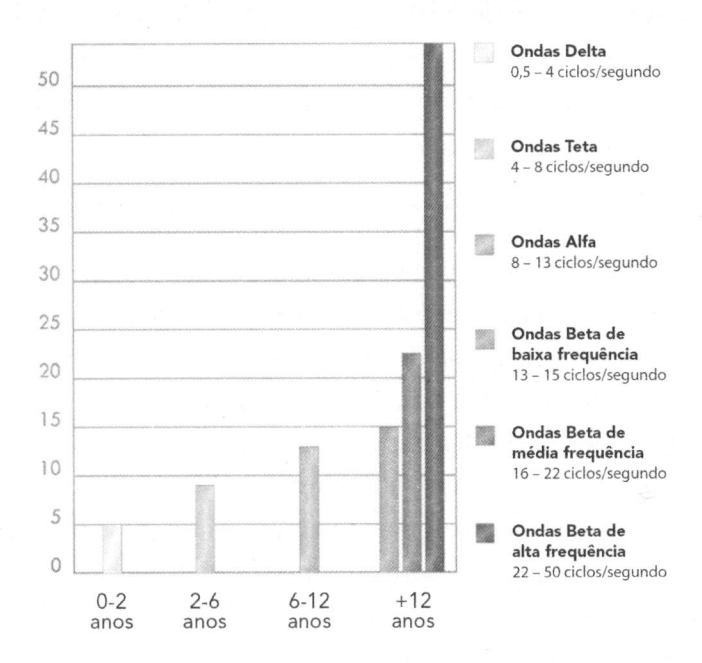

Ondas Delta — 0,5 – 4 ciclos/segundo
Ondas Teta — 4 – 8 ciclos/segundo
Ondas Alfa — 8 – 13 ciclos/segundo
Ondas Beta de baixa frequência — 13 – 15 ciclos/segundo
Ondas Beta de média frequência — 16 – 22 ciclos/segundo
Ondas Beta de alta frequência — 22 – 50 ciclos/segundo

Eixo x: 0-2 anos, 2-6 anos, 6-12 anos, +12 anos

Figura 8B. A progressão do desenvolvimento das ondas cerebrais, de Delta na infância a Beta na idade adulta. Veja a diferença nas três faixas de Beta: o estado Beta de alta frequência pode ter o dobro da frequência do Beta de média frequência.

Estados de ondas cerebrais em adultos: panorama geral

BETA. Enquanto lê este capítulo, o mais provável é que você esteja no estado desperto cotidiano da atividade de ondas cerebrais Beta. Seu cérebro está processando dados sensoriais e tentando criar significado entre seus mundos exterior e interior. Enquanto está absorto no material deste livro, você pode sentir o peso de seu corpo em seu assento, pode ouvir música ao fundo, pode olhar em volta e através da janela. Todos esses dados estão sendo processados por seu neocórtex pensante.

ALFA. Agora, digamos que você feche os olhos (80% de nossas informações sensoriais derivam da visão) e tente examinar seu interior. Como você reduziu grandemente a entrada de dados sensoriais do ambiente, menos informações estão entrando em seu sistema nervoso. Suas ondas cerebrais naturalmente desaceleram no estado Alfa. Você relaxa. Fica menos preocupado com os elementos em seu mundo externo, e o mundo interno começa a consumir sua atenção. Você tende a pensar e analisar menos. Em Alfa, o cérebro está em um estado meditativo leve (quando você praticar a meditação na Parte III, atingirá um estado Alfa ainda mais profundo).

No dia a dia, seu cérebro entra em Alfa sem muito esforço de sua parte. Por exemplo, quando você está aprendendo algo novo em uma palestra, geralmente seu cérebro está operando em Beta baixo ou médio. Você está escutando a mensagem e analisando os conceitos apresentados. Quando ouviu o suficiente ou gostou de algo particularmente interessante que se aplica a você, naturalmente faz uma pausa e seu cérebro desliza para Alfa. Você faz isso porque a informação está sendo consolidada em sua massa cinzenta. E, enquanto você olha fixamente para o espaço, está cuidando de seus pensamentos e tornando-os mais reais do que o mundo externo. No momento em que isso ocorre, seu lobo frontal está conectando essas informações a sua arquitetura cerebral... e, como mágica, você consegue lembrar o que acabou de aprender.

Teta. Em adultos, as ondas Teta emergem no estado crepuscular ou lúcido, durante o qual algumas pessoas se encontram semidespertas e semiadormecidas (a mente consciente está desperta, enquanto o corpo de certa forma está adormecido). É nesse estado que um hipnoterapeuta consegue acessar a mente subconsciente. Em Teta somos mais programáveis porque não há nenhum véu entre as mentes consciente e subconsciente.

Delta. Para a maioria de nós, as ondas Delta representam o sono profundo. Nesse domínio há muito pouca atenção consciente, e o corpo está se recuperando.

Como esse panorama geral demonstra, quando migramos para estados de ondas cerebrais mais lentas, vamos mais fundo no mundo interior da mente subconsciente. O inverso também é válido: ao migramos para estados de ondas cerebrais mais altas, ficamos mais conscientes e atentos ao mundo externo.

Com a prática repetida, esses terrenos da mente começam a ficar familiares. A exemplo de qualquer outra coisa em que persiste, você se dará conta de como é cada padrão de onda cerebral. Saberá quando estiver analisando ou pensando exageradamente em Beta; observará quando não estiver presente porque está oscilando das emoções do passado à tentativa de antecipar um futuro conhecido. Também perceberá quando estiver em Alfa ou Teta, pois sentirá a coerência. Com o tempo, saberá quando está e quando não está.

ONDAS CEREBRAIS

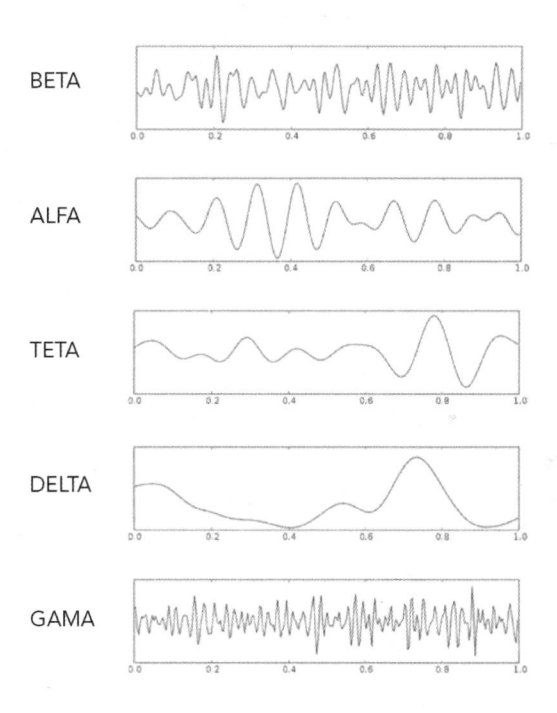

BETA

ALFA

TETA

DELTA

GAMA

Figura 8C. Uma comparação dos diferentes padrões de ondas cerebrais em adultos.

Gama: as ondas cerebrais mais rápidas de todas

As ondas Gama, de 40 a 100 hertz, são a frequência de ondas cerebrais mais rápidas já documentadas. (As ondas Gama são mais comprimidas e têm menor amplitude comparadas aos outros quatro tipos de ondas cerebrais que discuti; por isso, embora seus ciclos por segundo sejam similares à Beta de alta frequência, não há uma correlação exata entre elas.) Apresentar grande quantidade de atividade Gama coerente no cérebro de modo geral está ligado a estados mentais elevados, como felicidade, compaixão e até consciência aumentada, o que geralmente acarreta melhor formação de memória. Este é um estado ampliado de consciência que as pessoas tendem a descrever como "experiência transcendente ou de pico". Para os nossos propósitos, pense em Gama como o efeito colateral de uma mudança na consciência.

Três níveis de onda Beta governam nossas horas de vigília

Visto que passamos a maior parte do período de vigília consciente com nossa atenção no ambiente externo e funcionando em Beta, vamos falar sobre os três níveis desse padrão de onda cerebral.[24] Esse entendimento facilitará a migração de Beta para Alfa e enfim para Teta no estado meditativo.

1. BETA DE BAIXA FREQUÊNCIA é definido como a faixa de atenção interessada, relaxada, de 13 a 15 hertz (ciclos por segundo). Se você está desfrutando a leitura de um livro e tem familiaridade com o assunto, seu cérebro provavelmente estará disparando em Beta baixo, pois você está prestando um certo grau de atenção sem qualquer vigilância.

2. BETA DE MÉDIA FREQUÊNCIA é produzido durante a atenção concentrada em estímulos externos sustentados. Aprender é um bom exemplo: se eu fosse testá-lo sobre o que você leu enquanto desfrutava daquele livro em Beta baixo, você teria de se avivar um pouco, e consequentemente haveria mais atividade do neocórtex, tal como pensamento analítico. Beta médio opera entre 16 e 22 hertz.

As frequências em Beta médio e até Beta baixo em certa extensão refletem nosso pensamento consciente ou racional e nosso estado alerta. São o resultado do neocórtex captando os estímulos do ambiente por meio de todos os nossos sentidos e reunindo as informações em um pacote para criar um nível mental. Como você pode imaginar, com esse foco no que estamos vendo, ouvindo, provando, sentindo ou cheirando, surge uma grande dose de complexidade e atividade no interior do cérebro para gerar esse nível de estimulação.

3. Beta de alta frequência é caracterizado por qualquer padrão de onda cerebral de 22 a 50 hertz. Padrões de Beta alto são observados durante situações estressantes em que as substâncias químicas nocivas de sobrevivência são produzidas no corpo. Manter esse foco sustentado em tal estado de grande excitação não é o tipo de atenção focada que usamos para aprender, criar, sonhar, resolver problemas ou mesmo curar. Na realidade, poderíamos dizer que o cérebro em Beta alto está operando numa concentração focada excessiva. A mente está excitada demais e o corpo estimulado demais para estarem em qualquer aparência de ordem. (Por enquanto saiba que, quando está em Beta alto, você talvez esteja focando demasiadamente em algo, e é difícil de parar isso.)

Beta alto: mecanismo de sobrevivência de curto prazo, fonte de estresse e desequilíbrio a longo prazo

As emergências sempre criam uma necessidade considerável de aumento da atividade elétrica no cérebro. A natureza nos dotou da reação lutar-ou-fugir, que ajuda a focar rapidamente em situações potencialmente perigosas. A forte excitação fisiológica do coração, dos pulmões e do sistema nervoso simpático leva a uma mudança drástica nos estados fisiológicos. Nossa percepção, comportamentos, atitudes e emoções são alterados. Esse tipo de atenção é muito diferente da que normalmente utilizamos. Ela nos faz agir como um animal acelerado com um grande banco de memória. As escalas de atenção se voltam para o ambiente externo, provocando um estado mental excessivamente focado. Ansiedade, preocupação, raiva, dor, sofrimento, frustração, medo e até estados mentais competitivos induzem as ondas Beta de alta frequência a predominar durante as crises.

A curto prazo, isso é muito útil a todos os organismos. Não há nada de errado com essa faixa de atenção estreita e excessivamente focada. Nós "fazemos o serviço", pois ela nos concede a habilidade de realizar muitas coisas.

No entanto, se continuamos no "modo de emergência" por muito tempo, Beta alto nos desequilibra, pois mantê-lo exige uma imensa quantidade de energia – e porque esse é o padrão cerebral mais reativo, instável e volátil de todos. Quando Beta alto torna-se crônico e descontrolado, o cérebro é drenado além da faixa saudável.

Infelizmente, Beta alto é terrivelmente utilizado pela maioria da população. Somos obsessivos ou compulsivos; estamos insones ou cronicamente fatigados, ansiosos ou deprimidos; empurrando com força em todas as direções para sermos todo-poderosos ou nos agarrando desesperadamente à nossa dor para sentirmos totalmente impotentes; competindo para ir em frente ou vitimizados por nossas circunstâncias.

Beta alto contínuo deixa nosso cérebro em desordem

Para colocar isso em perspectiva, pense no funcionamento normal do cérebro como parte do sistema nervoso central, que controla e coordena todos os outros sistemas do corpo: mantém seus batimentos cardíacos, digere seus alimentos, regula seu sistema imune, mantém sua taxa respiratória, equilibra seus hormônios, controla seu metabolismo e elimina dejetos, para citar algumas funções. Contanto que a mente esteja coerente e em ordem, as mensagens que viajam do cérebro para o corpo via medula espinhal produzem sinais sincronizados para um corpo equilibrado e saudável.

Muitas pessoas, no entanto, passam suas horas de vigília em estado Beta alto sustentado. Para elas tudo é uma emergência. O cérebro fica constantemente em um ciclo muito rápido, o que penaliza todo o sistema. Viver nessa margem estreita de ondas cerebrais é como dirigir um carro engatado em primeira marcha, ao mesmo tempo pisando no acelerador. Essas pessoas "conduzem" suas vidas sem sequer parar para considerar uma troca de marcha para outros estados cerebrais.

A repetição contínua de pensamentos baseados na sobrevivência cria sentimentos de raiva, medo, tristeza, ansiedade, depressão, competição, agressão, insegurança e frustração, entre outros. As pessoas ficam tão presas nessas emoções intoxicantes que tentam analisar seus problemas de dentro desses sentimentos familiares, o que só perpetua mais sentimentos excessivamente focados na sobrevivência. Lembre também que podemos acionar a resposta de estresse unicamente pelo pensamento – o modo como pensamos reforça o próprio estado do cérebro e do corpo, o que então nos faz pensar do mesmo modo... e o ciclo continua. É a serpente comendo sua cauda.

Beta alto de longo prazo produz um coquetel insalubre de substâncias químicas de estresse, que podem desequilibrar o cérebro como uma orquestra sinfônica desafinada. Partes do cérebro podem parar de se coordenar efetivamente com outras áreas; regiões inteiras trabalham separadamente e em oposição. Como uma casa dividida ao meio, o cérebro não mais se comunica de modo holístico e organizado. Quando as substâncias químicas estressantes forçam o cérebro pensante/neocórtex a ficar mais segregado, podemos operar como uma pessoa com desordem de múltipla personalidade, pois experimentamos todas as personalidades ao mesmo tempo, em vez de uma de cada vez.

Claro que, quando sinais desordenados e incoerentes do cérebro retransmitem mensagens eletroquímicas misturadas e erráticas através do sistema nervoso central para o restante dos sistemas fisiológicos, isso desequilibra o corpo, perturbando sua homeostase ou seu equilíbrio, e preparando o terreno para enfermidades.

Se vivemos nesse modo altamente estressante de função cerebral caótica por períodos estendidos, o coração é impactado (levando a arritmias ou pressão alta), a digestão começa a apresentar problemas (indigestão, refluxo e sintomas relacionados) e a função imunológica enfraquece (resultando em resfriados, alergias, câncer, artrite reumatoide etc.).

Todas essas consequências derivam de um sistema nervoso desequilibrado, operando de forma incoerente devido à ação de substâncias químicas estressantes e ondas cerebrais de Beta alto reafirmando o mundo exterior como a única realidade.

Beta alto de longo prazo dificulta o foco no eu interior

O estresse que estou discutindo é um produto de nosso vício nos Três Grandes. O problema não é estarmos conscientes e atentos, mas sim nosso foco em Beta alto estar quase que exclusivamente em nosso ambiente (pessoas, coisas, locais), nossas partes e funções corporais (estou com fome... sou fraco demais... quero um nariz melhor... estou gorda comparada a ela...) e no tempo (corra! O relógio está andando!).

PARTE II | SEU CÉREBRO E A MEDITAÇÃO

Em Beta alto, o mundo exterior parece mais real do que o interior. Nossas atenção e percepção conscientes enfocam primariamente todas as coisas que constituem o ambiente externo. Assim, nos identificamos mais prontamente com os elementos materiais: criticamos todo mundo que conhecemos, julgamos a aparência do nosso corpo, ficamos excessivamente focados em nossos problemas, nos agarramos a objetos que possuímos com medo de perdê-los, nos sobrecarregamos com lugares aonde precisamos ir e ficamos preocupados com o tempo. Isso deixa pouco poder de processamento para prestar atenção nas mudanças que realmente queremos fazer – ir pra dentro... observar e monitorar nossos pensamentos, comportamento e emoções.

É difícil enfocar nossa realidade interna quando estamos excessivamente fixados em nosso mundo exterior. De modo geral, não conseguimos nos concentrar em nada senão nos Três Grandes, não conseguimos abrir a mente além das fronteiras de nosso foco estreito e ficamos obcecados com problemas em vez de pensar em soluções. Por que requer tanto esforço se abstrair do externo e se voltar para dentro? O cérebro em Beta alto não pode mudar de marcha facilmente para o reino imaginário de Alfa. Nossos padrões de onda cerebral nos mantêm presos em todos esses elementos de nosso mundo exterior como se eles fossem reais.

Quando você está preso em Beta alto, a aprendizagem é difícil: pouquíssimas informações novas que não sejam iguais à emoção que você está experimentando conseguem entrar em seu sistema nervoso. A verdade é a seguinte: os problemas que você está tão ocupado analisando não podem ser resolvidos dentro da emoção em que você faz a análise. Por que não? Bem, sua análise está criando frequências cada vez mais altas de Beta. Pensar nesse modo faz seu cérebro ter reações exageradas; você raciocina mal e pensa sem clareza.

Em vista das emoções que o capturam, você está pensando no passado – e tentando prever o próximo momento baseado no passado –, e seu cérebro não consegue processar o momento presente. Não há espaço para o desconhecido aparecer no seu mundo. Você se sente separado do campo quântico e não consegue sequer cogitar novas possibilidades para suas circunstâncias. Seu cérebro não está no modo criativo; está fixado na sobrevivência, preocupado com os possíveis piores cenários. Mais uma vez, não será codificada muita informação no sistema que não seja igual ao daquele estado de emergência. Quando tudo parece uma crise, seu cérebro transforma a sobrevivência em prioridade, sem aprender ou criar. Não é hora de crescimento. É hora de sobrevivência e emergência.

A resposta situa-se fora das emoções com que você está lutando e dos pensamentos que está analisando excessivamente, pois ambos continuam conectados ao seu passado – o familiar e o conhecido. Resolver seus problemas começa com ir além desses sentimentos familiares e substituir seu foco disperso nos Três Grandes por um modo de pensar mais ordenado.

Os sinais incoerentes de Beta alto produzem pensamentos dispersos

Como você pode imaginar, quando o cérebro está em Beta alto e você está processando informações sensoriais – envolvendo o ambiente, seu corpo e o tempo –, essa atividade pode criar um pouco de caos. Junto com o entendimento de que os impulsos elétricos em seu cérebro ocorrem em certa quantidade (ciclos por segundo), também é importante estar ciente da qualidade do sinal. Assim como a discussão da criação quântica mostrou o quanto é vital enviar um sinal coerente até o campo para indicar o resultado futuro que você pretende, a coerência é essencial para seu pensamento e suas ondas cerebrais.

Em qualquer momento em que você estiver na faixa de frequência Beta, um dos Três Grandes terá mais da sua atenção. Se está pensando em atraso, sua ênfase está no tempo – esse pensamento está enviando uma onda de frequência mais alta através do seu neocórtex. Claro que você também está ciente do seu corpo e do seu ambiente e, portanto, enviando impulsos eletromagnéticos relacionados a eles. Só que, no caso dos dois últimos, você está enviando padrões de onda diferentes através do neocórtex, com uma frequência mais baixa.

Suas ondas cerebrais focadas no tempo poderiam ter o seguinte aspecto:

PARTE II | SEU CÉREBRO E A MEDITAÇÃO

Suas ondas cerebrais focadas no ambiente poderiam ter o seguinte aspecto:

Suas ondas cerebrais focadas no corpo poderiam ter o seguinte aspecto:

Sua atenção fragmentada, causada por tentar enfocar simultaneamente os Três Grandes, produziria então um padrão de onda cerebral que poderia ter o seguinte aspecto:

Como você pode ver, esses três padrões diferentes reunidos durante o estresse produzem um sinal incoerente no modo Beta alto. Se você tiver algo de parecido comigo, já teve experiências de quando este último desenho representa seus pensamentos dispersos.

Quando estamos plugados em todas as três dimensões – ambiente, corpo e tempo –, o cérebro tenta integrar suas frequências e padrões de onda variados. Isso exige uma enorme quantidade de tempo e de espaço do processador. Se conseguirmos eliminar nosso foco em qualquer um deles, os padrões emergentes serão mais coerentes, e seremos mais capazes de processá-los.

DIFERENÇA ENTRE UM SINAL COERENTE E UM SINAL INCOERENTE

Ondas coerentes

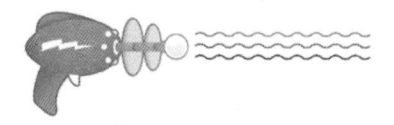

Ondas incoerentes

Figura 8D. Na primeira figura, a energia é ordenada, organizada e rítmica. Quando a energia é extremamente sincrônica e padronizada, é profundamente mais poderosa. A luz emitida por um *laser* é um exemplo de ondas coerentes de energia movendo-se juntas em uníssono. Na segunda figura, os padrões de energia são caóticos, desintegrados e fora de fase. Um exemplo de sinal incoerente menos poderoso é a luz de uma lâmpada incandescente.

Consciência, e não análise, permite a entrada no subconsciente

Eis aqui uma forma de saber se você está no estado Beta: se está constantemente analisando (chamo isso de "estar na mente analítica"), você está em Beta e não é capaz de entrar na mente subconsciente.

A expressão "paralisia por análise" é apropriada aqui. Bem, é isso que acontece quando vivemos a maior parte da vida na faixa Beta. A única hora em que não estamos em Beta é quando dormimos (nesse caso, estamos na faixa Delta de atividade de onda cerebral).

Agora você pode estar pensando: "Mas você disse que precisamos estar conscientes. Precisamos nos familiarizar com nossos pensamentos, sentimentos, padrões de resposta etc. Isso não exige análise?".

Na verdade, a consciência pode existir fora da análise. Quando você está consciente, pode pensar: "Estou furioso". Quando está analisando, vai além dessa simples observação e adiciona: "Por que essa página está demorando tanto para baixar? Quem desenhou esse *site* estúpido? Por que é que sempre que estou apressado, como agora em que estou tentando obter uma listagem de filmes, a conexão da internet é tão lenta?". Consciência, como pretendo que seja praticada aqui, é simplesmente notar (observar) um pensamento ou sentimento e ir adiante.

Um modelo operacional de meditação

Agora que cobrimos alguns aspectos básicos sobre as ondas cerebrais em crianças e adultos, essa base fornecerá um modelo operacional (veja as próximas cinco figuras) para ajudar a entender o processo meditativo.[25]

Comecemos com a Figura 8E. Graças a pesquisas com padrões de ondas cerebrais em crianças, sabemos que, ao nascer, estamos completamente nos domínios do subconsciente.

MENTE INICIAL

Figura 8E. Deixe este círculo representar a mente. Quando nascemos, temos uma mente totalmente subconsciente.

A seguir examine a Figura 8F. Os sinais de mais e menos representam como a mente de uma criança em desenvolvimento aprende com as identificações e associações positivas e negativas que dão origem a hábitos e comportamentos.

Segue-se um exemplo de identificação positiva: quando uma criança está com fome ou desconfortável, ela chora alto, fazendo um esforço para se comunicar a fim de obter atenção. Quando quem cuida dela responde, alimentando ou trocando a fralda, a criança faz uma importante conexão entre seus mundos interno e externo. É preciso apenas algumas repetições antes de ela aprender a associar choro alto com ser alimentada ou ficar confortável. Isso se torna um comportamento.

Um bom exemplo de uma associação negativa é quando uma criança de dois anos encosta o dedo em um fogão quente. Ela aprende muito rapidamente a identificar o objeto que vê externamente – o fogão – com a dor que está sentindo internamente e, após algumas tentativas, aprende uma lição valiosa.

MENTE EM DESENVOLVIMENTO

Identificações e associações positivas e negativas

Hábitos e comportamentos

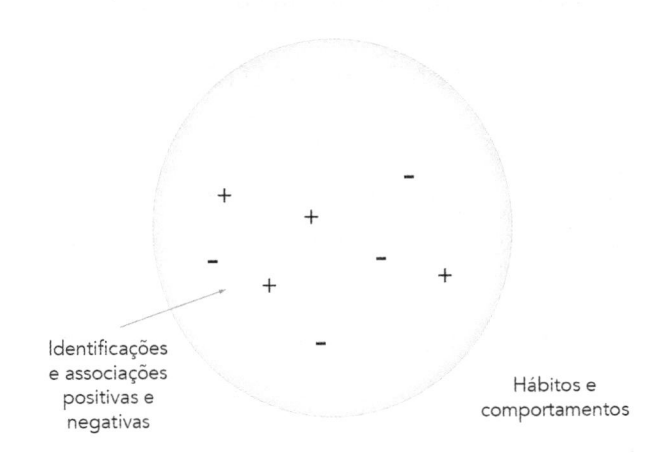

Figura 8F. Com o tempo, começamos a aprender por associação, pelas diferentes interações entre nosso mundo interno e externo por meio de nossos sentidos.

Nos dois exemplos, poderíamos dizer que, no momento em que a criança nota uma alteração química interna no corpo, o cérebro se anima e presta atenção ao que estava no ambiente externo e causou essa alteração, seja prazer ou dor. Esses tipos de identificações e associações começam a desenvolver lentamente muitos hábitos, habilidades e comportamentos.

Como você aprendeu, em torno dos seis ou sete anos de idade, quando as ondas cerebrais mudam para Alfa, a criança começa a desenvolver a mente analítica ou crítica. Para a maioria das crianças, o desenvolvimento da mente analítica normalmente termina entre os sete e doze anos de idade.

A meditação leva da mente analítica para dentro do subconsciente

Na Figura 8G, a linha no alto do círculo é a mente analítica, que atua como uma barreira para separar a mente consciente da subconsciente. Em adultos, essa mente crítica adora raciocinar, avaliar, antecipar, prever, comparar o que sabe com o que está aprendendo ou contrastar o conhecido e o desconhecido. Na maior parte dos casos, quando os adultos estão conscientes, suas mentes analíticas estão sempre trabalhando e, consequentemente, funcionando em algum domínio das ondas Beta.

MENTE ANALÍTICA

5%
MENTE CONSCIENTE
7-12 anos

95%
MENTE SUBCONSCIENTE

Figura 8G. Entre os seis e sete anos de idade, a mente analítica começa a se formar. Ela atua como uma barreira separando a mente consciente da subconsciente, e seu desenvolvimento normalmente termina entre os sete e os doze anos de idade.

8 | Meditação, desmistificando o místico e as ondas do seu futuro

Agora, veja a Figura 8H. Acima da linha que representa a mente analítica está a mente consciente, que é 5% da mente total. É o local da lógica e do raciocínio, que contribui para a nossa vontade, fé, intenções e habilidades criativas.

A mente subconsciente, que constitui cerca de 95% de quem somos, consiste das identificações e associações positivas e negativas que dão origem aos hábitos e comportamentos.

MENTE CONSCIENTE E MENTE SUBCONSCIENTE

MENTE CONSCIENTE
• Lógica
• Raciocínio

Criatividade
• Vontade
• Fé

5%

95%

MENTE SUBCONSCIENTE

Hábitos e comportamentos

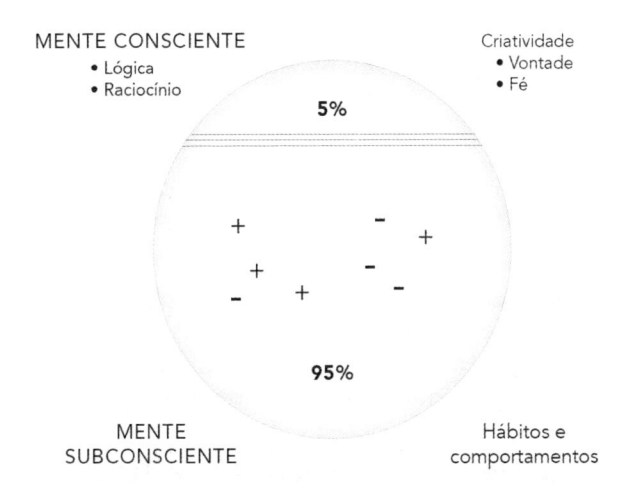

Figura 8H. A mente total é constituída de 5% de mente consciente e 95% de mente subconsciente. A mente consciente opera primariamente usando a lógica e o raciocínio, que fazem surgir nossa determinação, fé, habilidades criativas e intenções. A mente subconsciente compreende nossa miríade de identificações positivas e negativas, que dão origem aos hábitos, comportamentos, habilidades, crenças e percepções.

A Figura 8I ilustra o objetivo mais fundamental da meditação (representado pela seta): ir além da mente analítica. Quando estamos nessa mente, não podemos realmente mudar. Podemos analisar nosso antigo eu, mas não podemos desinstalar os programas antigos e instalar novos.

A meditação abre a porta entre as mentes consciente e subconsciente. Meditamos para acessar o sistema operacional do subconsciente, onde residem todos os hábitos e comportamentos indesejados, e para mudá-los para modos mais produtivos, que nos apoiem em nossa vida.

MEDITAÇÃO – INDO ALÉM DA MENTE ANALÍTICA

MENTE CONSCIENTE
- Lógica
- Raciocínio

5%

MENTE | ANALÍTICA

95%

MENTE SUBCONSCIENTE

Hábitos e comportamentos

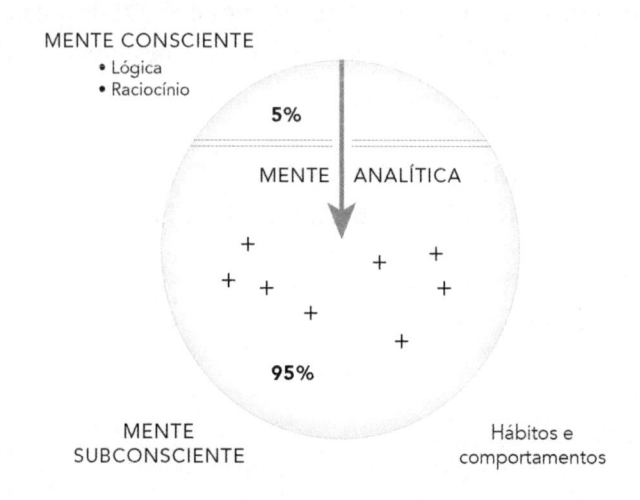

Figura 8I. Um dos principais objetivos da meditação é ir além da mente consciente e acessar a mente subconsciente a fim de mudar hábitos, comportamentos, crenças, reações emocionais, atitudes e estados de ser inconscientes autodestrutivos.

A meditação nos leva de Beta para Alfa e Teta

Vamos examinar como você pode aprender a trocar de marcha e acessar outros estados de onda cerebral, de modo que possa ir além de sua associação com corpo, ambiente e tempo. Você pode naturalmente desacelerar a vigilância de alta velocidade do cérebro e do corpo e entrar em um padrão de ondas cerebrais mais relaxado, ordenado e sistematizado.

Assim, é bastante possível alterar conscientemente suas ondas cerebrais do estado de Beta alto para Alfa e Teta (você pode se treinar para subir e descer na escala das ondas cerebrais). Ao fazer isso, você abre as portas para uma verdadeira mudança pessoal. Você ultrapassa o tipo comum de pensamento alimentado pelas reações desencadeadas pelo modo de sobrevivência; você entra no domínio da mente subconsciente.

8 | Meditação, desmistificando o místico e as ondas do seu futuro

Durante a meditação, você transcende os sentimentos do corpo, não fica mais à mercê do ambiente e perde a noção do tempo. Esquece de si mesmo como uma identidade. Quando fecha os olhos, o *input* do mundo externo é reduzido, e seu neocórtex tem menos coisas para pensar e analisar. Como resultado, a mente analítica começa a se acalmar, e a atividade elétrica no neocórtex é reduzida.

Então, quando você calmamente presta atenção, se concentra e foca de forma relaxada, automaticamente ativa o lobo frontal, o que reduz os disparos sinápticos no restante do neocórtex. Portanto, você diminui o volume nos circuitos do cérebro que processam tempo e espaço. Isso permite às ondas cerebrais desacelerarem naturalmente para Alfa. Você está migrando de um estado de sobrevivência para um estado mais criativo, e seu cérebro naturalmente se recalibra para um padrão de ondas cerebrais mais ordenadas e coerentes.

Uma das últimas etapas da meditação, se você continuar praticando, é migrar para a frequência de onda Teta, quando seu corpo está adormecido, mas sua mente está desperta. Essa é uma terra mágica. Você atinge um sistema mais profundo do subconsciente e é capaz de mudar imediatamente as associações negativas para outras mais positivas.

É importante lembrar que, se você condicionou o corpo a se tornar a mente e seu corpo está de certa forma adormecido enquanto sua mente está desperta, dá para dizer que não há mais resistência do corpo-mente. Em Teta, o corpo não está mais no controle, e você está livre para sonhar, mudar programas subconscientes e finalmente criar a partir de um local totalmente desobstruído.

Quando o corpo não está mais gerindo a mente, o funcionário não é mais o patrão, e você trabalha em um reino de poder verdadeiro. Você é como uma criança novamente, entrando no reino dos céus.

Dormir, talvez descer, depois subir a escada... naturalmente

Quando você vai dormir, passa pelo espectro dos estados de ondas cerebrais, de Beta para Alfa, Teta e Delta. De modo similar, quando acorda pela manhã, naturalmente vai de Delta para Teta, Alfa e Beta, retornando à atenção consciente. Quando volta do submundo e "recobra os sentidos", você se lembra de quem é, dos problemas de sua vida, da pessoa dormindo ao seu lado, da casa que possui, de onde mora... e pronto! Por associação, você está de volta a Beta como o mesmo você.

Algumas pessoas despencam rapidamente por esses níveis, como uma bola de aço caindo do topo de um edifício. Seus corpos estão tão fatigados que a progressão natural escada abaixo rumo aos estados subconscientes acontece rápido demais.

Outras não conseguem trocar as marchas para descer a escada naturalmente até o sono; estão excessivamente focadas nas sugestões que reforçam seus estados emocionais e mentais viciantes. Ficam insones e podem tomar medicamentos para alterar o cérebro e sedar o corpo quimicamente.

De uma forma ou de outra, problemas no sono podem indicar que cérebro e mente estão fora de sintonia.

As melhores horas para meditar: de manhã e à noite, quando a porta para o subconsciente se abre

Como resultado das alterações diárias normais na química cerebral (de forma alternada, o cérebro produz serotonina, essencialmente um neurotransmissor diurno que o deixa alerta, e melatonina, o neurotransmissor noturno que começa a relaxá-lo para o sono), há dois momentos em que a porta para a mente subconsciente se abre – quando você vai para a cama à noite e quando acorda pela manhã. Por isso, é uma boa ideia meditar pela manhã ou à noite, pois será mais fácil deslizar para um estado Alfa ou Teta.

Gosto de acordar cedo para começar o processo, pois, embora ainda esteja meio que sonhando, ainda estou em Alfa também. Pessoalmente, prefiro criar a partir de uma tábua rasa.

Outros preferem tarde da noite. Sabem que o corpo (que estava no controle durante o dia), agora está muito cansado para "ser" a mente. Podem criar sem qualquer esforço, prolongando a fase Alfa e até entrando em Teta enquanto ainda estão despertos.

A meditação no meio do dia pode ser difícil, especialmente se você trabalha em um escritório movimentado, cuida de uma casa com crianças que exigem atenção total ou está envolvido em atividades que requerem concentração intensificada. Nessas horas, você pode estar no meio de Beta alto, e isso pode exigir mais esforço para passar pela porta.

FUNÇÃO DE ONDAS CEREBRAIS

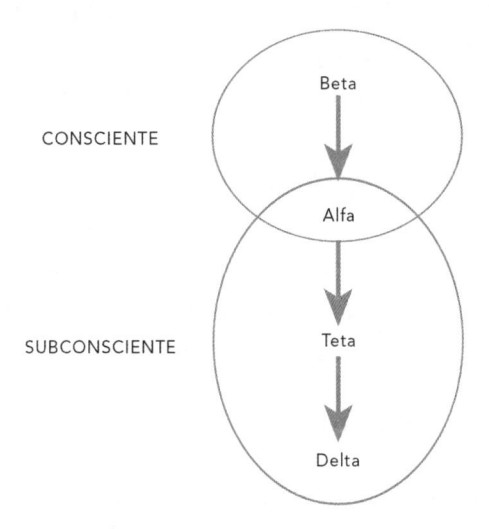

```
                        Beta
                          ↓
CONSCIENTE
                         Alfa
                          ↓
SUBCONSCIENTE            Teta
                          ↓
                         Delta
```

Figura 8J. Este diagrama mostra como nossas funções de ondas cerebrais movem-se do estado de atividade mais alto e rápido (Beta) para o estado mais baixo e lento (Delta). Repare que Alfa serve de ponte entre a mente consciente e a subconsciente. Quanto mais baixas/lentas as ondas cerebrais, mais você está na mente subconsciente; quanto mais altas/rápidas as ondas cerebrais, mais você está na mente consciente.

Assumindo o controle do progresso na meditação

Práticas contemplativas interiores retreinam a mente, o corpo e o cérebro para estar presentes em vez de se estressarem por antecipação por algum evento futuro com o qual você está obcecado. A meditação também levanta a âncora do sistema corpo-mente no passado e liberta das emoções que mantêm você preso à vida com que está familiarizado.

O objetivo na meditação é cair como uma pena do topo de um prédio, de forma lenta e estável. Você primeiro treina para fazer seu corpo relaxar, mas mantém a mente focada. Quando começa a dominar essa habilidade, o objetivo final é deixar o corpo adormecer enquanto sua mente permanece desperta ou ativa.

A progressão é a seguinte: se a consciência desperta é Beta (de baixo a alto, dependendo de seus níveis de estresse), quando você, com a coluna ereta, fecha os olhos, faz uma série de respirações conscientes e se volta para o interior, naturalmente sai do sistema nervoso simpático para o parassimpático. Sai da fisiologia do sistema de proteção de emergência (luta/medo/fuga) para o sistema de proteção interna de construção de projetos de longo prazo (crescimento e reparo). À medida que o corpo relaxa, seus padrões de ondas cerebrais naturalmente começam a migrar para Alfa.

Se feita de forma apropriada, a meditação altera seu cérebro para um padrão de onda mais coerente e ordenado. Você sai do foco nos Três Grandes para o estado sem corpo, sem coisa e sem tempo. Você começa a se sentir conectado, inteiro e equilibrado e experimenta emoções elevadas mais saudáveis de confiança, alegria e inspiração.

Orquestrando a coerência

Se nossa definição de mente é o cérebro em ação ou a atividade do cérebro quando processa diferentes fluxos de consciência, então a meditação naturalmente produz estados mentais mais coerentes e sincronizados.[26]

Por outro lado, quando o cérebro está estressado, sua atividade elétrica é como a de uma orquestra inteira de instrumentos musicais tocando mal. A mente estará fora de ritmo, desequilibrada e desafinada.

Sua função é tocar uma obra-prima. Se você persevera com esse bando de membros desordenados e presunçosos que pensam que seus instrumentos musicais individuais precisam ser ouvidos acima de todos os demais – e se insiste que toquem juntos e sigam sua batuta –, chegará um momento em que eles se renderão a você como regente e tocarão como uma equipe.

Esse é o momento em que as ondas cerebrais ficam mais sincronizadas, mudando de Beta para Alfa e Teta. Mais circuitos individuais começam a se comunicar de modo ordenado e processam uma mente mais coerente. Sua atenção sai do estado limitado, excessivamente focado, obsessivo, compartimentado, com pensamentos de sobrevivência, migrando para pensamentos mais abertos, relaxados, holísticos, presentes, ordenados, criativos e simples. Esse é o estado de ser natural em que deveríamos viver.

Dê uma olhada na coerência ou no que também é chamado de sincronia, o estado em que o cérebro trabalha em harmonia. Pense da seguinte forma: o que se sincroniza em conjunto, une-se em conjunto.

DIFERENÇA ENTRE ONDAS CEREBRAIS COERENTES E INCOERENTES

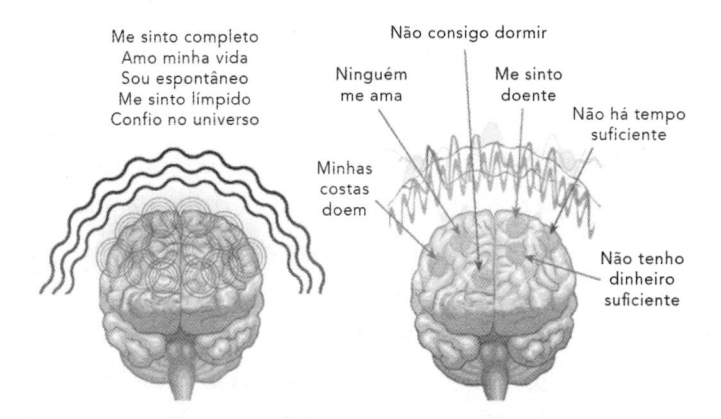

Figura 8K. Na primeira ilustração, o cérebro está equilibrado e altamente integrado. Diversas áreas diferentes estão sincronizadas, formando uma comunidade mais ordenada e holística de redes neurais trabalhando juntas. Na segunda ilustração, o cérebro está desordenado e desequilibrado. Muitos dos vários compartimentos não estão trabalhando em equipe, e o cérebro consequentemente está adoentado e desintegrado.

O cérebro coerente prepara o terreno para a cura

O novo sinal ordenado e sincronizado do cérebro para o corpo organiza os diversos sistemas em homeostase – o sistema cardiovascular, digestivo, imune e todos os demais entram em coerência. Quando o sistema nervoso se recalibra, toda a enorme quantidade de energia que era necessária para a sobrevivência agora pode ser utilizada para a criação. O corpo começa a se curar.

Por exemplo, José, um dos participantes de meus seminários, contou sobre uma das primeiras vezes em que praticou meditação, quando tinha cerca de vinte anos. Naquela época ele tinha dez verrugas do tamanho de azeitonas na mão esquerda. Ficava tão constrangido que muitas vezes escondia a mão no bolso.

Um dia José ganhou um livro sobre meditação. O livro instruía a simplesmente focar na respiração e permitir que a mente se expandisse para além das barreiras do corpo. Certa noite, antes de dormir, ele decidiu tentar o processo. Em questão de minutos, saiu de um estado contraído, excessivamente focado, para um estado aberto, expandido e focado. Quando ele abandonou a personalidade costumeira e se tornou algo diferente de seus pensamentos e sentimentos típicos, saiu dos habituais padrões aleatórios de pensamento dirigidos pelo ego familiar e foi para uma noção expandida de eu. Quando isso ocorreu, alguma coisa mudou.

Na manhã seguinte, quando José acordou, todas as verrugas tinham desaparecido completamente. Chocado e superfeliz, ele procurou vestígios delas nos lençóis, mas não conseguiu encontrar. Ele não sabia para onde as verrugas tinham ido. Disse a ele que elas haviam retornado para o campo quântico de onde provinham. Sugeri que a inteligência universal que mantém a ordem em seu corpo naturalmente havia feito o que sempre faz – criado mais ordem a fim de refletir uma mente mais coerente. Quando a nova mente coerente e subjetiva de José correspondeu à mente superior coerente e objetiva, esse grande poder interno promoveu a cura.

Tudo isso aconteceu porque, quando José saiu do caminho e migrou para o estado sem corpo, sem coisa e fora do tempo – quando se esqueceu de si –, seu foco saiu da desordem sustentada para a ordem sustentada... da sobrevivência para a criação... da contração para a expansão... da incoerência para a coerência. A consciência ilimitada então restaurou a ordem em seu corpo, e ele foi curado.

Meditação mais ação: a trajetória de uma mulher para fora do estado de carência

Em meus *workshops*, frequentemente peço aos participantes que compartilhem suas histórias surpreendentes de mudança de vida. Monique, uma terapeuta de Montreal, Quebec, descreveu sua experiência notável.

Na maior parte da vida adulta, Monique havia vivido inconscientemente em um estado quase constante de carência. Sem dinheiro suficiente. Sem energia suficiente. Sem tempo suficiente para fazer as coisas que queria. Agora estava passando por uma fase particularmente difícil: o aluguel de sua sala comercial havia subido consideravelmente (a casa dela não poderia acomodar o espaço de trabalho), ela e o marido não tinham condições de mandar o filho para a faculdade que ele queria, a lavadora de roupas precisava ser substituída, e a economia instável havia forçado vários de seus clientes a interromper o tratamento.

Um dia, enquanto fazia a meditação que você vai aprender neste livro e ponderava sobre suas escolhas pessoais, Monique concluiu que não podia continuar fazendo o que normalmente fazia – se encolher e esperar a tempestade passar com uma mentalidade pseudopositiva de "ai de mim, mas as coisas poderiam ser piores". Ela reconheceu que sempre tomara decisões ou buscara soluções de problemas a partir de uma perspectiva de carência – carência de tempo, de dinheiro e de energia. Havia memorizado esse estado de ser, a carência tornara-se sua personalidade. Epítome da inércia, ela tendia a "deixar as coisas se acomodarem por si". Ironicamente, Monique trabalhava com seus clientes para que superassem essas mesmas características e fossem mais proativos e menos reativos.

Com grande determinação, ela decidiu mudar sua personalidade. Não mais deixaria a vida passar por cima dela nem permitiria que as coisas simplesmente acontecessem.

A seguir, Monique criou um modelo de quem queria ser, como queria pensar e o que queria sentir. Imaginou-se como uma mulher que fazia todas as suas escolhas com abundância de energia, tempo e dinheiro. Mais importante, seu objetivo de se tornar essa pessoa era firme, e sua visão, precisa. Ela sabia quem não queria mais ser e tinha planos definidos para como seu novo eu pensaria, sentiria e se comportaria.

Quando tomamos uma decisão firme e temos a clara intenção de como será a nossa nova realidade, a clareza e a coerência desses pensamentos produzem emoções correspondentes. Como resultado, nossa química interna muda, nossa composição neurológica é alterada (podamos antigas conexões sinápticas e fazemos brotar novas) e até expressamos nosso código genético de modo diferente.

Monique começou a viver a vida a partir da perspectiva de alguém que tinha bastante dinheiro, energia em abundância e cujas necessidades era todas atendidas. Sentia-se maravilhosa. Com certeza nem todos os problemas do seu catálogo de preocupações haviam desaparecido, mas ela estava ficando melhor por viver com uma mentalidade diferente.

Várias semanas depois de ter tomado sua decisão firme, Monique estava trabalhando com a última cliente do dia. A mulher, que havia crescido na França, recordou que todos os meses seus pais compravam um bilhete da loteria francesa, tradição que ela mantinha.

Ao dirigir para casa naquela noite, Monique não estava pensando na loteria. Nunca havia jogado, acreditando que, com seus limitados recursos financeiros, um gasto desses era frívolo. Parou para abastecer o carro e, ao entrar na loja do posto para pagar, no balcão havia cartões de vários jogos de loteria. Num impulso, reconhecendo que a nova Monique, que vivia em abundância, tinha recursos para tentar a sorte, comprou um bilhete.

Monique parou em uma pizzaria local para pegar o jantar daquela noite e ao chegar em casa a loteria havia saído de sua mente. Ao pegar a pizza, descobriu que a gordura havia encharcado a caixa, grudado o bilhete de loteria e manchado o assento de passageiro. Colocou a caixa na mesa de jantar, com o tíquete junto. Disse à família para começar a comer sem ela, que iria para a garagem tratar da mancha de gordura. Enquanto limpava o banco do carro, seu marido veio correndo.

"Você não vai acreditar! Seu bilhete de loteria foi sorteado!"

Bem, você há de lembrar que, quando o campo quântico responde, o faz de um modo que não se poderia prever. Talvez você esteja pensando: "Claro, ela ganhou uma fortuna e viveu feliz desde então".

Não exatamente.

Monique ganhou US$ 53 mil. Ficou feliz? Atônita é uma palavra mais apropriada. O casal devia exatos US$ 53 mil no cartão de crédito e no financiamento do carro.

Monique transmitiu seu entusiasmo ao contar essa história, mas astutamente admitiu que na próxima ocasião, em vez de manter a intenção de que todas as suas necessidades fossem atendidas, iria imaginar que fossem atendidas – e algo mais.

• • •

O que a história de Monique ilustra é o poder de criar um novo estado de ser. Ela não conseguiria fazer isso apenas imaginando que era uma nova pessoa; ela teve de colocar o novo eu em ação. A antiga Monique não teria comprado um bilhete de loteria; sua nova personalidade alinhou seu comportamento com o objetivo, e o campo respondeu de modo inteiramente inesperado, se bem que perfeitamente apropriado.

Como Monique desenvolveu uma nova personalidade que agarrava oportunidades e agia de um jeito diferente, ela experimentou novos e melhores resultados em sua vida. Nova personalidade, nova realidade pessoal.

É claro que você não precisa ganhar na loteria para mudar sua vida. Mas deve tomar a decisão de parar de ser seu antigo eu, entrar no sistema operacional que aloja os programas inconscientes e então formular um projeto claro de um novo eu.

O cérebro coerente: levando-o para a rua

Antes de fechar este capítulo, quero trazer um tópico que mencionei em *Evolve Your Brain* – monges budistas estudados na Universidade de Wisconsin, em Madison. Esses "supermeditadores" conseguiam entrar num estado de ondas cerebrais coerentes bem além do que a maioria de nós consegue. Quando meditavam sobre pensamentos de amor, bondade e compaixão, a coerência do sinal que emitiam era praticamente fora de série.

Durante o estudo, os monges meditavam todas as manhãs enquanto os pesquisadores monitoravam a atividade de suas ondas cerebrais. Depois disso, os monges iam para o *campus* e para a cidade fazer o que quisessem – visitar museus, ir a lojas, qualquer coisa. Depois de retornar para o centro de pesquisa, passavam por varreduras cerebrais novamente, mas sem meditar. Surpreendentemente, apesar de não meditarem ao longo do dia e de estarem submetidos aos sinais caóticos e incoerentes a que o mundo exterior nos expõe, eles mantinham os padrões cerebrais coerentes que haviam alcançado na meditação.[27]

Quando enfrenta a profusão e a confusão de estímulos produzidos pelo mundo externo, a maioria de nós recua para o modo de sobrevivência e produz as substâncias químicas do estresse. Essas reações de estresse são como desreguladores que embaralham os sinais cerebrais. Nosso objetivo é nos tornamos parecidos com os monges. Se conseguirmos produzir padrões de sinais coerentes – ondas sincrônicas – dia após dia, descobriremos que a coerência do sinal se manifesta em algo tangível.

Se, como aqueles monges, você com o tempo consegue criar coerência interna repetidamente, também pode ir para o ambiente externo e não mais sofrer os efeitos autolimitantes dos estímulos desreguladores. Por causa disso, não vai experimentar as reações reflexas que anteriormente o forçavam a retornar ao antigo eu familiar que você tanto quer mudar.

Persistindo na meditação e criando coerência interna, você não apenas remove uma porção de condições físicas negativas que molestam seu corpo, como também consegue progredir rumo ao eu ideal que visualizou. Sua coerência interna pode combater estados emocionais de reações negativas e permitir que você desmemorize os comportamentos, pensamentos e sentimentos que os constituem.

Quando você atinge um estado neutro/vazio, é bem mais fácil se engajar em um estado intensificado como a compaixão; é mais fácil implementar alegria, amor ou gratidão puros ou qualquer um dos estados emocionais elevados. Isso porque essas emoções já são profundamente coerentes. E, quando avança pelo processo meditativo e produz um estado de onda cerebral que reflete essa pureza, você começa a dominar o corpo, o ambiente e o tempo que outrora produziam seus estados emocionais autolimitantes. Eles não mais o controlam; é você que os controla.

Tendo incorporado o conhecimento, você está preparado para a experiência

Agora você está equipado com o conhecimento necessário para avançar para a meditação discutida na Parte III, com pleno entendimento do que estará fazendo e por quê.

Lembre-se de que o conhecimento é o precursor da experiência. Todas as informações que você leu foram colocadas aqui a fim de prepará-lo para uma experiência. Quando aprender a meditar e aplicar isso à sua vida, você deve começar a ver retorno. Na seção que se segue, você aprenderá a colocar tudo isso em prática e a começar a fazer mudanças mensuráveis em qualquer área de sua vida.

Isso me faz lembrar a jornada em dois estágios que vários alpinistas empreendem quando sobem o monte Rainier, no estado de Washington, um dos vulcões mais altos do país (4,4 mil metros de altitude). Deixando os carros no Paradise Jackson Visitor Center (1,6 mil metros), primeiro fazem uma trilha até Camp Muir (três mil metros). A parada nesse acampamento-base oferece a eles a oportunidade de rever todo o terreno que cobriram, avaliar o que aprenderam com a preparação e a experiência da caminhada, receber treinamento prático adicional e descansar durante a noite. Essa visão geral pode fazer toda a diferença quando empreenderem a subida até o majestoso pico do Rainier.

O conhecimento que você adquiriu permitiu subir até aqui. Agora você está preparado para aplicar tudo o que aprendeu. E a sabedoria recém-adquirida deve inspirá-lo a avançar para a Parte III, onde pode dominar as habilidades para mudar sua mente e, com isso, sua vida.

Assim, convido-o para fazer uma breve pausa, olhar e valorizar toda a informação adquirida nas partes I e II e, se necessário, revisar quaisquer áreas que considere importantes... e então juntar-se a mim na preparação final para a jornada meditativa rumo ao seu cume pessoal.

PARTE III

OS PASSOS RUMO AO SEU NOVO DESTINO

CAPÍTULO 9

O processo meditativo
Introdução e preparação

Como afirmei anteriormente, o objetivo principal da meditação é tirar sua atenção de seu ambiente, de seu corpo e da passagem do tempo, de modo que o que você pretende e o que você pensa passam a ser seu foco e não esses fatores externos. Você pode mudar seu estado interno independentemente do mundo externo. Meditar é também um meio de transcender sua mente analítica para poder acessar sua mente subconsciente. Isso é crucial, pois é no subconsciente que estão localizados todos os hábitos e comportamentos ruins que você quer mudar.

Introdução

Todas as informações que você recebeu até aqui têm a intenção de ajudá-lo a entender o que você estará fazendo nesta seção à medida que aprende a utilizar o processo meditativo para criar uma nova realidade. E, uma vez que compreenda e execute repetidamente as etapas de "como fazer" aqui apresentadas, você pode então trabalhar em qualquer coisa que queira mudar em sua vida. Lembre-se de que, ao dar os passos para mudar, você está podando o hábito de ser você mesmo a fim de que possa criar uma nova mente para o seu novo futuro. Quando eu passo pelo processo que você está prestes a aprender, minha vontade é de me perder na consciência, de me dissociar de minha realidade conhecida e ficar desprovido dos pensamentos e sentimentos que me definem como meu antigo eu.

No começo, a novidade da tarefa que você está realizando pode lhe deixar agitado ou desconfortável. Tudo bem. É seu corpo, que se tornou sua mente, resistindo ao novo processo de treinamento. Entenda isso antes de iniciar sua disciplina e relaxe – cada etapa é concebida para ser de fácil entendimento e simples de seguir. Pessoalmente, anseio por minha prática de meditação tanto quanto por qualquer coisa que faço. Encontro tamanha ordem, paz, clareza e inspiração que raramente falho um dia. Levei um tempo para chegar a esse relacionamento, de modo que, por favor, seja paciente consigo.

Transformando pequenos passos em um hábito fácil

Sempre que aprendeu algo novo que exigiu sua atenção completa e comprometimento com a prática, você provavelmente seguiu etapas específicas durante a instrução inicial. Isso facilita fragmentar as complexidades da habilidade ou tarefa em mãos, de modo que a mente possa permanecer focada sem ser sobrecarregada. Claro que em qualquer iniciativa seu objetivo é memorizar o que está aprendendo a fim de eventualmente poder fazê-lo naturalmente, sem esforço e de modo subconsciente. Basicamente, você quer transformar a nova habilidade em um hábito.

É mais fácil compreender e executar qualquer nova habilidade quando, por repetição, você domina uma pequena tarefa ou procedimento de cada vez e depois passa para o próximo. Com o tempo, você encordoa todas as etapas como parte de um processo coordenado. O sinal de que você está no caminho certo é quando todos os passos começam parecer um movimento fácil e fluido e você produz o resultado pretendido. Esse é o seu objetivo ao aprender essa meditação como um processo passo a passo.

Por exemplo, ao aprender a dar uma tacada em uma bola de golfe, há uma série de dicas que sua mente deve processar a fim de que suas ações correspondam a suas intenções. Imagine que, enquanto você está se preparando para jogar pela primeira vez, seu melhor amigo grite: "Mantenha a cabeça abaixada! Dobre os joelhos! Ombros para trás e costas eretas! Mantenha o braço da frente reto, mas afrouxe a pegada! Transfira seu peso quando girar! Bata na parte traseira da bola e foi!". E a minha favorita: "Relaxe!".

Todas essas instruções de uma vez só podem lançá-lo em um estado de paralisia. E se em vez disso você trabalhasse em uma coisa de cada vez, seguindo uma ordem metódica? Com o tempo, parece lógico que sua tacada pareceria um movimento único.

De modo semelhante, se estivesse aprendendo a preparar uma receita francesa, você começaria seguindo as etapas uma a uma. Fazendo isso suficientes vezes, chegaria um momento em que você não mais prepararia a receita em etapas separadas, mas como um processo contínuo. Você integraria as instruções em sua mente-corpo, fundiria várias etapas em apenas algumas e por fim prepararia o prato na metade do tempo. Você passaria do pensar ao fazer – seu corpo teria memorizado o que você estava fazendo, bem como sua mente – e você seria um cozinheiro. Isso é uma memória procedimental. Esse fenômeno ocorre quando você faz qualquer coisa por um tempo suficiente. Você começa a saber que sabe como fazer.

Criando uma rede neural para a meditação

Lembre-se de que, quanto mais conhecimento você tem, mais bem preparado está para uma nova experiência. Cada passo de meditação que você praticar terá um significado baseado no que você aprendeu anteriormente neste livro; cada um deles baseia-se em um entendimento científico ou filosófico, de modo que não há margem para conjecturas. As etapas são apresentadas em uma ordem específica, concebida para ajudar a memorizar esse processo de mudança pessoal.

Embora eu tenha esquematizado uma sugestão de programa de quatro semanas para você aprender todo o processo, use o tempo que for necessário para praticar cada passo até ele se tornar familiar. O melhor ritmo a estabelecer é o que seja confortável, de modo que você jamais se sinta sobrecarregado.

Você começará cada sessão pelas etapas aprendidas anteriormente, depois vai praticar o novo material da semana. Como é mais efetivo aprender algumas etapas juntas, algumas semanas vão requerer que você pratique dois ou mais novos passos. Também recomendo que você pratique atentamente cada nova etapa ou grupo de etapas pelo menos por uma semana antes de passar para a próxima. Em poucas semanas você terá construído uma bela rede neural de meditação!

Programa sugerido de quatro semanas

1ª semana (Capítulo 10): pratique o 1º passo (indução) todos os dias.

2ª semana (Capítulo 11): comece cada sessão diária praticando de novo o 1º passo, depois acrescente o 2º (reconhecer), o 3º (admitir e declarar) e o 4º (entregar).

3ª semana (Capítulo 12): comece cada sessão diária praticando novamente do 1º ao 4º passo, depois acrescente o 5º (observar e lembrar) e o 6º (redirecionar).

4ª semana (Capítulo 13): comece cada sessão diária praticando novamente do 1º ao 6º passo, depois acrescente o 7º (criar e ensaiar).

Utilize o tempo necessário e construa uma base sólida. Se você já é um meditador experiente e quiser fazer mais etapas de uma vez só, tudo bem, mas siga todas as instruções e memorize o que fizer.

Quando consegue se concentrar no que está fazendo sem deixar os pensamentos vagarem para qualquer estímulo externo, você chega a um ponto em que seu corpo efetivamente se alinha com sua mente. Sua nova habilidade fica então cada vez mais fácil de ser executada graças à lei de disparos e conexões de Hebb. Os elementos de aprendizado, atenção, instrução e prática repetida desenvolvem uma rede neural associada para refletir suas intenções.

Preparando suas ferramentas

MATERIAL ESCRITO. Em paralelo às sessões de meditação, você lerá um texto descritivo sobre cada passo, acompanhado geralmente de perguntas e lembretes sob o título "Oportunidade para escrever". Recomendo que você mantenha um bloco de notas à mão para anotar suas respostas.

9 | O processo meditativo: introdução e preparação

Depois repasse as respostas antes da meditação de cada dia. Dessa forma, seus pensamentos escritos podem servir de mapa para navegar pelos procedimentos meditativos com os quais acessará o sistema operacional de seu subconsciente.

MATERIAL PARA OUVIR. Quando estiver aprendendo as etapas da meditação, talvez você queira ouvir sessões guiadas pré-gravadas. Por exemplo, você aprenderá uma técnica de indução que utilizará em todas suas sessões diárias para ajudar a atingir o estado altamente coerente de onda cerebral Alfa na preparação para a abordagem do que é enfocado nos capítulos 11, 12 e 13. Além disso, as etapas que você vai aprender a cada semana estão disponíveis para ser seguidas em uma série de meditações guiadas.

Duas abordagens para a meditação

Opção 1: sempre que você vê esse ícone de fone de ouvido...

... uma meditação guiada está disponível. Você pode baixar do site www.drjoedispenza.com e reproduzir no formato MP3 ou gravar num CD.

Após ler cada capítulo e anotar suas respostas num caderninho, você pode ouvir a meditação correspondente. A cada semana, ao adicionar novos passos ao que praticou na semana anterior, você pode adicionar a meditação guiada correspondente.

Por exemplo, ao ouvir a meditação da 2ª semana, ela vai conduzi-lo pela etapa da 1ª semana – que é uma técnica de indução – e adicionar as três etapas que você praticará na 2ª semana. Quando praticar a meditação da 3ª semana, você repetirá os passos que aprendeu nas 1ª e 2ª semanas e adicionará os da 3ª semana.

Opção 2: alternativamente, os apêndices deste livro incluem roteiros para as sessões guiadas; portanto, você pode lê-los até memorizar a sequência ou ditá-los em um gravador.

Os apêndices A e B fornecem duas técnicas de indução, e o C é o roteiro integral da meditação, englobando todas as etapas que você aprenderá na Parte III. Se decidir utilizar o roteiro do Apêndice C para orientar sua meditação, a cada semana comece com os passos que aprendeu nas semanas anteriores e acrescente a meditação da semana.

PARTE III | OS PASSOS RUMO AO SEU NOVO DESTINO

Preparando seu ambiente

LOCAL, LOCAL, LOCAL. Você aprendeu que superar seu ambiente é uma etapa crítica para quebrar o hábito de ser você mesmo. Encontrar o ambiente correto para meditar com o mínimo de distrações realmente dá a você uma vantagem para derrotar o primeiro dos Três Grandes (cobriremos os outros dois, o corpo e o tempo, em seguida). Escolha um local confortável onde possa ficar sozinho e não seja seduzido pelos vícios do mundo exterior. Torne-o isolado, privado e de fácil acesso. Vá a esse lugar todos os dias e transforme-o em seu local especial. Você estabelecerá uma forte conexão com esse cenário. Ele representará o lugar que você frequenta para domar o ego distraído, superar o antigo eu e forjar um novo destino. Com o tempo, realmente vai aguardar ansioso para estar lá.

Uma participante de um evento que conduzi me disse que sempre adormecia quando meditava. Nossa conversa foi assim:

"Onde você pratica o treinamento de sua mente?"

"Na cama."

"O que a lei da associação diz sobre sua cama e dormir?"

"Associo minha cama com dormir."

"O que a lei da repetição demonstra sobre dormir em sua cama todas as noites?"

"Se eu durmo no mesmo local todas as noites, estou conectando uma associação de cama com dormir."

"Dado o fato de que as redes neurais são formadas pela combinação da lei da associação com a lei da repetição, você poderia ter formado uma rede neural no sentido de que cama significa dormir? E, como as redes neurais são programas automáticos que utilizamos todos os dias de modo inconsciente, é razoável dizer que, quando você está em sua cama, seu corpo (como a mente) automática e inconscientemente diz para cair no sono?"

"Sim, acredito que preciso de um melhor lugar para meditar!"

Não apenas sugeri para que ela ficasse fora da cama quando meditasse, como que encontrasse um local diferente, separado do quarto. Quando desejamos construir uma nova rede neural, é de bom senso realizar as

9 | O processo meditativo: introdução e preparação

práticas de atenção plena em um cenário que represente crescimento, regeneração e um novo futuro.

E, por favor, não veja esse local como uma câmara de tortura no qual você tem de meditar. Esse tipo de atitude enfraquecerá seus esforços.

EVITE DISTRAÇÕES NO SEU AMBIENTE. Assegure-se de que você não será interrompido ou distraído por pessoas (um aviso de "Não perturbe" pode ajudar) ou animais de estimação. Na medida do possível, elimine os estímulos sensoriais que poderiam forçar o retorno de sua mente à sua antiga personalidade ou à atenção no mundo exterior, particularmente a elementos de seu ambiente familiar. Desligue seu telefone e o computador; sei que é difícil, mas ligações, mensagens de texto, tuítes, mensagens instantâneas e e-mails podem esperar. Você também não quer que o aroma de café sendo passado ou de comida sendo preparada invadam seu ambiente de meditação. Certifique-se de que o recinto tenha uma temperatura agradável, sem correntes de ar. Eu normalmente utilizo uma venda para os olhos.

MÚSICA. A música pode ser útil, contanto que você não use seleções musicais com associações que distraiam a mente. Se eu toco música, normalmente utilizo melodias suaves, relaxantes, instrumentais, indutoras de transe ou canções sem letras. Quando não ouço música, costumo usar tampões de ouvido.

Preparando seu corpo

POSIÇÃO, POSIÇÃO, POSIÇÃO. Eu me sento bem ereto. Minhas costas ficam totalmente na vertical, mantenho o pescoço ereto, os braços e pernas estáveis e imóveis, o corpo relaxado. Que tal usar uma poltrona reclinável? A exemplo do que acontece quando se sentam na cama, muitas pessoas adormecem em poltronas reclináveis. Sentar ereto em uma cadeira normal, com os membros não cruzados, é o melhor. Se você prefere sentar no chão e cruzar as pernas no "estilo indiano", também está ótimo.

EVITE DISTRAÇÕES DE CORPO. De fato, você deseja "tirar o corpo do caminho", de modo que possa focar sem prestar atenção nele. Por exemplo, vá ao banheiro antes. Vista roupas folgadas, tire o relógio, beba um pouco de água e tenha mais ao alcance. Atente para indícios de fome antes de começar.

Cabecear *versus* não cabecear. Como estamos falando do corpo, deixe-me abordar uma questão que pode surgir em sua prática de meditação. Embora sentado ereto, você pode dar por si cabeceando, como se estivesse prestes a adormecer. Isso é um bom sinal: você está indo para os estados de ondas cerebrais Alfa e Teta. Seu corpo está acostumado a deitar quando suas ondas cerebrais desaceleram. Quando você cabeceia repentinamente dessa forma, seu corpo quer cochilar. Com a continuação da prática, você se acostumará à desaceleração do cérebro enquanto está sentado ereto. Esse cabeceio eventualmente cessará, e seu corpo não tenderá a adormecer.

Arranjando tempo para meditar

Quando meditar. Como você sabe, alterações diárias na química do cérebro resultam em acesso mais fácil à mente subconsciente logo após você acordar pela manhã e antes de ir para a cama à noite. Esses são os melhores horários para meditar porque você pode migrar mais facilmente para os estados Alfa ou Teta. Prefiro meditar perto do mesmo horário todos os dias pela manhã. Se você está realmente entusiasmado e quer meditar em ambos os horários, vá firme. No entanto, sugiro que os iniciantes comecem com apenas uma vez por dia.

Quanto tempo meditar. Reserve alguns minutos antes da sessão diária de meditação para revisar as anotações que você preparou referente às etapas que deverá praticar – como eu disse, pense nessas notas como um mapa para a jornada que está prestes a iniciar. Você também pode considerar útil reler trechos deste livro – para lembrá-lo do que está prestes a fazer – antes de entrar na meditação.

Enquanto você está aprendendo o processo, cada sessão começará com 10 a 20 minutos de indução. À medida que adiciona as etapas, o período de tempo deve aumentar em cerca de 10 a 15 minutos por etapa. Com o tempo, você avançará mais rapidamente pelas etapas com que já está familiarizado. Quando aprender a fazer todas as etapas do processo, sua meditação diária (incluindo a indução) geralmente levará de 40 a 60 minutos.

Se você precisa concluir a sessão em certo horário, ative um *timer* para disparar dez minutos antes dessa hora. Será uma "notificação" para completar a sessão, em vez de ter de parar abruptamente sem fechar o que estava fazendo. E reserve tempo suficiente para meditar, de modo que o relógio não se torne uma preocupação. Afinal, se você está meditando e dá por si pensando no relógio, você não superou o tempo. Essencialmente, você pode ter de acordar mais cedo ou dormir mais tarde a fim de arranjar um espaço em seu dia.

Preparando seu estado mental

DOMINANDO O EGO. Para ser honesto, tem aqueles dias em que combato meu ego com unhas e dentes, visto que ele quer estar no controle. Em algumas manhãs, quando começo o processo, minha mente analítica começa a pensar em voos que devo pegar, reuniões com a equipe, pacientes lesionados, relatórios e artigos que preciso escrever, meus filhos e suas complexidades, ligações telefônicas que tenho de fazer e pensamentos aleatórios do nada que pipocam em minha cabeça. Fico obcecado por todas as coisas previsíveis em minha vida externa. Minha mente, como a da maioria das pessoas, ou está antecipando o futuro ou lembrando do passado. Quando isso ocorre, tenho de me acalmar e perceber que tudo isso são associações conhecidas que não têm nada a ver com criar algo novo no momento presente. Se isso acontece com você, sua tarefa é ir além do tédio do pensamento normal e entrar no momento criativo.

DOMINANDO O CORPO. Se o seu corpo corcoveia como um garanhão desenfreado porque quer ser a mente – levantar e fazer alguma coisa, pensar em algum lugar que precisa ir no futuro ou lembrar de uma experiência emocional passada com alguma pessoa em sua vida –, você deve tranquilizá-lo no momento presente e relaxá-lo. A cada vez que faz isso, você está recondicionando seu corpo para uma nova mente, e com o tempo ele vai aquiescer. O corpo foi condicionado por uma mente inconsciente e precisa ser retreinado por você – portanto, ame-o, trabalhe e seja gentil com ele. O corpo enfim se renderá a você como o mestre dele. Lembre-se de ser determinado, persistente, entusiasmado, alegre, flexível e inspirado. Quando faz isso, você está alcançando as mãos do divino.

Agora, vamos começar...

CAPÍTULO 10

Abra a porta para o estado criativo
(1ª semana)

Em um momento anterior de minha carreira profissional, aprendi e eventualmente ensinei hipnose e auto-hipnose. Uma das técnicas utilizadas pelos *experts* em hipnose para deixar os indivíduos em um suposto transe é chamada indução. Colocado de forma simples, ensinamos as pessoas a alterar suas ondas cerebrais. Tudo que se precisa para ser hipnotizado ou para hipnotizar é baixar de Beta médio até um estado Alfa ou Teta, mais relaxados. Assim, meditação e auto-hipnose são semelhantes.

Eu poderia ter incluído a indução com a informação preparatória no capítulo anterior, pois ela prepara para a entrada em um estado de onda coerente propício à meditação. Ao dominar a indução, você construirá uma fundação sólida para as práticas meditativas que aprenderá nas próximas etapas. No entanto, diferentemente dos preparativos que fará antes de começar a meditação diária, tal como desligar o telefone e colocar seu cachorro ou gato em um outro aposento, a indução é um passo que você incluirá durante a sessão – de fato, deve ser o primeiro a ser dominado e dará início a cada sessão.

Apenas para evitar qualquer confusão, após a abertura de cada sessão meditativa com a indução você não estará no que a indústria de entretenimento enganosamente retrata como um transe hipnótico. Você estará perfeitamente preparado e apto para completar todas as etapas do processo apresentadas ao longo dos próximos três capítulos.

1ª PASSO: INDUÇÃO

Indução: abra a porta a seu estado criativo

Insisto em que você passe ao menos uma semana de sessões diárias, ou mais, se necessário, devotado à prática da indução. Lembre-se de que esse processo tomará os primeiros 20 minutos de cada sessão de meditação. Você precisa que essa prática se torne um hábito familiar e confortável, de modo que não se apresse ao realizá-la. Seu objetivo é "permanecer presente".

PREPARAÇÃO PARA A INDUÇÃO. Além dos aspectos da preparação discutidos anteriormente, seguem mais algumas dicas: primeiro, sente-se de forma ereta e feche os olhos. Assim que faz isso, bloqueando a entrada de alguns *inputs* sensoriais/ambientais, suas ondas cerebrais diminuem de frequência, movendo-se para o estado Alfa desejável. A seguir entregue-se, permaneça presente e ame-se o suficiente para prosseguir por esse processo. Você pode verificar que música relaxante ajuda na progressão de Beta alto para Alfa, embora não seja necessário utilizar sons.

TÉCNICAS DE INDUÇÃO. Existem muitas variações semelhantes nas técnicas de indução. Quer você use a indução pelas partes do corpo ou a indução por imersão na água, alterne-as dia sim, dia não, empregue algum outro método que utilizou no passado ou conceba um método completamente diferente, isso não é importante. O que importa é você mudar do estado analítico de Beta para o estado sensorial de Alfa e focar no corpo, que é a mente subconsciente e o sistema operacional onde você pode fazer as mudanças desejadas.

Visão geral: indução pelas partes do corpo

Essa técnica de indução a princípio pode parecer contraditória – focar a atenção em seu corpo e seu ambiente. Esses são dois dos Três Grandes que é preciso superar, mas, neste caso, você está no controle de seus pensamentos sobre eles.

Por que é desejável focar no corpo? Lembre-se, ele e a mente subconsciente se fundiram. Assim, quando ficamos agudamente cientes do corpo e das sensações relacionadas a ele, entramos na mente subconsciente. Estamos naquele sistema operacional que menciono com frequência. A indução é uma ferramenta que pode ser utilizada para entrar nesse sistema.

O cerebelo desempenha um papel na propriocepção (percepção de como nosso corpo está posicionado no espaço). Portanto, nessa indução, como repousa sua percepção em diferentes partes de seu corpo no espaço e no espaço em torno de seu corpo no espaço, você utiliza o cerebelo para executar essa função. E, como o cerebelo abriga a mente subconsciente, ao colocar sua consciência no local em que seu corpo está orientado no espaço, você acessa sua mente subconsciente e dribla seu cérebro pensante.

Além disso, a indução desliga as funções da mente analítica, forçando a entrada no modo perceber/sentir. Os sentimentos são a linguagem do corpo que, por sua vez, é a mente subconsciente, de modo que a indução permite que você utilize a linguagem natural do corpo para interpretar e mudar a linguagem do sistema operacional. Em outras palavras, se você sentisse ou colocasse a atenção em aspectos diferentes de seu corpo, pensaria menos, os pensamentos analíticos oscilariam menos do passado para o futuro e você ampliaria mais o foco para abranger um escopo muito diferente – não estreitamente obsessivo, mas sim criativo e aberto – e migraria de Beta para Alfa.

Tudo isso acontece quando você migra daquela faixa estreita de atenção para um foco expandido no corpo e no espaço que o circunda. Os budistas referem-se a isso como foco aberto, ocorrendo quando ondas cerebrais ficam naturalmente ordenadas e sincronizadas.[28] O foco aberto produz um novo e poderoso sinal coerente que possibilita a partes do cérebro que não estavam se comunicando com outras partes a fazê-lo. Isso permite a você produzir um sinal extremamente coerente. Embora seja possível medir isso com uma varredura do cérebro, o mais importante é que você pode sentir a diferença na clareza e no foco de seus pensamentos, intenções e sentimentos.

Indução pelas partes do corpo: como fazer[29]

Especificamente, você focará na localização ou orientação de seu corpo no espaço. Por exemplo, pense na localização de sua cabeça, começando pelo topo e descendo gradualmente. À medida que a indução progride de uma parte do corpo para outra, sinta e fique ciente do espaço que cada parte ocupa. Perceba também a densidade, o peso (massa) ou o volume do espaço ocupado. Ao focar a atenção no couro cabeludo, a seguir no nariz, orelhas etc., descendo até focar na planta dos pés, você notará algumas mudanças. Esse movimento de uma parte para outra e a ênfase nos espaços dentro dos espaços é a chave do processo.

A seguir, fique ciente da área em formato de lágrima que circunda seu corpo e do espaço que ela ocupa. Quando você consegue sentir essa área do espaço em torno de seu corpo, sua atenção não está mais no seu corpo. Agora, você não é o seu corpo, mas algo maior. É assim que você se torna menos corpo e mais mente – menos partícula, mais energia.

Finalmente, fique ciente da área que o recinto em que você está ocupa no espaço. Sinta o volume que ele preenche. Quando você atinge esse ponto, o cérebro começa a alterar seus padrões desordenados de onda para padrões mais equilibrados e ordenados.

O porquê

Podemos medir essas diferenças em como você está pensando – podemos visualizar seus padrões de pensamento com um EEG para ver como você mudou da atividade em Beta para Alfa. No entanto, não estamos interessados apenas em levá-lo até um estado Alfa de qualquer natureza; você tem que entrar em um Alfa extremamente coerente, organizado. Por isso, você se concentra primeiro no corpo e em sua orientação no espaço, depois se move dessas partes individuais para o volume ou o perímetro do espaço circundante ao corpo e por fim foca a observação em todo o recinto. Se você consegue sentir essa densidade do espaço, se consegue notá-la e prestar atenção nela, você naturalmente muda de um estado de pensamento para sentimento. Quando isso ocorre, é impossível manter o estado Beta alto que caracteriza o modo emergencial de sobrevivência e uma condição excessivamente focada.

Indução por imersão em água[30]

Outra técnica de indução semelhante que você pode utilizar é imaginar a água entrando no recinto onde você está sentado e subindo gradualmente. Observe (sinta) o espaço em que o recinto está situado e o espaço que a água ocupa. A princípio, a água sobe até cobrir seus pés, avança até as canelas e joelhos, transborda deles para o seu colo, avança para o abdômen e o peito, cobrindo seus braços, subindo até o pescoço... passando o queixo, lábios e cabeça... até encher todo o recinto. Algumas pessoas podem não gostar da ideia de serem cobertas completamente por água, mas outras consideram essa técnica tranquilizadora, acolhedora e convidativa.

1ª semana
Guia para a meditação

A título de lembrete: durante as meditações da 1ª semana, sua tarefa é praticar a técnica de indução. Se você mesmo gravar a indução, certifique-se de repetir as mesmas perguntas que forneci nas instruções da indução guiada nos apêndices, com ênfase em palavras e expressões como "perceber", "notar", "sentir", "ficar ciente de", "ficar consciente de", "prestar atenção a". Além disso, palavras como "volume", "densidade", "perímetro do espaço", "peso do espaço" etc. vão ajudar a focar na observação.

Em vez de passar rapidamente de uma parte para a outra, dedique um pouco de tempo (uns bons 20 ou 30 segundos, ou mais) nos *inputs* e nas sensações sensoriais dessas partes no espaço para realmente se tranquilizar. Dedique uns 20 minutos para a indução pelas partes do corpo da cabeça aos pés ou, no caso da imersão em água, dos pés à cabeça. Se você já meditou antes, sem dúvida irá entender que eventualmente perderá a noção da passagem do tempo à medida que as ondas cerebrais diminuírem a frequência e você entrar naquele estado Alfa calmo e relaxado em que o mundo interior é mais real do que o mundo exterior.

CAPÍTULO 11

Podar o hábito de ser você mesmo
(2ª semana)

Durante a 2ª semana, é hora de dar mais três passos para podar o hábito de ser você mesmo: reconhecer, depois admitir e declarar e por fim entregar. Primeiro, leia todas essas etapas e responda as perguntas relacionadas. Então dedique ao menos uma semana em sessões diárias de meditação na qual primeiramente faça indução e depois passe às três etapas. Claro que está tudo bem se precisar de mais de uma semana para se sentir competente em tudo isso.

2ª PASSO: RECONHECER

Reconhecer: identificar o problema

O primeiro movimento necessário para consertar qualquer coisa é entender o que atualmente não está funcionando. Você precisa saber qual é o problema e então nomeá-lo a fim de ter poder sobre ele.

Várias pessoas que tiveram uma experiência de quase morte relatam ter passado por uma "recapitulação da vida", na qual viram, como em um filme, todas suas ações dissimuladas e manifestas, seus sentimentos expressos e reprimidos, seus pensamentos públicos e privados e suas atitudes conscientes e inconscientes. Viram quem eram e como seus pensamentos, palavras e ações afetavam tudo e todos em sua vida. De modo geral, descrevem que depois disso adquiriram um maior entendimento sobre si e um desejo de viver melhor dali em diante. Como resultado, percebem novas possibilidades e melhores meios de "ser" em qualquer oportunidade. Tendo visto a si mesmas de uma perspectiva realmente objetiva, sabem claramente o que querem mudar.

O reconhecimento é como fazer uma recapitulação diária da vida. Como você tem em seu cérebro todos os recursos para notar quem está sendo, por que não fazer isso antes de morrer e assim de fato renascer na mesma vida? Com a prática, esse tipo de percepção pode ajudar a transpor o que de outra forma seria o destino predeterminado de seu cérebro e corpo – os programas conectados, automáticos e escravizantes da mente e as emoções memorizadas que condicionaram o corpo quimicamente.

Apenas quando você está realmente consciente e ciente é que começa a acordar do sonho. Ficar imóvel, tranquilo, paciente, relaxado e depois atento aos hábitos da antiga personalidade desengata a consciência subjetiva das atitudes exageradamente utilizadas e dos estados emocionais extremados. Você não é mais a mesma mente porque está se libertando dos grilhões da natureza autocentrada do ego perdido em si mesmo. E, quando você vê quem tem sido por meio do olho atento do observador, deseja a vida ainda mais, pois realmente quer fazer uma diferença maior no dia seguinte.

À medida que você desenvolve as habilidades de contemplação e auto-observação, cultiva a habilidade de separar a consciência dos programas subconscientes que definiram o antigo eu. Mudar sua consciência e deixar de ser o antigo eu para ser o observador do antigo eu afrouxa a conexão ao seu antigo você. E, quando você reconhece quem tem sido por meio da habilidade da metacognição (sua habilidade via lobo frontal de observar quem você está sendo), pela primeira vez sua consciência não está mais imersa em programas inconscientes; você está ficando consciente do que outrora era inconsciente. Isso é dar as primeiras passadas rumo à mudança pessoal.

Comece sua revisão de vida

A fim de descobrir e explorar aspectos do antigo eu que você quer mudar, é necessário apresentar algumas perguntas ao "lobo frontal".

Oportunidade para escrever

Tire um tempo para se fazer perguntas como essas ou quaisquer outras que surjam e anote as respostas:

- Que tipo de pessoa tenho sido?
- Que tipo de pessoa apresento para o mundo? (Como é um lado da minha "lacuna"?)
- Que tipo de pessoa sou realmente por dentro? (Como é o outro lado da minha "lacuna"?)
- Existe algum sentimento que vivencio – e com o qual até mesmo luto – repetidamente, todos os dias?
- Como meus amigos íntimos e familiares me descreveriam?
- Há algo sobre mim que eu escondo dos outros?
- Qual é a parte de minha personalidade em que preciso trabalhar para melhorar?
- Qual é a coisa que quero mudar em mim?

Escolha uma emoção para desmemorizar

A seguir, escolha um de seus estados emocionais aflitivos e limitados (os exemplos que seguem podem ajudar no começo) – um dos hábitos de ser você mesmo que você deseja abandonar. Como os sentimentos memorizados condicionam o corpo a ser a mente, essas emoções autolimitantes são responsáveis por seus processos de pensamento automático, que geram suas atitudes, que influenciam suas crenças limitadas (sobre o eu em relação a tudo ou todos), que contribuem para suas percepções pessoais. Cada uma das emoções listadas abaixo origina-se das substâncias químicas de sobrevivência, que reforçam o controle do ego.

Oportunidade para escrever

Selecione uma emoção que seja uma boa parte de quem você é (a emoção escolhida pode não estar listada a seguir) e que você deseja desmemorizar.

PARTE III | OS PASSOS RUMO AO SEU NOVO DESTINO

Lembre-se de que essa palavra lhe é significativa porque é um sentimento com o qual você está familiarizado. É um aspecto do eu que você quer mudar. Recomendo que anote a emoção escolhida, pois irá trabalhar com ela nessa e nas etapas posteriores.

Exemplos de emoções de sobrevivência

Insegurança	Vergonha	Tristeza
Ódio	Ansiedade	Desgosto
Julgamento	Arrependimento	Inveja
Vitimização	Sofrimento	Raiva
Preocupação	Frustração	Ressentimento
Culpa	Medo	Indignidade
Depressão	Ganância	Carência

A maioria das pessoas vê esses exemplos e pergunta: "Posso selecionar mais de um?". De início é importante trabalhar com uma emoção de cada vez. De qualquer modo, todas estão vinculadas umas às outras neurológica e quimicamente. Por exemplo, você já notou que, quando está com raiva, fica frustrado; quando está frustrado, odeia; quando odeia, julga; quando julga, está com inveja; quando está com inveja, está inseguro; quando está inseguro, é competitivo; quando é competitivo, é egoísta? Todas essas emoções são geridas pelas mesmas substâncias químicas de sobrevivência combinadas, que então estimulam estados mentais pertinentes.

Por outro lado, o mesmo é válido para estados mentais e emoções elevadas. Quando você está alegre, você ama; quando ama, se sente livre; quando se sente livre, fica inspirado; quando está inspirado, é criativo; quando é criativo, é aventureiro... e por aí vai. Todos esses sentimentos são motivados por diferentes substâncias químicas que então influenciam como você pensa e age.

Vamos utilizar a raiva como exemplo de emoção recorrente que você pode escolher para trabalhar. À medida que desmemoriza a raiva, todas as outras emoções autolimitantes também diminuem gradualmente dentro de você. Se você ficar menos zangado, sentirá menos ódio e será menos frustrado, julgador, invejoso etc.

A boa notícia é que você está de fato domando o corpo para não mais operar inconscientemente como a mente. Por conseguinte, quando você altera um desses estados emocionais destrutivos, o corpo fica menos propenso a viver fora de controle, e você muda muitos outros traços de personalidade.

Observe a sensação que a emoção indesejada causa em seu corpo

Feche os olhos e pense no que você sente quando experimenta essa emoção específica. Se você consegue se observar dominado por essa emoção, preste atenção na sensação dela em seu corpo. Existem diferentes sensações correlacionadas a diferentes emoções. Quero que você fique ciente de todos esses sinais físicos. Você fica quente, irritado, irrequieto, fraco, ruborizado, esvaziado, tenso? Vasculhe o corpo com a mente e observe em que área essa emoção é percebida. (Se você não sente nada no corpo, é compreensível; apenas lembre-se do que você deseja mudar em você mesmo. Sua observação está mudando de momento a momento.)

Agora, familiarize-se com o estado presente de seu corpo. Sua respiração se altera? Você se sente impaciente? Você está com alguma dor física, e caso sim, se a dor tivesse alguma emoção, qual seria? Apenas observe o que está ocorrendo fisiologicamente no momento e não tente fugir disso. Fique na situação. A série de diferentes sentimentos em seu corpo torna-se uma emoção quando você a denomina de raiva, medo, tristeza ou o que seja. Assim, vamos trabalhar todas essas sensações físicas e sentimentos que geram a emoção que você deseja desmemorizar.

Permita-se sentir essa emoção sem ser distraído por nada nem ninguém. Não faça nada nem tente fazer com que ela desapareça. Quase tudo que você tem feito em sua vida é fugir desse sentimento. Você utilizou tudo no seu exterior para tentar fazer com que ele desapareça. Esteja presente com sua emoção e sinta-a como energia em seu corpo.

Essa emoção motivou você a se apropriar de tudo que conhece em seu ambiente para modelar uma identidade. Por causa desse sentimento, você criou um ideal para o mundo em vez de um ideal para si mesmo.

Esse sentimento é quem você realmente é. Reconheça-o. Ele é uma das muitas máscaras de sua personalidade que você memorizou. Começou com uma reação emocional a um evento em sua vida, que permaneceu como um humor, que se desenvolveu em um temperamento, que criou sua personalidade. Essa emoção se tornou a memória de você mesmo. Ela não diz nada sobre seu futuro. Sua ligação com ela indica que você está mental e fisicamente preso ao passado.

Se emoções são os produtos finais de experiências, então, ao abraçar a mesma emoção todos os dias, o corpo está sendo ludibriado para acreditar que seu mundo externo continua o mesmo. E, se seu corpo está condicionado a reexperimentar as mesmas circunstâncias em seu ambiente, você jamais poderá evoluir e mudar. Enquanto você viver por essa emoção diariamente, é possível pensar unicamente no passado.

Defina o estado mental associado à emoção

A seguir, faça essa simples pergunta: "Como penso quando me sinto desse jeito?".

Digamos que você queira mudar a raiva como um de seus traços de personalidade. Pergunte-se: "Qual é minha atitude quando sinto raiva?". A resposta pode ser controladora ou detestável ou ainda presunçosa. Da mesma maneira, se você quer superar o medo, talvez tenha de abordar o estado mental de sentir-se oprimido, ansioso ou desesperado. O sofrimento poderia levá-lo a se sentir vitimado, deprimido, preguiçoso, ressentido ou carente.

Agora, fique ciente ou lembre-se de seu pensamento quando se sente desse jeito. Qual é o estado mental ativado por essa emoção? Esse sentimento influencia tudo o que você faz. Estados mentais representam uma atitude incitada pelos sentimentos memorizados no subconsciente e ancorados no corpo. Uma atitude é uma série de pensamentos conectados a um sentimento ou vice-versa. Ela é o ciclo repetitivo de pensar e sentir, sentir e pensar. Portanto, você tem de definir seu hábito neural que é influenciado por seu vício emocional particular.

11 | Podar o hábito de ser você mesmo

Oportunidade para escrever

Fique ciente de como você pensa (seu estado mental) quando sente a emoção que deseja mudar. Você pode escolher da lista a seguir ou adicionar alguma que não esteja listada. Sua seleção será baseada na emoção indesejada previamente identificada, mas é natural que esteja em um ou mais estados mentais limitantes referentes àquela emoção. Assim, anote um ou dois que ressoem em você, pois trabalhará com eles nas etapas posteriores.

Exemplos de estados mentais limitantes

Competitivo	Desesperado	Controlador
Oprimido	Carente	Enganador
Queixoso	Presunçoso	Arrogante
Excessivamente intelectual	Acanhado/tímido/ introvertido	Pouco confiante/ superconfiante
Acusador	Necessitado de reconhecimento	Dramático
Confuso		Apressado
Distraído	Preguiçoso	Egocêntrico
Autocomiserativo	Desonesto	Sensível/insensível

A maior parte de seus comportamentos, escolhas e ações é equivalente a esse sentimento. Portanto, você vai pensar e agir de modo previsível e rotineiro. Não pode haver um novo futuro, apenas mais do mesmo passado. Chegou a hora de remover as lentes coloridas e não ver mais a vida através de uma lente do passado. Sua tarefa é estar nessa atitude emocional sem fazer nada senão observá-la.

Você acabou de identificar uma emoção indesejada e seu estado mental correspondente que deseja desmemorizar. Mas lembre-se de que você ainda tem um par de etapas a ler antes de integrar tudo em sua meditação diária...

3ª PASSO: ADMITIR E DECLARAR

Admitir: reconhecer o verdadeiro eu em vez do eu que você mostra para os outros

Ao se permitir ser vulnerável, você vai além do domínio de seus sentidos e começa a se introduzir na consciência universal que é a doadora de sua vida. Você desenvolve um relacionamento com essa inteligência maior, contando a ela quem você tem sido, o que deseja mudar em si e admitindo o que tem escondido.

Admitir quem realmente somos, quais são os nossos erros passados e pedir para sermos aceitos estão entre as coisas mais desafiadoras para fazermos como humanos. Pense em como se sentia na infância quando tinha de se desculpar para os pais, um professor ou um amigo. Será que esses sentimentos de culpa, vergonha e raiva mudaram agora que você é adulto? É muito provável que você vá experimentá-los, mas talvez não tão fortemente.

O que torna a 3ª etapa exequível é saber que estamos admitindo nossas falhas e fracassos para um poder superior e não para outro ser humano similarmente defeituoso. Como resultado, quando admitimos para nós mesmos e para esse poder universal, não há:

Punição
Julgamento
Manipulação
Abandono emocional
Culpa
Registro dos resultados
Rejeição
Perda de amor
Condenação
Separação
Banimento

11 | Podar o hábito de ser você mesmo

Todos os atos precedentes derivam do velho paradigma de Deus, que foi reduzido à semelhança de um homem inseguro, completamente egoísta, impregnado dos conceitos de bem e mal, certo e errado, positivo e negativo, sucesso e fracasso, amor e ódio, paraíso e inferno, dor e prazer, além de medo e mais medo. Esse modelo tradicional deve ser abordado, pois deve-se entrar nessa consciência superior com uma nova consciência.

Esse enigma pode ser denominado inteligência inata, chi, mente divina, espírito, *quantum*, força vital, mente infinita, observador, inteligência universal, campo quântico, poder invisível, vida materna-paterna, energia cósmica ou poder superior. Independentemente do nome que você dê, é preciso ver essa energia como uma fonte ilimitada de poder dentro e ao redor de você, que você utiliza e a partir da qual cria ao longo de toda a vida.

Ela é a consciência da intenção e a energia do amor incondicional. É impossível para ela julgar, punir, ameaçar ou banir algo ou alguém porque estaria fazendo isso para si mesma.

Ela apenas concede amor, compaixão e entendimento. Ela já sabe tudo sobre você (é você que tem de fazer um esforço para conhecê-la e desenvolver um relacionamento com ela). Ela tem observado você desde o instante em que você foi criado. Você é uma extensão dela.

Ela somente aguarda com esperança, admiração e paciência... e só deseja que você seja feliz. Se você está feliz ou infeliz, tudo bem também. É nessa medida que ela o ama.

Esse campo invisível auto-organizador tem uma sabedoria além da compreensão. Existe através de uma matriz energética interconectada que se estende por todas as dimensões no espaço e no tempo, passado, presente e futuro. Registra os pensamentos, desejos, sonhos, experiências, sabedoria, evolução e conhecimento por toda a eternidade. É um campo de informações imenso, imaterial e multidimensional. Essa inteligência "sabe" muito mais do que eu e você sabemos (embora pensemos que sabemos tudo). Sua energia pode ser comparada a muitos níveis de frequência e, a exemplo de ondas de rádio, todas as frequências carregam informação. Toda a vida em um nível molecular vibra, respira, dança, reluz e está viva; ela é completamente receptiva e maleável a nossas intenções premeditadas.

Suponhamos que você queira alegria em sua vida. Assim, você pede por isso ao universo todos os dias. No entanto, você memorizou o sofrimento em tal estado de ser que se lamuria o dia inteiro, responsabiliza todo mundo pelo modo como se sente, dá desculpas para si mesmo e rumina constantemente, sentindo pena de si mesmo. Você consegue entender que pode declarar toda a alegria desejada, mas que demonstra ser uma vítima? Sua mente e seu corpo estão em oposição. Você está pensando de um modo em um momento; em seguida está sendo outra pessoa no restante do dia. Tendo isso em vista, você consegue humilde e sinceramente admitir quem tem sido, o que tem ocultado e o que quer mudar em si mesmo, de modo a eliminar a dor e o sofrimento desnecessários antes de criar as experiências relacionadas em sua realidade? Abandonar e largar sua personalidade familiar por um breve período de tempo e bater na porta do infinito em estado de alegria e reverência é muito mais útil para a mudança do que permitir que sua personalidade seja fraturada pelo curso insistente do seu destino, criado por quem você estava repetidamente "sendo". Vamos mudar na alegria e não na dor.

Oportunidade para escrever

Agora, feche os olhos e fique parado. Olhe dentro da vastidão dessa mente (e dentro de você) e comece a contar quem você tem sido. Desenvolva um relacionamento com a consciência maior que lhe concede a vida, conversando honesta e internamente com ela. Compartilhe com ela os detalhes das histórias que você tem carregado consigo. Anotar os resultados dessas explorações será útil nas etapas posteriores.

Exemplos do que você pode admitir para seu poder superior

- Tenho medo de me apaixonar porque isso machuca muito.
- Finjo que sou feliz, mas na verdade estou sofrendo porque estou solitário.
- Não quero que ninguém saiba que me sinto tão culpado, por isso minto sobre mim.
- Minto às pessoas para que gostem de mim e eu não me sinta tão desamável e sem valor.
- Não consigo evitar de sentir pena de mim. Penso, ajo e me sinto dessa forma o dia inteiro porque não sei o que mais posso sentir.

- Me senti um fracasso na maior parte da minha vida, por isso me esforço extraordinariamente para ser um sucesso.

Agora, tire um momento para revisar o que escreveu e o que quer admitir para o poder superior.

Declarar: reconhecer externamente sua emoção autolimitante

Nessa parte do processo de meditação, você efetivamente fala em voz alta quem tem sido e o que tem ocultado a seu respeito. Você diz a verdade sobre seu eu, deixa o passado para trás e fecha a lacuna entre como você parece e quem realmente é. Você desiste de sua fachada e do esforço constante de ser outra pessoa. Ao declarar a verdade em voz alta sobre si mesmo, você rompe os laços emocionais, acordos, dependências, apegos, vínculos e vícios relacionados a todas as pistas externas em sua vida atual.

Nos *workshops* que conduzo mundo afora, essa é a parte mais difícil das etapas. Nenhuma pessoa realmente quer que alguém saiba quem ela realmente é. As pessoas querem se manter como parecem ser. No entanto, como você aprendeu, manter essa imagem requer uma enorme quantidade de energia. É nesse ponto que você vai liberar essa energia.

E lembre-se: como as emoções são energia em movimento, tudo que você experimentou e com que interagiu na vida externa tem uma emoção associada. Essencialmente, você está ligado a uma pessoa, objeto ou local por uma energia que existe além do espaço e do tempo. É assim que você lembra de si como um ego com uma personalidade, identificando-se emocionalmente com e ficando vinculado a tudo em sua realidade familiar.

Por exemplo, se você odeia alguém, esse ódio o mantém emocionalmente ligado a essa pessoa. Seu vínculo emocional é a energia que mantém tal indivíduo em sua vida, de modo que você possa sentir ódio e com isso reforçar um aspecto de sua personalidade. Em outras palavras, você usa a pessoa para continuar viciado em ódio. A propósito, a essa altura deve ser óbvio que seu ódio está primeiramente machucando você. À medida que libera substâncias químicas de seu cérebro para seu corpo, você realmente odeia a si mesmo. Falar a verdade sobre si em voz alta nessa etapa lhe dá poder para ficar livre do ódio e menos conectado à pessoa ou coisa em sua realidade externa que o faz lembrar de quem você tem sido.

Se você lembra da lacuna discutida anteriormente, sabe que a maioria das pessoas confia no ambiente para lembrar de si como um "alguém". Portanto, se você memorizou uma emoção como parte de sua personalidade e está viciado nela, quando declara quem tem sido emocionalmente, está chamando a energia de volta (liberando-a) de seus vínculos emocionais com tudo e todos em sua vida. Essa declaração consciente vai libertá-lo do antigo eu.

Além disso, ao afirmar suas limitações e conscientemente revelar o que tem ocultado, você está libertando o corpo de ser a mente; por isso, está fechando a lacuna entre como você parece e quem você realmente é. Quando verbaliza quem tem sido, você também libera a energia armazenada em seu corpo. Ela se tornará "energia livre" para você utilizar mais adiante na meditação a fim de criar um novo eu e uma nova vida.

Tenha em mente que seu corpo não desejará fazer isso muito prontamente. Seu ego automaticamente esconde essa emoção porque não quer que ninguém saiba a verdade sobre você. Ele quer permanecer no controle. O servo se tornou o senhor. Mas o senhor agora deve admitir para o servo que foi delinquente, inconsciente e ausente. Por isso faz sentido que seu corpo não vá querer abandonar o controle, pois não confia em você. Mas, se você simplesmente abre a boca e fala em voz alta apesar do controle do corpo, ele começará a se sentir mais leve e aliviado, e você começará a retomar o comando.

É assim que você define quem realmente é, sem quaisquer associações com o ambiente externo. Você corta o vínculo energético do apego emocional a todos os elementos do mundo exterior. Se admitir é um reconhecimento interno, a declaração é um reconhecimento externo.

O que você quer declarar?

É hora de fundir essa parte da 3ª etapa com a parte anterior. Lembre-se de que você está consolidando essa seção em um processo fluido. Usando o exemplo da raiva, você poderia dizer em voz alta: "Tenho sido uma pessoa raivosa ao longo da vida inteira".

Lembre-se do objetivo geral do que quer declarar. Nessa parte da meditação dessa semana, enquanto está sentado de olhos fechados, você abrirá a boca e dirá suavemente a emoção que está declarando: raiva.

Enquanto se prepara para fazer isso e enquanto está engajado em verbalizar a declaração, provavelmente você não se sentirá bem. Faça isso de qualquer modo; trata-se de seu corpo falando com você.

O resultado final é que você fica inspirado, elevado e energizado. Torne essa etapa simples, fácil e despretensiosa. Não analise muito o que fez. Apenas saiba que a verdade vai libertá-lo.

Lembre-se de que você ainda não está preparado para começar as meditações da 2ª semana. Nesta seção, você reconheceu uma emoção indesejada e o estado mental correspondente que deseja desmemorizar, a seguir admitiu internamente e declarou externamente. Há mais uma etapa a ser lida, após o que você pode juntar tudo na 2ª semana da meditação...

4ª PASSO: ENTREGAR

Entregar: render-se a um poder maior e permitir que ele resolva suas limitações ou seus bloqueios

Entregar é a etapa final dessa seção na qual você está podando o hábito de ser você mesmo.

Muitos de nós lutam com a ideia de soltar, de permitir que alguém ou alguma coisa tenha o controle. Tenha em mente que você está renunciando a quem – a Fonte, a Sabedoria Infinita – deve tornar o andamento desse processo muito mais fácil.

Einstein disse que nenhum problema poderia ser resolvido a partir do mesmo nível de consciência que o criou. O estado mental limitado de sua personalidade é responsável pela criação de suas limitações, e a resposta não veio... Portanto, por que não recorrer a uma consciência maior e com mais recursos para ajudar a superar essa faceta de si mesmo? Uma vez que todos os potenciais existem nesse mar infinito de possibilidades, você está humildemente pedindo a essa consciência maior para tirar suas limitações de um modo diferente daquele com que você tem tentado resolver o assunto. Uma vez que o melhor meio de se transformar não lhe ocorreu e o que você fez até aqui para superar os problemas de sua vida ainda não funcionou, está na hora de contatar uma fonte maior.

A consciência do ego jamais poderia ver a solução. Ela está impregnada da energia emocional do dilema; portanto, apenas pensa, age e sente igual àquela mente. Apenas cria mais do mesmo.

Sua mudança será executada de um modo ilimitado da perspectiva da mente objetiva. Ela o vê da perspectiva de não ser você; percebe potenciais nos quais você nem pensou porque estava muito ocupado perdido no sonho, respondendo à vida de maneiras previsíveis.

No entanto, se você diz que se entregou à assistência da consciência objetiva, mas ainda tenta fazer as coisas de seu jeito, consegue entender que é impossível ela ajudar na mudança de qualquer coisa em sua vida? Por sua própria vontade, você impediria os esforços da consciência superior.

A maioria de nós obstrui essa mente maior porque volta a tentar resolver os problemas mantendo o estilo de vida habitual, inconsciente. Obstruímos o nosso próprio caminho. De fato, a maioria de nós espera até o ego ficar no chão a ponto de não podermos mais seguir "na mesma". É aí que normalmente nos entregamos e recebemos algum tipo de ajuda.

Você não pode se entregar e tentar controlar o resultado ao mesmo tempo. A entrega exige que você desista do que pensa que sabe com sua mente limitada, especialmente da crença sobre como esse problema de sua vida deve ser tratado. Entregar-se de verdade é soltar o controle do ego, confiar em um resultado no qual você ainda nem pensou e permitir que a inteligência onisciente e amável assuma o controle e forneça a melhor solução. Você deve chegar a um entendimento de que esse poder invisível é real, está plenamente consciente de você e pode cuidar completamente de qualquer aspecto de sua personalidade. Quando você faz isso, esse poder organiza sua vida da maneira certa.

Quando pede ajuda, simplesmente liberando para uma mente superior a emoção admitida e declarada, você não tem de:

- Barganhar
- Suplicar

11 | Podar o hábito de ser você mesmo

- Fazer acordos ou promessas
- Comprometer-se parcialmente
- Manipular
- Ser sorrateiro
- Pedir perdão
- Sentir culpa ou vergonha
- Viver com arrependimentos
- Sofrer de medo
- Dar desculpas

Além disso, não tem de dar à sua mente superior condições como "você deve..." e "seria melhor se...". Você não pode dizer a essa grandiosa essência ilimitada como se ocupar de qualquer coisa. Se faz isso, está de novo tentando fazer as coisas do seu jeito, e naturalmente ela vai parar de ajudar para lhe permitir o livre-arbítrio. Em vez disso, seu livre-arbítrio pode ser "seja feita a vossa vontade"?

Simplesmente entregue-se em...

- Sinceridade
- Humildade
- Honestidade
- Certeza
- Clareza
- Paixão
- Confiança

... e então deixe o caminho desimpedido.

Entregue alegremente a emoção que deseja liberar para uma mente mais expandida e saiba que ela fará isso por você. Quando sua vontade corresponde à vontade dessa mente, quando sua mente corresponde a essa mente e quando seu amor por si corresponde ao amor dela por você... ela atende o pedido.

Os efeitos colaterais da entrega incluem:

- Inspiração
- Alegria

- Amor
- Liberdade
- Admiração
- Gratidão
- Exuberância

Quando sente alegria ou vive em estado de alegria, você já aceitou como realidade o resultado futuro que quer. Quando vive como se suas preces já tivessem sido atendidas, a mente maior pode fazer o que faz de melhor, organizando sua vida de novas maneiras incomuns.

E se você soubesse que algum problema que estivesse enfrentando tivesse sido completamente resolvido? E se você tivesse certeza de que algo empolgante ou maravilhoso estivesse prestes a acontecer para você? Se você soubesse disso, sem dúvida não haveria inquietação, tristeza, medo ou estresse. Você ficaria elevado. E esperaria ansiosamente pelo futuro.

Se eu dissesse que estaria levando você para o Havaí em uma semana e você soubesse que era sério, não começaria a ficar feliz antecipadamente? Seu corpo começaria a responder fisiologicamente antes da experiência real. Bem, o campo quântico é como um grande espelho – reflete de volta o que você aceita e acredita como verdade. Assim, seu mundo externo é reflexo de sua realidade interna. A mais importante conexão sináptica que você pode fazer no que se refere a essa mente é saber que ela é real.

Pense em como funciona um placebo. Você já sabe que temos três cérebros que nos permitem evoluir do pensar para o fazer e o ser. Muitas vezes indivíduos com problemas de saúde que recebem uma pílula de açúcar que pensam ser um medicamento aceitam a ideia de que irão melhorar, começam a agir como se estivessem melhores, começam a se sentir melhores e finalmente melhoram. E, como resultado, a mente subconsciente dessas pessoas, conectada à mente universal ao redor delas, começa a alterar a química interna para espelhar a nova convicção sobre a restauração da saúde. O mesmo princípio se aplica aqui. Acredite que a mente quântica atenderá ao seu pedido e ajudará.

Se você começa a duvidar, fica ansioso, preocupado, desencorajado ou analisa excessivamente como poderá ocorrer essa assistência, desfaz tudo que originalmente conquistou. Você fica no seu próprio caminho. Você impede algo superior de ajudá-lo. Suas emoções demonstram que você desacredita das possibilidades quânticas e, portanto, perde a conexão com o futuro que a mente divina estava orquestrando para você.

É aí que você tem de voltar atrás e restabelecer uma estrutura mental mais poderosa. Converse com a mente quântica como se ela o conhecesse muito bem, o amasse e se importasse com você... porque ela ama e se importa mesmo.

Oportunidade para escrever

Antecipando-se a essa conversa, anote algumas coisas que você gostaria de dizer em sua declaração de entrega.

Exemplos de declarações de entrega

Mente universal dentro de mim, eu perdoo minhas preocupações, minhas ansiedades e minhas inquietações limitantes e as entrego para você. Confio que você tem a mente para resolvê-las muito melhor do que eu poderia. Arranje os personagens do meu mundo de tal modo que as portas se abram para mim.

Inteligência inata, libero meu sofrimento e minha autocomiseração para você. Controlei erradamente meus pensamentos e ações por tempo suficiente. Permito-lhe intervir e prover uma vida maior do jeito certo para mim.

PREPARE-SE PARA A ENTREGA. Agora feche os olhos e comece a se familiarizar com o que você quer dizer a essa mente superior. Revise o que escreveu, de modo que possa levar suas limitações a ela. Quanto mais presente você estiver, mais focado pode ficar. Quando começa a recitar sua prece interiormente, lembre-se de que essa consciência observadora é vigilante e está ciente de você; ela nota tudo que você pensa, faz e sente.

PEÇA AJUDA E TRANSFIRA SEU ESTADO MENTAL INDESEJADO. A seguir, peça à consciência universal para tomar essa sua parte e reorganizá-la em algo maior. Assim que fizer isso, entregue à mente superior. Algumas pessoas abrem uma porta mentalmente e passam por ela, outras entregam em uma nota, enquanto algumas colocam-na em uma bonita caixa e depois a deixam se dissolver na mente superior. Não importa o que você imagine. Eu simplesmente solto.

O que importa é a intenção – que você se sinta conectado a uma consciência muito amorosa e universal e que comece a ficar livre de seu antigo eu com a ajuda dela. Quanto mais intencionalmente você é capaz de controlar seus pensamentos, mais consegue sentir a alegria de se libertar dessa condição e mais corresponde a uma vontade maior, a sua mente e seu amor.

AGRADEÇA. Ao completar sua prece, lembre-se de agradecer de antemão. Quando faz isso, você envia um sinal para o campo quântico de que sua intenção já deu resultado. O agradecimento é o estado supremo para o recebimento.

2ª semana
Guia para a meditação

Agora você está pronto para a meditação da 2ª semana. Segue abaixo um método sugerido para praticar todos os passos aprendidos. Se você sente que já fez alguma dessas ações enquanto estava lendo e anotando, simplesmente prossiga e repita durante as meditações. Você pode se surpreender com os resultados.

- 1ª etapa: complete a técnica de indução e continue a ficar cada vez mais acostumado com esse processo para acessar a mente subconsciente.
- 2ª etapa: ao ficar ciente do que você quer mudar na sua mente e no seu corpo, "reconheça" suas próprias limitações. Isto é, defina uma emoção específica que deseja desmemorizar e examine a atitude associada que é motivada por esse sentimento.
- 3ª etapa: "admita" interiormente para um poder superior dentro de você quem você tem sido, o que quer mudar em si e o que

esteve ocultando. Depois, "declare" exteriormente que emoção você está liberando de modo a libertar o corpo dos elementos em seu ambiente.
- 4ª etapa: "entregue" esse estado autolimitante a uma mente maior e peça que isso seja resolvido do jeito certo para você.

Pratique esses passos individuais regularmente durante as sessões até que comecem a ficar tão familiares que se fundam em uma só etapa fluida. Aí você estará preparado para prosseguir.

Tenha em mente que, à medida que continua a adicionar etapas ao processo de meditação, você sempre começa fazendo a série de quatro ações intencionais que acabou de aprender.

CAPÍTULO 12

Desmantele a memória do antigo eu
(3ª semana)

Mais uma vez, você vai ler e escrever na 5ª e na 6ª etapas antes de fazer a meditação da 3ª semana.

5ª PASSO: OBSERVAR E RECORDAR

Nessa etapa, você observa seu antigo eu e recorda quem não quer mais ser.

Assim como nossa definição operacional de meditação na Parte II, observar e recordar é se familiarizar, cultivar o "eu" e tornar conhecido o que de certa forma é desconhecido. Aqui você ficará completamente consciente (mediante observação) da inconsciência específica ou dos pensamentos e ações habituais que constituem aquele estado de mente e corpo que você nomeou na 2ª etapa (reconhecer). A seguir, você se recordará (mediante lembrança) de todos os aspectos do antigo eu que não mais deseja ser. Você vai se familiarizar com você "sendo" a antiga personalidade – com os exatos pensamentos aos quais não quer mais dar poder –, de modo a jamais voltar a ser o antigo eu. Isso liberta você do passado.

O que você ensaia mentalmente e o que demonstra fisicamente é quem você é em nível neurológico. O "eu neurológico" é constituído da combinação de seus pensamentos e ações momento a momento.

PARTE III | OS PASSOS RUMO AO SEU NOVO DESTINO

Essa etapa é concebida para criar uma maior percepção e uma melhor observação de quem você tem sido (metacognição). Ao repassar e refletir sobre o seu antigo eu, você obtém clareza sobre quem não quer mais ser.

Observar: fique consciente de seus estados mentais habituais

Na 2ª etapa (reconhecer) você já observou a emoção que o dirige. Agora quero que fique tão familiarizado com seus pensamentos e ações específicos derivados das antigas sensações que consiga dar-se conta deles enquanto vive sua vida. Com a repetição da prática, é possível ficar tão ciente dos antigos padrões que você jamais permite que frutifiquem. O resultado final é que você permanece à frente do antigo eu, de modo que tem controle sobre ele. Você começa a notar o início do sentimento que normalmente dirige seus pensamentos e hábitos inconscientes e fica tão familiarizado com isso que o mais leve indício agora é trazido à sua atenção.

Por exemplo, se você está superando a dependência em alguma substância como açúcar ou tabaco, quanto mais é capaz de perceber quando começam as dores e pontadas do vício químico no corpo, mais cedo será capaz de lutar contra elas. Qualquer pessoa sabe quando começa o desejo feroz. Você começa a notar impulsos, a instigação e às vezes gritos altos que soam como: "Apenas faça! Ceda! Vá – só dessa vez!". Ao avançar em frente e acima continuamente, com o tempo você consegue notar quando os anseios aparecem e fica mais bem equipado para lidar com eles.

O mesmo é válido para a mudança pessoal, só que a substância não é algo que exista fora de você. Na realidade, é você. Seus sentimentos e pensamentos na verdade são parte de você. No entanto, seu objetivo real aqui é ficar tão ciente do estado mental autolimitante que jamais deixe um pensamento ou comportamento passar despercebido.

Quase tudo o que demonstramos começa com um pensamento. Mas só porque você tem um pensamento não significa necessariamente que ele seja verdadeiro. A maioria dos pensamentos são apenas velhos circuitos em seu cérebro que se conectaram por sua vontade repetitiva. Por conseguinte, você deve se perguntar: "Esse pensamento é verdadeiro ou é simplesmente o que penso e acredito enquanto me sinto desse jeito? Se eu agir por esse impulso, isso levará ao mesmo resultado em minha vida?". A verdade é que são ecos de seu passado conectados a fortes sentimentos que ativam velhos circuitos em seu cérebro e fazem você reagir de modo previsível.

Oportunidade para escrever

Que pensamentos automáticos você pensa quando sente a emoção identificada na 2ª etapa? É importante anotar e memorizar a lista. Para ajudar a reconhecer seu conjunto único de pensamentos autolimitantes, talvez você considere os exemplos a seguir úteis.

Exemplos de pensamentos autolimitantes
(seu ensaio mental diário e inconsciente)

- Jamais conseguirei um novo emprego.
- Ninguém jamais me ouve.
- Ele sempre me deixa com raiva.
- Todo mundo me usa.
- Quero dar isso por encerrado.
- Hoje é um dia ruim para mim, então por que me dar ao trabalho de tentar mudá-lo?
- Minha vida é desse jeito por culpa dela.
- Realmente não sou tão inteligente.
- Sinceramente não consigo mudar. Talvez fosse melhor começar em outro momento.
- Não estou a fim.
- Minha vida é inútil.
- Detesto minha situação com...
- Nunca farei diferença. Não consigo.
- _____ não gosta de mim.
- Tenho de trabalhar mais duro que a maioria das pessoas.
- É a minha genética. Sou igual à minha mãe.

Assim como os pensamentos habituais, as ações habituais também constituem seus estados mentais indesejáveis únicos. Você é influenciado a se comportar de formas memorizadas pela própria emoção que condicionou seu corpo a ser sua mente. Isso é o que você é quando está inconsciente. Você começa com boas intenções, e então dá por si sentado no sofá co-

PARTE III | OS PASSOS RUMO AO SEU NOVO DESTINO

mendo batata frita, com o controle remoto numa das mãos e um cigarro noutra. Entretanto, horas antes você havia proclamado que ficaria em forma e iria parar com todos os comportamentos autodestrutivos.

A maioria das ações inconscientes é executada para reforçar emocionalmente a personalidade e satisfazer um vício, para causar mais da mesma sensação. Por exemplo, pessoas que se sentem culpadas no dia a dia têm de executar certas ações para satisfazer seu destino emocional. Muito provavelmente vão se complicar na vida para sentir mais culpa. Muitas ações inconscientes combinam com quem somos emocionalmente e nos satisfazem nesse aspecto.

Por outro lado, muitas pessoas exibem certos hábitos a fim de fazer desaparecer temporariamente o sentimento que memorizaram. Buscam gratificação instantânea em algo externo para se libertar momentaneamente da dor e do vazio.

Seus vícios criam seus hábitos. Como nada externo consegue resolver permanentemente seu vazio, você invariavelmente terá de fazer mais da mesma atividade outra vez. Horas depois, após a excitação ou a vibração diminuir, você terá de retornar à mesma tendência viciante mais uma vez, mas por mais tempo. No entanto, quando desmemoriza a emoção negativa de sua personalidade, você elimina o comportamento destrutivo inconsciente.

Oportunidade para escrever

Pense sobre a emoção indesejada que você identificou. Como você age habitualmente quando se sente desse modo? Você pode reconhecer seus padrões entre os exemplos a seguir, mas certifique-se de adicionar aqueles comportamentos que lhe são específicos. Agora anote os modos únicos como se comporta quando sente aquela emoção.

Exemplos de ações/comportamentos limitantes
(seu ensaio físico diário e inconsciente)

- Ficar de mau humor
- Sentir pena de si mesmo por estar sozinho
- Comer para aliviar a depressão
- Ligar para alguém para reclamar de como se sente

12 | Desmantele a memória do antigo eu

- Puxar briga com alguém que ama
- Beber demais e fazer um papelão
- Comprar e gastar mais do que tem
- Procrastinar
- Fofocar ou espalhar boatos
- Mentir sobre si mesmo
- Ter um ataque de mau gênio
- Tratar os colegas de trabalho com desrespeito
- Flertar com outras pessoas apesar de ser casado
- Vangloriar-se
- Berrar com todo mundo
- Apostar demais
- Dirigir agressivamente
- Tentar ser o centro das atenções
- Dormir tarde todos os dias
- Falar demais sobre o passado

Se você tem dificuldades para chegar às respostas, pergunte a si mesmo o que pensa em várias situações de sua vida e "observe" interiormente como pensa e reage. Você também pode olhar para dentro de si "pelos olhos" de outras pessoas. Como elas diriam que veem você? Como você age?

Recordar: relembre os aspectos do antigo eu que você não quer mais ser

Agora revise e memorize sua lista. Essa é uma parte essencial da meditação. Seu objetivo é "se familiarizar com" a forma como você pensa e age quando essa emoção específica o incita. É para fazê-lo lembrar de como não quer mais ser e de como você estava se fazendo tão infeliz. Essa etapa o ajuda a ficar ciente de como se comporta inconscientemente e o que diz para si mesmo enquanto está pensando e sentindo, sentindo e pensando, de modo que tenha mais controle consciente nas horas de vigília.

Executar essa etapa é um trabalho em andamento. Em outras palavras, se você senta todos os dias durante uma semana para focar nisso, provavelmente descobre que continua a modificar e refinar sua lista. Isso é bom.

Nessa etapa, você acessa o sistema operacional dos programas de "computador" na mente subconsciente e lança luz neles para a sua revisão.

Em última análise, você fica tão familiarizado com essas cognições que as inibe de disparar. Você vai podar as conexões sinápticas que constituem o antigo eu. E, se toda conexão neurológica formada constitui uma memória, então você está de fato desmantelando a memória do antigo eu.

Ao longo da próxima semana, continue a revisar a lista para saber ainda melhor quem você não quer mais ser. Se conseguir memorizar todos esses aspectos do antigo eu, você vai separar ainda mais sua consciência do antigo eu. Quando seus pensamentos e reações automáticos habituais forem completamente familiares, nunca passarão despercebidos ou não reconhecidos. E você será capaz de antecipá-los antes de serem iniciados. É aí que você está livre.

Nessa etapa, lembre-se: seu objetivo é consciência.

Agora você conhece o treinamento... leia a 6ª etapa e faça a parte escrita; então você estará preparado para começar as meditações da 3ª semana.

6ª PASSO: REDIRECIONAR

O que acontece quando você usa as ferramentas de redirecionamento é o seguinte: você evita comportar-se de forma inconsciente. Você para de ativar seus antigos programas e muda biologicamente, cessando os disparos e as conexões de células nervosas. De modo semelhante, você deixa de sinalizar os mesmos genes das mesmas maneiras.

Se você lutou com a ideia de entregar o controle, essa etapa lhe permite retomar as rédeas a fim de quebrar o hábito de ser você mesmo de modo mais consciente e judicioso. Quando você se torna mestre na arte de se redirecionar, constrói uma base sólida sobre a qual criar seu novo eu melhorado.

Redirecionar: pratique o jogo da mudança

Durante as meditações desta semana, considere algumas das situações que você listou no passo anterior e, ao imaginá-las ou se observar em sua mente, diga para você mesmo (em voz alta): "Mude!". É simples:

12 | Desmantele a memória do antigo eu

1. Imagine uma situação em que você está pensando e sentindo de modo inconsciente.
Diga "Mude!".
2. Fique ciente de um cenário (com uma pessoa ou uma coisa, por exemplo) em que você poderia facilmente cair em um antigo padrão de comportamento.
Diga "Mude!".
3. Imagine-se em um evento em sua vida em que haja uma boa razão para ficar aquém do seu ideal.
Diga "Mude!".

A voz mais alta em sua cabeça

Após recordar-se de permanecer consciente ao longo do dia conforme aprendeu no passo anterior, agora você pode utilizar uma ferramenta para mudar no momento exato. Sempre que se pegar pensando um pensamento limitante ou se engajando em um comportamento limitante na vida real, apenas diga "Mude!" em voz alta. Com o tempo, sua própria voz se tornará a nova voz em sua cabeça – e a mais alta de todas. Ela se tornará a voz do redirecionamento que você programou em seu sistema nervoso.

Ao interromper repetidamente o antigo programa, seus esforços começarão a enfraquecer ainda mais as conexões entre aquelas redes neurais que compõem sua personalidade. Pelo princípio de aprendizado hebbiano, você soltará os circuitos conectados ao antigo eu durante sua vida cotidiana. Ao mesmo tempo, não estará mais sinalizando epigeneticamente os mesmos genes dos mesmos modos. Esse é outro passo para que você fique mais consciente. É desenvolver o "controle consciente" de você mesmo.

Quando consegue parar uma reação emocional reflexa a alguma coisa ou pessoa em sua vida, você está escolhendo poupar-se de um retorno ao velho eu que pensa e age daquelas formas limitadas. Pela mesma ideia, se adquire controle consciente dos pensamentos que podem ter início a partir de alguma memória extraviada ou da associação conectada a alguma pista ambiental, você se afasta do destino previsível no qual pensa os mesmos pensamentos e executa as mesmas ações que criam a mesma realidade. Trata-se de um lembrete colocado por você em sua própria mente.

À medida que fica ciente, redireciona seus pensamentos e sentimentos familiares e reconhece seus estados de ser inconscientes, você também não está mais esgotando sua valiosa energia. Quando vive em estado de sobrevivência, você sinaliza seu corpo em um status de emergência, acabando com a homeostase e mobilizando muita energia. Essas emoções e pensamentos representam uma baixa frequência de energia que é consumida pelo corpo. Quando está consciente e muda os pensamentos e emoções antes de que cheguem ao corpo, cada vez que os observa ou redireciona, você conserva energia vital que pode usar para criar uma nova vida.

Memórias associativas desencadeiam respostas automáticas

Uma vez que permanecer consciente é crucial para a criação da nova vida, é importante entender como as memórias associativas tornaram tão difícil você permanecer consciente no passado e como praticar o redirecionamento pode ajudá-lo a se livrar do antigo eu.

Vimos anteriormente que o experimento clássico de Pavlov de condicionamento com cães ilustra lindamente por que é tão difícil para nós mudarmos. A reação dos cachorros naquele experimento – aprender a salivar em resposta a uma campainha – é um exemplo de resposta condicionada baseada em uma memória associativa.

Suas memórias associativas existem na mente subconsciente. Elas se formam com o tempo, quando a exposição repetida a uma condição externa produz uma resposta automática interna no corpo, que então desencadeia um comportamento automático. Quando um ou dois sentidos respondem à mesma pista, o corpo reage sem muito envolvimento da mente consciente. Ele é ativado por um pensamento ou uma memória.

Da mesma forma, vivemos conforme numerosas memórias associativas semelhantes em nossas vidas, desencadeadas por muitas identificações conhecidas derivadas de nosso ambiente. Por exemplo, se você vê alguém que conhece bem, a chance é de que responda de modo automático, sem sequer saber disso conscientemente. A visão desse indivíduo cria uma memória associativa com alguma experiência passada conectada a alguma emoção que então ativa um comportamento automático. A química do seu corpo muda no momento em que você "pensa" sobre tal pessoa na memória passada. Um programa roda a partir do condicionamento repetido que você memorizou sobre aquela pessoa em sua mente subconsciente. E, igual aos cães de Pavlov, em questão de instantes você estará respondendo fisiologicamente de forma inconsciente. Seu corpo assume o controle e começa a operar você subconscientemente, com base em alguma memória do passado.

Agora seu corpo predomina no controle. Você está fora do banco do motorista conscientemente porque o corpo-mente subconsciente está controlando você. Quais são as pistas que fazem com que isso ocorra tão rapidamente? Pode ser toda e qualquer coisa em seu mundo exterior. A fonte é o seu relacionamento com seu ambiente conhecido; é a sua vida, que está conectada a todas as coisas e pessoas que você experimentou em diferentes períodos e locais.

Por isso é tão difícil permanecer consciente no processo de mudança. Você vê uma pessoa, ouve uma música, visita um lugar, lembra de uma experiência, e seu corpo imediatamente começa a "se ligar" a partir de uma memória do passado. E seu pensamento associado a como se identificar com alguém ou alguma coisa ativa uma cascata de reações abaixo da mente consciente que fazem você então retornar à mesma personalidade. Você pensa, age e sente de maneiras memorizadas, automáticas e previsíveis. Você subconscientemente reidentifica-se com seu ambiente conhecido do passado, que então o remete ao eu conhecido que vive no passado.

Quando Pavlov continuou a tocar a campainha sem a recompensa de comida, a resposta automática dos cães diminuiu com o tempo, pois eles não mais mantiveram a associação. Poderíamos dizer que a exposição repetida dos cachorros à campainha sem comida reduziu sua resposta neuroemocional. Eles pararam de salivar, pois a campainha tornou-se um som sem qualquer memória associativa.

Dê-se conta antes de "ficar inconsciente"

À medida que sua mente passa por uma série de situações nas quais você deixa de ser o antigo eu (emocionalmente), sua exposição repetida aos mesmos estímulos (mentalmente) com o tempo enfraquece sua resposta emocional àquela condição. E, à medida que você constantemente se expõe aos mesmos motivos da antiga identidade e nota como respondia automaticamente, você fica consciente o bastante de sua vida para se dar conta de não ficar inconsciente. Com o tempo, todas as associações que ligavam o antigo programa se tornarão iguais à experiência da campainha sem comida dos cachorros – você não reagirá fisiologicamente de modo reflexo ao você neuroquímico, conectado a pessoas ou coisas familiares.

Assim, o pensamento sobre uma pessoa que lhe dá raiva ou a interação com o ex-namorado não mexem mais com você porque você se deteve cuidadosamente várias vezes. Ao interromper o vício na emoção, não pode haver reação automática. Nessa etapa, é a sua percepção consciente que o livra da emoção associada ou do processo de pensamento na vida cotidiana. Na maior parte do tempo essas reações reflexas passam sem verificação porque você está ocupado demais "sendo" o antigo eu.

É importante que você racionalize além do barômetro de seus sentimentos para entender que essas emoções de sobrevivência estão afetando suas células de maneiras adversas ao apertar os mesmos botões genéticos e colapsar seu corpo. Isso levanta a questão: "Esse sentimento, comportamento ou atitude é amável para comigo?".

Após eu dizer "Mude", gosto de dizer: "Isso não é amável para comigo! As recompensas de ser saudável, feliz e livre são muito mais importantes do que ficar empacado no mesmo padrão autodestrutivo. Não quero sinalizar emocionalmente os mesmos genes da mesma forma e afetar meu corpo de modo tão adverso. Nada vale isso".

3ª semana
Guia para a meditação

Durante as meditações da 3ª semana, sua meta é adicionar a 5ª etapa (observar e recordar) e a 6ª etapa (redirecionar) às etapas anteriores, de modo que execute todas as seis. A 5ª e a 6ª etapas acabam se fundindo em uma única etapa. Ao longo do dia, à medida que surgem pensamentos e sentimentos limitantes, observe-se e automaticamente diga "Mude!" em voz alta, ou ouça essa mensagem – em vez da(s) antiga(s) voz(es) – como a voz mais alta em sua cabeça. Quando isso acontecer, você estará preparado para o processo de criação.

- 1ª etapa: como de costume, comece pela indução.
- 2ª a 5ª etapas: depois de reconhecer, admitir, declarar e renunciar, é hora de continuar a abordar os pensamentos e ações específicos que naturalmente escapam à sua atenção. Observe seu antigo eu até ficar totalmente familiarizado com esses programas.
- 6ª etapa: à medida que observa o antigo eu enquanto está em meditação, selecione alguns cenários de sua vida e diga "Mude!" em voz alta.

CAPÍTULO 13

Crie uma nova mente para o seu novo futuro
(4ª semana)

7ª PASSO: CRIAR E ENSAIAR

A 4ª semana será um pouco diferente das semanas anteriores. Primeiro, ao ler e escrever sobre a 7ª etapa, você vai adquirir conhecimento sobre criação e instruções para o processo de "como fazer" o ensaio mental. Depois você lerá a meditação guiada de ensaio mental, de modo a se familiarizar com o novo processo.

A seguir é hora de fazer o que você aprendeu. Todos os dias, durante essa semana, você praticará a meditação da 4ª semana, que inclui da 1ª à 7ª etapas. Enquanto ouve, você aplicará a atenção focada e a repetição que utilizou para criar o novo você e seu novo destino.

Visão geral: criar e ensaiar o novo você

Antes de você começar a série final de etapas, gostaria de destacar que todas as etapas precedentes foram planejadas para ajudar a quebrar o hábito de ser você mesmo, de modo que possa abrir espaço tanto consciente como energeticamente para reinventar um novo eu. Até aqui, você trabalhou na poda das antigas conexões sinápticas. Agora é a hora de fazer brotar novas conexões, de modo que a nova mente que você criar se torne a plataforma de quem você será em seu futuro.

Seus esforços anteriores facilitaram o desaprendizado de algumas coisas do seu antigo eu. Você extirpou vários aspectos do antigo "você". Familiarizou-se com os estados mentais inconscientes que representam como você pensava, se comportava ou sentia. Graças à prática da metacognição, você observou conscientemente os modos habituais e rotineiros como seu cérebro disparava dentro da caixa da antiga personalidade. A habilidade de autorreflexão lhe permitiu separar uma consciência de livre vontade dos programas automáticos que provocavam o disparo de seu cérebro exatamente nas mesmas exatas sequências, padrões e combinações. Você examinou como seu cérebro provavelmente vinha trabalhando há anos. E, uma vez que a definição de mente é o cérebro em ação, você objetivamente examinou sua mente limitada.

Criando o novo você

Agora que você está começando a "perder" a cabeça, é hora de criar uma nova. Vamos começar a "plantar" um novo você. Suas meditações, contemplações e ensaios diários serão como cuidar de um jardim para produzir uma expressão maior de você. Aprender novas informações e ler sobre grandes personalidades da história que representam o seu novo ideal é como espalhar as sementes. Quanto mais criativo você for na reinvenção de uma nova identidade, mais diversos serão os frutos que você vai experimentar em seu futuro. Sua firme intenção e atenção consciente serão como a água e a luz do Sol para seus sonhos em seu jardim.

Ao se regozijar emocionalmente com seu novo futuro antes de ele se manifestar, você lança uma rede de segurança e uma cerca em torno de seu potencial destino vulnerável, protegendo-o de pestes e condições climáticas adversas, pois sua energia elevada defende sua criação. E, ao se apaixonar pela visão de quem você está se tornando, está nutrindo as potenciais plantas e frutos com um fertilizante milagroso. O amor é uma emoção de frequência mais alta do que as emoções de sobrevivência que permitiram o surgimento de ervas daninhas e pestes. Eliminar o antigo e abrir caminho para o novo é o processo de transformação.

Ensaiando o novo você

A seguir, é hora de praticar a criação de uma nova mente muitas e muitas vezes, até ela se tornar familiar. Como você sabe, quanto mais dispara circuitos em conjunto, mais eles se conectam em relacionamentos duradouros. E, se você dispara uma série de pensamentos relacionados a uma corrente particular de consciência, é mais fácil produzir esse mesmo nível mental depois disso. Portanto, ao repetir a mesma estrutura mental todos os dias, ensaiando mentalmente um novo ideal de eu, com o tempo isso será mais rotineiro, mais familiar, mais natural, mais automático e mais subconsciente. Você começará a lembrar de você como uma outra pessoa.

Nas etapas anteriores, você também desmemorizou uma emoção que estava armazenada em seu corpo-mente. Agora é hora de recondicionar seu corpo para uma nova mente e sinalizar seus genes de novas maneiras.

Sua meta nessa etapa final é dominar uma nova mente no cérebro e no corpo. Assim, torna-se familiar para você ser capaz de reproduzir à vontade aquele mesmo nível de ser e fazer isso parecer natural e fácil. É importante memorizar o novo estado mental pensando de novas maneiras; igualmente relevante é memorizar um novo sentimento no corpo, de modo que nada em seu mundo exterior possa afastá-lo disso. É aí que você está pronto para criar um novo futuro e depois viver nele. Quando ensaia, você faz o novo você surgir do nada repetida e consistentemente, de modo que você "sabe como" convocá-lo quando quer.

Criando: use a imaginação e a invenção para dar origem a seu novo eu

Você começará essa etapa fazendo algumas perguntas abertas. Ao colocar questões que o fazem especular, pensar de formas diferentes do habitual e cogitar novas possibilidades, você ativa o lobo frontal.

••• PARTE III | OS PASSOS RUMO AO SEU NOVO DESTINO •••

Todo esse processo de contemplação é o método de construção de uma nova mente. Você está criando a plataforma do novo eu ao forçar o cérebro a disparar de novas maneiras. Você está começando a mudar sua mente!

Oportunidade para escrever

Dedique um tempo para anotar suas respostas às seguintes perguntas. Depois revise, reflita, analise e pense sobre todas as possibilidades levantadas pelas respostas.

Perguntas para estimular seu lobo frontal

- Qual é o maior ideal de mim mesmo?
- Como seria ser ....?
- Que personagem histórico eu admiro e como ele age?
- Quem conheço em minha vida que é/parece........................?
- O que seria necessário para pensar como............................?
- Quem desejo ter como modelo?
- Como eu seria se fosse..............?
- O que eu diria para mim mesmo se fosse essa pessoa?
- Como eu falaria com os outros se tivesse mudado?
- Como ou quem eu desejo me lembrar de ser?

Sua personalidade consiste de como você pensa, age e sente. Assim, agrupei algumas perguntas para ajudar a determinar mais especificamente como você quer que seu novo eu se conduza. Lembre-se de que, quando você chega a suas próprias respostas e depois as contempla, está instalando um novo *hardware* em seu cérebro e sinalizando seus genes para se ativar de novas maneiras em seu corpo. (Fique à vontade para continuar a listar as respostas em seu diário se achar que não consegue guardá-las mentalmente.)

Como eu quero pensar?

- Como essa nova pessoa (meu ideal) pensaria?
- Em que pensamentos quero colocar minha energia?
- Qual é minha nova atitude?
- No que eu quero acreditar a respeito de mim?
- Como quero ser percebido?
- O que diria a mim mesmo se eu fosse essa pessoa?

- Que estados mentais quero disparar e conectar em meu cérebro?

Como eu quero agir?

- Como essa pessoa agiria?
- O que ela faria?
- Como vejo o meu próprio comportamento?
- Como eu falaria como essa nova expressão de eu?
- Como eu quero viver hoje?

Como eu quero sentir?

- Como seria esse novo eu?
- O que eu sentiria?
- Como seria minha energia nesse novo ideal?
- Posso ensinar ao meu corpo a sensação de ser esse ideal?

Quando você medita para criar o novo você, sua função é reproduzir o mesmo nível mental todos os dias, pensar e sentir diferentemente do que costuma fazer. Você deve ser capaz de repetir essa estrutura mental quando quiser e torná-la corriqueira. Além disso, tem de permitir que seu corpo tenha o novo sentimento até você efetivamente ser essa nova pessoa. Em outras palavras, você não pode se levantar da meditação como a mesma pessoa que se sentou. A transformação deve ocorrer no aqui e agora, e sua energia deve ser diferente de quando você começou. Caso se levante como a mesma pessoa, sentindo exatamente como quando começou, não aconteceu nada. Você ainda é a mesma identidade.

Portanto, se você diz a si mesmo: "Não estou a fim hoje, estou cansado demais, tenho muito o que fazer, estou ocupado, estou com dor de cabeça, sou muito parecido com minha mãe, não consigo mudar, quero pegar alguma coisa para comer, posso começar amanhã, isso não parece bom, tenho que ligar a televisão e assistir ao noticiário" e por aí afora, e permite que essas subvocalizações ocupem o lobo frontal, você invariavelmente vai se levantar com a mesma personalidade.

Você deve usar sua vontade, intenção e sinceridade para ir além dos impulsos do corpo. É preciso reconhecer essa zombaria e tagarelice como uma briga do antigo eu pelo controle. Você deve permitir que ele se rebele, mas depois traga-o para o momento presente, relaxe-o e recomece. Com o tempo, ele vai começar a confiar em que você seja o mestre outra vez.

Ensaiando: memorize o novo você

Agora que você contemplou suas respostas, é hora de ensaiá-las. Revise como vai pensar, agir e sentir como seu novo ideal. Seja claro aqui. Não quero que você se torne mecânico ou rígido demais. Esse é um processo criativo. Permita-se ser imaginativo, livre e espontâneo. Não force suas respostas de um modo ou de outro. Não tente repassar sua lista exatamente do mesmo modo durante cada sessão meditativa. Existem muitos meios diferentes de chegar ao destino.

Pense apenas sobre a maior expressão de si mesmo e então lembre-se de como agirá. O que dirá, como irá caminhar, respirar e se sentir caso se torne aquela pessoa? O que dirá aos outros e a si mesmo? Seu objetivo é migrar para um "estado de ser" e tornar-se esse ideal.

Por exemplo, lembre daqueles pianistas que ensaiaram exercícios no piano mentalmente, sem tocar nas teclas, e como alcançaram praticamente as mesmas alterações cerebrais que as pessoas que tocaram fisicamente as mesmas escalas e acordes durante o mesmo período de tempo. O ensaio diário dos pianistas "mentais" alterou seus cérebros para parecer que já haviam tido a experiência de executar a atividade fisicamente. Seus pensamentos tornaram-se a experiência.

Se você recorda do experimento com o exercício dos dedos envolvendo o ensaio mental, houve também alterações físicas significativas demonstradas no corpo, sem que os participantes levantassem um único dedo. Nessa etapa, seus ensaios diários vão alterar seu cérebro e seu corpo à frente do tempo.

Por isso é tão importante ensaiar – trazer à tona novamente – como você agirá como seu novo eu. É assim que você altera biologicamente o cérebro e o corpo para não mais viver no passado e sim traçar um mapa para o futuro. Se o cérebro e o corpo são alterados, então há evidência física de que você mudou.

Familiarizando-se bem com o novo você

Essa parte da 7ª etapa trata do salto para chegar ao nível "inconscientemente hábil" de *expertise*. Quando você é inconscientemente hábil em alguma coisa, significa que simplesmente faz sem ter de colocar uma grande dose de pensamento ou atenção consciente na atividade. É como progredir de motorista novato a experiente. É como ser capaz de tricotar sem ter que decidir conscientemente cada uma das ações em movimento. É como o antigo *slogan* da Nike: você simplesmente faz.

Se você estiver ficando entediado nesse ponto do exercício, considere como um bom sinal. Significa que seu novo modo operacional está começando a se tornar familiar, comum e automático. Você deve chegar a essa conjuntura a fim de conectar e incorporar essa informação na memória de longo prazo. Você deve fazer um esforço para superar o tédio, pois, a cada vez que se engaja em seu novo ideal, consegue ser mais do novo você com menos esforço. Você grava seu novo modelo de você em um sistema de memória que então torna-se mais subconsciente e natural. Se continuar a praticar o exercício, você não terá de pensar em ser. Você já terá se tornado. Resumindo, a prática faz a perfeição. Você está se treinando nesse processo, como em qualquer esporte.

Se você está ensaiando corretamente, a cada vez que pratica deve ser mais fácil atingir os resultados. Por quê? Porque você está preparado, já tem os circuitos disparando em série em seu cérebro e ele já está aquecido. Você também produziu a química correta, e ela está circulando em seu corpo, selecionando uma nova expressão genética; seu corpo está naturalmente no estado correto. Além disso, você refreou e "acalmou" outras regiões do cérebro conectadas ao antigo você. Consequentemente, os sentimentos associados ao antigo eu têm menor probabilidade de estimular seu corpo nos mesmos modos inerentes.

Tenha em mente que a maior parte dos exercícios de ensaio mental que ativam e desenvolvem novos circuitos no cérebro envolvem aprender um conhecimento, obter instrução, prestar atenção e repetir a habilidade diversas vezes. Como você sabe, aprender é fazer novas conexões; instrução é ensinar ao corpo "como fazer" de modo a criar uma nova experiência;

prestar atenção ao que você está fazendo é absolutamente necessário para reconectar seu cérebro, pois isso envolve estar presente no estímulo, tanto físico como mental; por fim, a repetição dispara e conecta relacionamentos de longo prazo entre células nervosas. Esses são os ingredientes requeridos para desenvolver novos circuitos e formar uma nova mente – e é exatamente isso que você está fazendo em suas meditações. O que quero enfatizar aqui é a repetição.

A história de Cathy ilustra cada faceta do ensaio mental. Um derrame maciço danificou o centro de linguagem no hemisfério esquerdo de seu cérebro, deixando-a incapaz de falar durante meses. Os médicos disseram a Cathy, uma instrutora corporativa, que ela provavelmente nunca falaria de novo. Tendo lido meu livro e completado um de meus *workshops*, Cathy recusou-se a aceitar esse prognóstico devastador.

Em vez disso, baseada no conhecimento que adquiriu e nas instruções recebidas, aplicando atenção focada e repetição, Cathy ensaiou mentalmente falar na frente de grupos de pessoas. Ela praticava isso em sua mente todos os dias. Ao longo de vários meses, demonstrou alterações físicas no cérebro e no corpo a ponto de reparar o centro de linguagem em seu cérebro... e recuperar totalmente a capacidade da fala. Atualmente, Cathy mais uma vez dirige-se a plateias de maneira fluente e sem falhas, sem nenhuma hesitação.

Em seu próprio estudo desse material, você estabeleceu algumas importantes conexões sinápticas como precursoras para ter novas experiências. Os dois elementos – estudar informações e ter experiências – desenvolvem o seu cérebro. Você também recebeu instruções apropriadas para desaprender e reaprender o processo de mudança. Você entende a importância de focar na atividade física e mental para moldar seu cérebro e alterar seu corpo para refletir seus esforços. Por fim, são seus esforços repetidos para ensaiar seu novo ideal que vão produzir o mesmo nível de mente e corpo repetidas vezes. A repetição selará circuitos duradouros e ativará novos genes para você revisitar no dia seguinte com maior facilidade. Essa etapa é para você praticar a reprodução do mesmo estado mental de ser, de modo que ele se torne mais simples.

As chaves em que você deve focar são frequência, intensidade e duração. Isto é, quanto mais se faz, mais fácil fica. Quanto mais foco e concentração, mais fácil é para você explorar essa mente particular da próxima vez. Quanto mais tempo você consegue se demorar nos pensamentos e emoções de seu novo ideal sem deixar sua mente vagar para estímulos externos, mais você memoriza esse novo estado de ser. Essa etapa resume-se a começar a se tornar seu novo ideal nas horas de vigília.

Tornar-se uma nova personalidade produz uma nova realidade

Seu objetivo nessa etapa é tornar-se uma nova personalidade, um novo estado de ser. Assim, se você é uma nova personalidade, está sendo uma outra pessoa, correto? Sua antiga personalidade, baseada em como você pensava, sentia e agia, criou a realidade que você experimenta atualmente. Resumindo: como você é como personalidade, você é em sua realidade pessoal. Lembre-se também de que sua realidade pessoal é composta conforme você pensa, sente e age. Pensando, sentindo e agindo de nova maneira, você está criando um novo eu e uma nova realidade.

Sua nova personalidade deve produzir uma nova realidade. Em outras palavras, quando você está sendo outra pessoa, naturalmente tem uma vida diferente. Se você de repente alterasse sua identidade, seria outra pessoa; portanto, certamente viveria como uma outra pessoa. Se a personalidade chamada John se tornasse a personalidade conhecida por Steve, poderíamos dizer que a vida de John mudaria, pois ele não seria mais John, mas agora estaria pensando, agindo e sentindo como Steve.

Aqui está um outro exemplo. Certa vez, enquanto ministrava uma palestra na Califórnia, uma mulher aproximou-se de mim na frente do público com as mãos nos quadris, extremamente focada e exclamando raivosamente: "Como é que não estou vivendo em Santa Fé?!".

Repliquei calmamente: "Porque a pessoa que acabou de falar comigo é a personalidade que está vivendo em Los Angeles. A personalidade que estaria vivendo, e já está, em Santa Fé não se parece em nada com ela".

Assim, de uma perspectiva quântica, a nova personalidade é o local perfeito a partir de onde criar. A nova identidade não está mais emocionalmente

••• PARTE III | OS PASSOS RUMO AO SEU NOVO DESTINO •••

ancorada em situações conhecidas de sua vida que continuam reciclando as mesmas circunstâncias; portanto, é um local perfeito de onde visualizar um novo destino. É o local onde você deve estar para convocar uma nova vida. A razão para suas preces dificilmente serem atendidas no passado é que você estava tentando manter uma intenção cuidadosa enquanto estava perdido em emoções inferiores como culpa, vergonha, tristeza, não merecimento, raiva ou medo conectadas ao antigo eu. Eram esses sentimentos que governavam seus pensamentos e atitudes.

Os 5% de sua mente consciente lutavam contra os 95% do corpo-mente subconsciente. Pensar de um jeito e sentir de outro não consegue produzir nada tangível. Em termos de energia, isso transmite um sinal misto para a rede invisível que orquestra a realidade. Assim, se você estava "sendo" culpado porque seu corpo memorizou a mente da culpa, você provavelmente recebeu o que estava sendo – situações em sua vida que evocaram mais razões para se sentir culpado. Seu objetivo consciente não conseguia fazer frente ao ser da emoção memorizada.

Entretanto, como essa nova identidade você está pensando e sentindo diferentemente da antiga identidade. Você está em um estado de mente e corpo que agora envia um sinal perfeito, livre de suas memórias. Pela primeira vez, a lente de sua mente está elevada acima do panorama presente para ver um novo horizonte. Você está olhando para o futuro, não para o passado.

Dito de forma simples, você não pode criar uma nova realidade pessoal enquanto ainda é a antiga personalidade. Você tem de se tornar uma outra pessoa. Quando você está em um novo estado de ser, é hora de criar um novo destino.

Criando um novo destino

Essa parte da etapa é onde você, como esse novo estado de ser, essa nova personalidade, cria uma nova realidade pessoal. A energia que você liberou do corpo anteriormente é agora a matéria-prima para criar um novo futuro.

Então, o que você deseja? Quer curar alguma área de seu corpo ou de sua vida? Quer um relacionamento amoroso, uma carreira mais satisfatória, um novo carro, uma hipoteca quitada? Quer a solução para superar um obstáculo em sua vida? Seu sonho é escrever um livro, enviar os filhos para a faculdade ou voltar para a escola, escalar uma montanha, aprender a pilotar avião, se libertar de um vício? Em todos esses exemplos, seu cérebro automaticamente cria uma imagem do que você deseja.

A partir de um estado elevado de mente e corpo, em amor, alegria, autoempoderamento e gratidão, em uma energia mais coerente, superior, você vê em sua mente as imagens do que deseja criar em sua nova vida como essa nova personalidade. Elabore os eventos futuros específicos que deseja experimentar, observando-os na realidade física. Solte-se e comece a estabelecer associações livres sem análises. As imagens que você vê em sua mente são projetos vibracionais de seu novo destino. Como observador quântico, você está ordenando à matéria para se ajustar às suas intenções.

Com clareza, você reterá a imagem de cada manifestação em sua mente por alguns segundos e então deixará que entrem no campo quântico para serem executadas por uma mente superior.

A exemplo do observador na física quântica, que procura um elétron e este colapsa de uma onda de probabilidades em um evento chamado partícula – a manifestação física da matéria –, você está fazendo o mesmo numa escala muito maior. Mas está usando sua "energia livre" para colapsar ondas de probabilidade em um evento chamado uma nova experiência em sua vida. Sua energia agora está emaranhada com essa realidade futura, e ela lhe pertence. Assim, você está emaranhado com ela, e ela é o seu destino.

Por fim, desista de tentar descobrir como, quando, onde ou com quem. Deixe esses detalhes para uma mente que sabe muito mais que você. E saiba que sua criação aparecerá de um jeito que você menos espera, que o surpreenderá e não deixará dúvidas de que ela veio de uma ordem superior. Acredite que os eventos em sua vida serão moldados de acordo com suas intenções conscientes.

Agora você está desenvolvendo uma comunicação de duas vias com essa consciência invisível. Ela mostra que notou você emulando-a como criador, fala com você diretamente, demonstra que está respondendo. Como ela faz tudo isso? Ela cria e organiza eventos incomuns em sua vida, que significam mensagens diretas da mente quântica. Agora você tem um relacionamento com uma consciência amorosa suprema.

PARTE III | OS PASSOS RUMO AO SEU NOVO DESTINO

Visão geral: meditação guiada de ensaio mental

É hora de reinventar um novo você, migrando para um novo estado de ser que reflita sua nova expressão de eu. Após fazer isso – preparando uma mente e um corpo novos –, você ensaia esse estado de ser novamente. Seus esforços para recriar o mesmo estado familiar vão alterar seu cérebro e corpo biologicamente antes da nova experiência. Uma vez que você seja um novo ser em sua meditação, esse novo ser é uma nova personalidade, e uma nova personalidade cria uma nova realidade pessoal. É aqui que você, a partir de uma energia elevada, cria eventos específicos em sua vida como observador quântico do destino. Embora essa meditação guiada de ensaio mental tenha três partes, quando incorporada em sua meditação da 4ª semana (como a meditação guiada do Apêndice C), essas partes se fundem em uma.

Meditação guiada de ensaio mental: criando o novo você

Agora, feche os olhos, elimine o ambiente e solte-se "criando" a forma como você quer viver sua vida.

Seu trabalho é migrar para um novo estado de ser. É hora de mudar sua mente e pensar de novas maneiras. Quando faz isso, você recondiciona seu corpo emocionalmente para uma nova mente, sinalizando novos genes de novas maneiras. Deixe o pensamento tornar-se a experiência e viva a realidade futura agora. Abra seu coração e agradeça de antemão pela experiência com tamanha intensidade que convença seu corpo de que o evento futuro está se desenrolando agora.

Selecione um potencial no campo quântico e viva-o totalmente. É hora de alterar sua energia, saindo do viver nas emoções do passado para viver nas emoções de um novo futuro. Você não pode se levantar como a mesma pessoa que se sentou.

Lembre-se de quem você será quando abrir os olhos. Planeje suas ações tendo em vista quem você será em sua nova realidade. Imagine o novo você, como você falará e o que dirá a si mesmo. Pense qual será a sensação de ser esse ideal. Imagine-se como uma nova pessoa – fazendo certas coisas, pensando de certas maneiras e tendo as emoções de alegria, inspiração, amor, empoderamento, gratidão e poder.

Fique tão atento à sua intenção que seus pensamentos de um novo ideal se tornem a experiência interna e, à medida que sente a emoção dessa experiência, passe do pensar para o ser. Lembre-se de quem e do que você realmente é em seu novo futuro.

Ensaiando o novo você

Agora, relaxe por alguns segundos. Então "re-veja", recrie e ensaie o que acabou de fazer; faça de novo. Solte-se e veja se consegue fazer de maneira repetida e consistente.

Você consegue começar a ser esse novo ideal com mais facilidade do que da última vez? Consegue criar do nada mais uma vez? Você deve ser capaz de recordar naturalmente quem está se tornando, de modo que saiba como conclamar isso quando quiser. Seus esforços repetidos significarão fazer isso tantas vezes que você simplesmente "saberá como". Quando você migrar para esse novo estado de ser, "memorize o sentimento". Esse é um ótimo lugar para se estar.

Criando seu novo destino

Agora é hora de comandar a matéria. Partindo desse estado elevado de mente e corpo, o que você quer em sua vida futura?

À medida que você desenvolve o novo eu, lembre-se de migrar para aquele estado de mente e corpo que parece invencível, poderoso, absoluto, inspirado e muito feliz. Deixe as imagens surgirem, veja-as com certeza, com um conhecimento que o unifica àqueles eventos ou coisas. Ligue-se ao seu futuro como se fosse seu, sem qualquer preocupação, apenas com expectativa e celebração. Solte-se e comece a se associar livremente sem preocupação. Fique empoderado por esse novo senso de eu. Com clareza, retenha a imagem de cada manifestação em sua mente por alguns segundos e depois libere-a para o campo quântico para ser executada por uma mente superior... a seguir, passe para a próxima... continue... esse é seu novo destino. Permita-se experimentar essa realidade futura no momento presente até convencer seu corpo a acreditar emocionalmente que o evento está acontecendo agora. Abra o coração e experimente a alegria de sua nova vida antes de ela efetivamente se manifestar...

Saiba que onde você coloca a atenção é onde você coloca sua energia. A energia que você liberou anteriormente do corpo se torna a matéria-prima para você usar para criar um novo futuro. Em um estado de divindade, grandeza legítima e gratidão, crie abençoando sua vida com sua própria energia e seja o observador quântico de seu futuro. Fique emaranhado em sua nova realidade. Ao ver as imagens do que quer experimentar na energia dessa nova personalidade, saiba que essas imagens se tornarão o projeto de seu destino. Você está comandando a matéria para se conformar a suas intenções... Quando terminar, simplesmente relaxe e saiba que seu futuro se desenrolará de uma forma perfeita para você.

4ª semana
Guia para a meditação

Agora que você leu o texto e fez as anotações para a 7ª etapa, está pronto para praticar suas meditações da 4ª semana. Dia após dia, ouça (ou puxe da memória) a meditação completa da 4ª semana.

Uma dica útil: durante a meditação guiada, você pode dar por si se sentindo tão bem que naturalmente faz declarações desse tipo para si mesmo ou em voz alta: "Sou rico, sou saudável, sou um gênio" – porque se sente assim de forma muito real. Isso é ótimo. Significa que mente e corpo estão alinhados. É importante não analisar o que você está sonhando. Se o fizer, deixará o terreno fértil dos padrões de ondas Alfa e retornará aos padrões de ondas Beta, separando-se de sua mente subconsciente. Apenas crie um novo você sem qualquer julgamento.

Guia para continuar sua meditação

Você acabou de devotar as últimas semanas para aprender uma prática de meditação que pode se tornar um método permanente para ajudar a evoluir e criar a vida de sua escolha. Você também utilizou essa nova habilidade para começar a podar um aspecto particular do seu antigo eu e para começar a criar um novo eu e um novo destino.

Neste ponto, muitas pessoas fazem perguntas do tipo:

- Como posso continuar a melhorar nas etapas e habilidades da meditação?

- Uma vez que tenha dominado esse processo, devo continuar fazendo-o da mesma forma indefinidamente?
- Por quanto tempo devo continuar trabalhando no mesmo aspecto que enfoquei até o momento?
- Como saberei quando estou pronto para descascar outra "camada da cebola"?
- Se eu continuar usando esse processo, como posso decidir qual parte do meu antigo eu mudar na sequência?
- Posso utilizar esse processo para trabalhar em mais de um aspecto de minha personalidade de cada vez?

Personalize o processo meditativo

Se você continuar a executar todas as etapas todos os dias, o que parecia um conjunto de sete etapas começará a parecer mais simples, como um fluxo de um passo após o outro. A exemplo de qualquer coisa que veio a dominar em sua vida, você só vai melhorar se continuar a meditar diariamente.

Você pode pensar na meditação orientada e nas técnicas de indução como aprender a andar de bicicleta com rodinhas auxiliares. Se usá-las ajuda a aprender o processo, continue a ouvir. Mas, quando estiver tão familiarizado com o processo que conseguiu personalizá-lo e sentir que ouvir as instruções está retendo-o, deixe de usar.

Continue a eliminar camadas

Fazer ajustes periódicos em suas meditações é natural e deve ser esperado, pois você não é a mesma pessoa que era quando começou. Se mantiver as sessões diárias, seu estado de ser continuará a evoluir e com isso você continuará a reconhecer aspectos do antigo eu que deseja mudar.

Apenas você consegue determinar quando e com que rapidez está pronto para prosseguir. E, conforme abordarei no próximo capítulo, seu progresso não dependerá somente de suas meditações, mas sim em fazer da mudança uma parte de sua vida cotidiana. Mas, de modo geral, trabalhar em um aspecto particular de si mesmo em suas sessões por umas quatro a seis semanas provavelmente trará resultados suficientes para que você sinta um incitamento interior para começar a remover outra camada do eu.

Assim, aproximadamente de mês em mês, faça uma autorreflexão. Examine sua vida para um *feedback* do que está criando e como está indo. Você pode revisitar as perguntas da Parte III e observar alguma que agora responderia diferentemente. Reavalie como está se sentindo, quem você está "sendo" em sua vida e se ainda tem a atitude na qual estava trabalhando. Se essa atitude parece ter diminuído, você notou outras emoções, estados mentais ou hábitos indesejados que são mais proeminentes agora?

Em caso afirmativo, uma abordagem poderia ser focar nesse aspecto de sua personalidade e refazer todo o processo que você acabou de completar. Ou você pode querer manter o trabalho em uma área enquanto adiciona outra.

Uma vez dominado o modelo básico de como meditar, você pode combinar as emoções em que está trabalhando de um modo mais unificado, abordando diversos aspectos de sua personalidade ao mesmo tempo. Depois de muita prática, atualmente trabalho em todo o meu eu ao mesmo tempo, adotando o que considero um enfoque holístico, não linear.

Com certeza elementos do novo destino que você deseja criar também mudarão. Quando essa nova mudança de carreira ou relacionamento surgir em sua vida, você não desejará parar por aí. E com bastante frequência você pode optar por variar sua meditação só para dar uma sacudida nas coisas. Confie em seus instintos.

Aumente o seu entendimento ainda mais

Se você ainda não fez isso, convido-o a visitar meu *site*, www.drjoedispenza.com. Sempre que sentir necessidade de uma nova inspiração, ali você encontrará uma série de ferramentas práticas e técnicas para reprogramar seus pensamentos e remover hábitos autodestrutivos para ajudar a mudar de dentro para fora. Suas próximas etapas poderiam ser:

- Leia meu primeiro livro (que serve de material auxiliar para este), *Evolve Your Brain: The Science of Changing Your Mind* (Evolua seu cérebro: a ciência de mudar sua mente), para aprofundar o conhecimento que, como você sabe agora, é a porta de entrada para a experiência. Este livro vai conduzi-lo pelas estruturas de

seu cérebro, ensinar como seus pensamentos e emoções ficam conectados e proporcionar o entendimento para mudar sua vida e transformá-lo na pessoa que sempre desejou ser.
- Assista um, dois ou todos os três *workshops* que conduzo pessoalmente mundo afora com o título de *Quebrando o hábito de ser você mesmo*.
- Participe de uma série de teleaulas ao vivo, incluindo sessões de perguntas e respostas.
- Amplie sua base de conhecimento com os DVDs e CDs de áudio listados em meu *site*.

CAPÍTULO 14

Demonstre e seja transparente: vivendo sua nova realidade

Quando demonstra a mudança, você memorizou uma ordem interna que é maior do que qualquer condição ambiental. Ela mantém sua energia elevada, permanecendo consciente em uma nova realidade, independentemente de seu corpo, de seu ambiente e do tempo. Como você será quando adentrar em sua nova vida? Lembre-se do novo você quando estiver com sua família, em seu trabalho, com seus filhos, no almoço de amanhã. Você consegue manter esse estado de ser modificado? Se você consegue viver sua vida na mesma energia com que criou o novo estado de ser, algo diferente deve aparecer em seu mundo – essa é a lei. Quando seus comportamentos correspondem a suas intenções, quando suas ações são iguais a seus pensamentos, quando você está sendo outra pessoa, você está à frente do tempo. Seu ambiente não controla mais como você pensa e sente; a maneira como você pensa e sente é que controla seu meio. Isso é grandeza, e ela sempre esteve dentro de você...

Quando você parece com quem você é, você está livre da escravidão do seu passado. E, quando toda aquela energia é liberada, o efeito colateral dessa liberdade é chamado alegria.

Demonstrar: viver como o novo você

Quando seu estado neuroquímico interno é tão ordenado e coerente que nenhum estímulo do mundo externo incoerente consegue interromper quem você está "sendo", sua mente e seu corpo estão trabalhando em harmonia. Você agora é um novo ser. E, ao memorizar esse estado de ser – uma nova personalidade –, seu mundo e sua realidade pessoal começam a refletir suas mudanças internas. Quando a expressão externa do eu é igual à sua personalidade interior, você está na direção de um novo destino.

Você consegue manter a mudança em sua vida de tal modo que seu corpo não retorna à mesma mente? Como as emoções estão armazenadas no sistema de memória subconsciente, sua tarefa é manter seu corpo alinhado com sua nova mente de forma consciente, de modo que nada em seu ambiente fisgue-o emocionalmente para voltar à velha realidade. Você deve memorizar sua nova personalidade e insistir em ser ela, de modo que nada em sua realidade presente possa demovê-lo disso.

Lembre-se de que, ao levantar de sua meditação, se a fez apropriadamente, você avançará do pensar para o ser. Uma vez que esteja nesse estado de ser, você fica mais propenso a fazer e pensar igual a quem está sendo.

Demonstrar é "ser" o dia inteiro

Em poucas palavras, demonstrar é viver como se suas orações já tivessem sido atendidas. É se regozijar com sua nova vida em um novo nível de expectativa e entusiasmo. É lembrar de que você deve estar no mesmo estado de mente e corpo que estava quando criou seu novo ideal. Você não pode criar uma nova personalidade em sua meditação e depois viver como o antigo eu no restante do dia. Seria como comer uma refeição bem saudável pela manhã e passar o resto do dia à base de *junk food*.

Para que aconteça uma nova experiência na realidade, você deve combinar seu comportamento com seu objetivo, alinhar seus pensamentos e suas ações. Você deve fazer escolhas coerentes com seu novo estado de ser. Quando você demonstra, aplica fisicamente o que ensaiou mentalmente, envolvendo o corpo em fazer o que a mente aprendeu.

Portanto, a fim de ver os sinais se desdobrarem em sua vida, você deve viver e estar na mesma energia com que criou. Colocado de forma simples, se você quer que o universo comece a responder de forma nova e incomum, a energia e a mente que você demonstra em sua vida devem ser as mesmas de sua meditação como esse novo ideal. Isso ocorre quando você está conectado ou emaranhado com a energia que criou em uma dimensão além do espaço e do tempo, e é assim que você atrai o novo evento para sua vida.

Quando ambos os aspectos do eu estão alinhados, o "você" vivendo na "vida de agora" é o mesmo ser que você construiu durante a meditação. Você está sendo o você futuro que existia como um potencial no campo quântico. E, quando o novo eu que você criou em sua meditação é a exata assinatura eletromagnética do futuro que você está sendo em sua vida, você está unificado com o novo destino. Quando está fisicamente "sendo uno no momento atual com o você futuro" que sonhou, você experimenta a abundância de uma nova realidade. Há uma resposta de uma ordem superior.

Busque *feedback*

O *feedback* que você recebe em sua vida é o resultado da combinação do estado de ser/energia de seu processo criativo com o estado de ser/energia de seu processo demonstrativo. É "ser" o ser que você inventou nesse plano particular de demonstração. Você tem de viver nessa linha de tempo na presente realidade física. Com isso, se você mantém esse estado modificado de mente e corpo o dia inteiro, algo diferente deve ocorrer em sua vida.

E que tipo de *feedback* você deve começar a testemunhar? Busque sincronicidades, oportunidades, coincidências, fluxo, mudança sem esforço, melhor saúde, *insights*, revelações, experiências místicas e novos relacionamentos, para citar alguns. Um novo *feedback* então vai inspirá-lo a continuar fazendo o que tem feito.

Quando ocorrerem *feedbacks* externos como resultado de seus esforços internos, você naturalmente vai correlacionar o que quer que estivesse fazendo dentro de você com o que quer que tenha ocorrido fora de você. Este é um novo momento em si e por si. Basicamente evidencia que você agora está vivendo segundo a lei quântica. Você fica atônito pelo fato de o *feedback* que experimenta ser resultado direto do funcionamento interno de sua mente e suas emoções.

Quando correlacionar o que fez no mundo implícito com a manifestação explícita, você prestará atenção e lembrará do que quer que tenha feito anteriormente para gerar esse efeito e fará de novo. Quando consegue conectar seu mundo interior com os efeitos no mundo exterior, você está "causando um efeito" em vez de viver por causa e efeito. Você está criando a realidade.

Aqui está o teste: você consegue ser no ambiente externo a mesma pessoa que estava sendo em seu interior, enquanto meditava? Você consegue ser maior que seu atual ambiente, que está conectado a sua personalidade, memórias e associações do passado? Você é capaz de cessar as reações rotineiras às mesmas situações? Você condicionou seu corpo e moldou sua mente para estar à frente da presente realidade diante de você?

Essa é a razão por que meditamos. Para nos tornarmos outra pessoa em nossa vida.

Demonstre o plano do novo você na equação de sua vida

Lembre que durante o dia você manterá sua energia como o novo eu. Você tem que se instigar para ficar consciente em diferentes momentos do período de vigília. Você tem que se preparar para colocar pequenas notas conscientes na tela de sua vida.

Por exemplo:

Quero agradecer por diversos aspectos de minha vida enquanto tomo meu banho matinal. Tenho de continuar no prumo enquanto dirijo até o trabalho, assim ficarei feliz durante todo o percurso. Como serei como esse novo ideal quando vir meu chefe? Vou me lembrar de dedicar um momento no almoço para recordar quem eu quero ser. Quando vir meus filhos hoje à noite, estarei animado e terei energia abundante, e nos conectaremos de verdade. Quero tirar um minuto enquanto me preparo para dormir e me lembrar de quem estou sendo.

Perguntas do fim do dia

Essas perguntas funcionam como um método simples para revisar a exibição do seu novo eu no final do dia:

- Como fui hoje?
- Quando tive uma queda e por quê?
- A quem reagi e onde?
- Quando "fiquei inconsciente"?
- Como posso melhorar da próxima vez que isso acontecer?

Antes de ir para a cama, pode ser uma boa ideia contemplar onde você perdeu seu novo ideal durante o dia. Uma vez que consiga ver o local óbvio em sua vida que o estimulou a cair no esquecimento, faça essas perguntas simples: "Se essa situação acontecesse de novo, como eu agiria de modo diferente?" e "Que conhecimento ou entendimento filosófico eu poderia aplicar a essa circunstância se ela ocorresse outra vez?".

Quando tiver respostas sólidas e dedicar um pouco de reflexão a elas, você estará ensaiando mentalmente um novo elemento que arredonda outra parte de você. Você estará inserindo em seu cérebro a nova rede neural para prepará-lo para o evento no futuro. Esse pequeno movimento ajudará na atualização e no refinamento do modelo do novo você melhorado. A seguir você pode adicioná-lo em sua meditação matutina ou vespertina.

Ser transparente: ir do interior para o exterior

Quando você é transparente, você parece ser quem você é, e seus pensamentos e sentimentos refletem-se em seu ambiente externo. Tendo atingido esse estado, sua vida e sua mente são sinônimas. É o relacionamento final entre você e todas suas criações exteriores. Isso significa que sua vida reflete sua mente em todas as arenas. Você é sua vida, e sua vida é um reflexo de você. Se, como a física quântica sugere, o ambiente é uma extensão da mente, é aqui que sua vida se reorganiza para refletir sua nova mente.

A transparência é um estado de empoderamento verdadeiro, em que você realizou (tornou real) seu sonho de transformação pessoal. Você ganhou sabedoria da experiência e é maior que o ambiente e sua realidade passada.

O sinal de se tornar transparente é não ter muitos pensamentos excessivamente analíticos ou críticos. Você não vai pensar desse modo. Isso tiraria você de seu estado presente. Como o efeito colateral da transparência é alegria verdadeira, mais energia e liberdade de expressão, qualquer pensamento conectado a um impulso do ego baixaria a sensação elevada dentro de você.

Chegará um momento...

Quando sua vida começar a se desenrolar em novos e maravilhosos eventos, chegará um momento em que você ficará assombrado, maravilhado e totalmente desperto ao perceber que foi sua mente que criou tais eventos. Em seu arrebatamento, você olhará toda a sua vida pregressa e não desejará mudar nada. Não se arrependerá de nenhuma ação nem se sentirá mal sobre o que quer que tenha acontecido com você porque nesse momento de sua manifestação tudo fará sentido. Você verá como seu passado o fez chegar a esse estado maravilhoso.

Como resultado de seus esforços, a consciência da mente superior começou a ser sua mente consciente, a natureza dela está se tornando a sua natureza. Você se torna naturalmente mais divino. Esse é quem você realmente é. Esse é seu estado de ser natural.

Da mesma forma, quando o doador invisível da vida começar a se movimentar através de você, você se sentirá mais como você mesmo do que se sentiu em muito tempo. Os traumas que produziram cicatrizes emocionais deslocaram sua verdadeira personalidade do eixo. Você ficou mais complicado, mais polarizado, mais dividido, mais inconsistente e mais previsível. Quando desmemoriza as emoções de sobrevivência que naturalmente reduzem a frequência da mente e do corpo, você é elevado a uma expressão eletromagnética superior, e uma frequência maior é ativada em você. E você se liberta, destravando as portas que abrem espaço para que um poder superior se torne você.

Finalmente, esse poder é você, e você é esse poder. Você é um. E você sente uma energia coerente chamada amor. É o interior que então manifesta um estado incondicional.

•••

Uma vez que se conecte à fonte da consciência e beba dela, você pode experimentar um real paradoxo. É bem possível que surja um tamanho senso de integridade pessoal que você ache difícil querer qualquer coisa. Essa dicotomia foi uma verdadeira realização para mim.

Necessidades e desejos surgem da carência de algo, de alguém, de algum lugar ou de algum tempo. Para mim, ao estar verdadeiramente conectado a essa consciência, houve momentos em que foi difícil pensar em qualquer outra coisa porque me sentia ótimo. Me sentia tão completo que qualquer pensamento que me afastasse disso não valia a pena.

Então, a ironia é que, quando chega a esse espaço a partir do qual criar, você não precisa de mais nada, pois a carência e o vazio a partir do qual desejava coisas foram eliminados, substituídos por um sentimento de integridade. Como resultado, você apenas quer repousar no sentimento de equilíbrio, amor e coerência.

Sinto que esse é o começo do verdadeiro amor incondicional. Ter um sentimento de amor e admiração pela vida sem necessitar de algo externo é liberdade. Não há mais apego a elementos externos. Trata-se de um sentimento tão coerente que julgar outrem ou reagir emocionalmente à vida e sair desse estado é se comprometer. É aí que a consciência maior à qual todos estamos conectados começa a se movimentar para fora de nós e começamos a expressá-la através de nós. Migramos do humano para o divino. Ficamos mais parecidos com o divino. Ficamos mais amorosos, mais conscientes, mais poderosos, mais generosos, mais deliberados, mais bondosos e mais saudáveis. Essa é a mente.

Outra coisa incrível começa a ocorrer também. Quando se sentir alegre e elevado, você se sentirá tão maravilhoso que desejará compartilhar o sentimento com alguém. E como você compartilha esses grandes sentimentos? Você doa. Você pensa: "Me sinto tão soberbo e elevado que quero que você sinta o mesmo. Então aqui está uma dádiva". E você começa a doar, de modo que os outros possam sentir a dádiva que você está expressando de dentro para fora. Você é altruísta. Imagine um mundo assim.

Entretanto, se consegue modelar uma nova realidade a partir dessa nova ordem interna de integridade, você deve saber que está criando a partir de um estado de ser com a consciência que não é mais separada do que quer que você deseje. Você está em absoluta unicidade com sua criação. E, se consegue entrar nisso naturalmente e esquecer de tudo vinculado ao antigo eu, você sente tamanha exuberância que começará a saber que a criação na qual está focando é sua. Será como acertar uma bola de tênis no lugar certo ou estacionar sem espelho a centímetros do meio-fio. Simplesmente dá certo. Você de alguma forma sabe.

• • •

Encerro minha meditação diária da seguinte maneira, e a ofereço como sugestão:

Agora feche os olhos. Fique ciente de que existe uma inteligência que está dentro de você e por tudo ao redor. Lembre-se de que ela é real. Reflita sobre o fato de que essa consciência está observando você e está ciente de suas intenções. Recorde que se trata de uma criadora que existe além do espaço e do tempo.

Em sua jornada passando pelos anseios do corpo e pelas nuances da mente do ego, você conseguiu chegar a essa etapa final. Assim, se essa consciência de fato é real e existe, peça um sinal para informá-lo de que fez contato com ela. Diga para a criadora: "Se hoje eu a emulei de algum modo como um criador, envie-me um sinal na forma de *feedback* em meu mundo para eu saber que você estava observando meus esforços. E faça isso de um modo que eu menos espere, que me desperte desse sonho e não deixe dúvidas de que o sinal vem de você, de modo que eu fique inspirado a fazer isso de novo amanhã".

Deixe-me lembrá-lo do que afirmei no capítulo sobre o *quantum*. Se o *feedback* chega de um modo que você poderia ter esperado ou previsto, não é nada de novo. Resista à tentação de atribuir novidade e imprevisibilidade ao que no fundo de sua alma você sabe que é familiar. Em sua nova vida, você deve ficar atônito e, de certo modo, ser pego desprevenido – não pelo que chega a você, mas pela forma como chega.

Quando experimenta surpresa, você desperta do sonho, e a novidade do que quer que esteja acontecendo é tão eletrizante que prende toda a sua atenção. Você é elevado para além de seus sentimentos normais. "Não deixar dúvida" significa que tem de ser tão bacana e divertido que você saiba que o que está fazendo está realmente dando certo. Você quer saber que esse evento inesperado está vindo dessa mente maior e que não pode ser outra coisa.

O experimento definitivo

Agora você tem um relacionamento com a consciência superior, pois ela está respondendo para você, e só você sabe que o que está fazendo "por dentro" está afetando "o lado de fora". Ao saber o que é, você deve ficar inspirado a repetir no dia seguinte. Em essência, você agora pode usar a emoção da nova experiência como uma nova energia para criar seu próximo resultado. Você é como um cientista ou explorador, experimentando com sua vida e medindo os resultados de seus esforços.

Nosso propósito na vida não é ser bom, agradar a Deus, ser bonito, popular ou bem-sucedido. Nosso propósito é isso sim remover as máscaras e fachadas que bloqueiam o fluxo dessa inteligência divina e expressar essa mente superior através de nós. Ficar empoderado por nossos esforços de criatividade e fazer perguntas maiores que inevitavelmente nos levarão a um destino mais enriquecido. Esperar o milagroso em vez do pior cenário e viver como se esse poder estivesse nos favorecendo. Ponderar sobre o incomum, contemplar nossas realizações na utilização desse poder invisível e abrir nossa mente a possibilidades mais expandidas nos desafia a evoluir nosso ser, a deixar mais dessa mente fluir através de nós.

Por exemplo, curar de vez algum tipo de enfermidade deve levar naturalmente a questões mais evoluídas, como: "Posso curar alguém com um toque? E, se conseguir esse feito, é possível curar um ente querido à distância?". E, quando dominar essa possibilidade porque alterou a matéria física daquela pessoa, você poderá perguntar: "Posso criar algo do nada?".

PARTE III | OS PASSOS RUMO AO SEU NOVO DESTINO

Até onde podemos ir? Essa aventura não tem fim. Somos limitados apenas pelas perguntas que fazemos, pelo conhecimento que adotamos e por nossa habilidade de manter a mente e o coração abertos.

PÓSFACIO:
Habitar o eu

Uma das maiores mentiras em que acreditamos a respeito de nós mesmos e da nossa verdadeira natureza é que não passamos de seres físicos definidos por uma realidade material, destituídos de dimensão e de energia vital e separados de Deus – que a essa altura espero que você saiba que está dentro de nós e em tudo ao redor. Restringir a verdade sobre nossa real identidade é escravizante e nos mantém como seres finitos vivendo uma vida linear que carece de significado real.

A máxima de que não existem domínios e vida além do nosso mundo físico e de que não temos controle sobre nosso destino não é uma "verdade" em que eu e você devamos acreditar. Meu desejo é que com este livro você tenha adquirido um pouco de conhecimento que ajude a ver quem você realmente é.

Você é um ser multidimensional que cria a sua realidade. Meu trabalho neste livro é ajudá-lo a aceitar essa ideia como sua lei e nova crença. *Quebrando o hábito de ser você mesmo* significa que você terá de perder a cabeça e criar uma nova.

Mas, quando abdicamos completamente da antiga vida ou mente familiar e começamos a criar uma nova, existe um momento entre os dois mundos destituído de qualquer coisa que sabemos, e a maioria das pessoas

••• POSFÁCIO •••

corre de volta desse vazio para o familiar. Os dissidentes, os místicos e os santos sabem que esse local de incerteza – o desconhecido – é um solo fértil.

Viver no domínio do imprevisível é ser todos os potenciais ao mesmo tempo. Você consegue ficar confortável nesse espaço vazio? Caso consiga, você está no nexo de um formidável poder criativo, o "eu sou".

Rompemos as correntes do mundano quando nos alteramos biológica, energética, física, emocional, química, neurológica e geneticamente e paramos de viver pela afirmação inconsciente de que competição, disputa, sucesso, fama, beleza física, sexualidade, posses e poder são a quintessência da vida. Temo que essa suposta receita para o sucesso definitivo na vida tenha nos mantido a procurar fora de nós as respostas e a verdadeira felicidade, quando as reais respostas e a verdadeira alegria sempre estiveram dentro de nós.

Assim, onde e como encontramos nosso verdadeiro eu? Será que criamos uma persona moldada por associações com o ambiente externo, que perpetra a mentira? Ou nos identificamos com algo dentro de nós que é tão real como tudo do lado de fora e criamos uma identidade única, que tem uma consciência e uma mente que podemos emular?

Certo – é essa fonte infinita de informação e inteligência, pessoal e universal, que é intrínseca a todos os seres humanos. É uma consciência energética preenchida com tal coerência que, quando se move através de nós, só podemos denominá-la de amor. Quando a porta se abre, sua frequência conduz informações tão vitais que essa consciência muda quem somos de dentro para fora. Essa é uma experiência que eu, humildemente, aprendi a ter como razão de viver.

Minha esperança é que você saiba que sempre tem acesso a essa consciência, se assim escolher. Mas, se você leva uma vida materialista, lutará com a existência dela. Por quê? Bem, realistas usam seus sentidos para definir a realidade; e, se não conseguem ver, provar, cheirar, tocar ou ouvir, então não existe, certo? Essa dualidade é um esquema perfeito para manter as pessoas perdidas na ilusão. Se a atenção dos indivíduos é mantida em uma realidade externa que no fim é sensualmente agradável ou caótica, voltar-se para dentro parece difícil demais.

••• POSFÁCIO •••

Sua atenção está onde sua energia está. Coloque toda a atenção no mundo externo, material, e este se tornará seu investimento na realidade. Do contrário, dirija sua atenção plena ao desdobramento de um aspecto mais profundo de si mesmo, e sua energia expandirá essa realidade. Como ser humano, você tem a liberdade de colocar sua consciência em qualquer coisa. Desenvolver sua habilidade de gerenciar e usar apropriadamente essa abundância de poder é um dom. Sua realidade se torna qualquer coisa em que você coloque seus pensamentos e sua consciência.

Se você para de acreditar que esse pensamento é real, cai de volta no materialismo e para de fazer o trabalho. Simplesmente escolhe algum vício ou hábito emocional para gratificação imediata e depois se dissuade das possibilidades.

Aqui reside o dilema: a realidade futura que criamos em nossa mente ainda não fornece nenhum *feedback* sensorial, e, pelo modelo quântico, nossos sentidos devem ser os últimos a experimentar o que criamos. Por isso muitos de nós transformam o materialismo em lei novamente e ficam inconscientes.

Quero lembrá-lo de que todas as coisas materiais provêm do campo invisível do imaterial, além do espaço e do tempo. Dito de forma simples, ao plantar sementes neste mundo, você vê que no devido tempo elas frutificam. Se você consegue experimentar um sonho de modo tão completo na mente e nas emoções dentro no mundo interior dos potenciais, ele já aconteceu. Assim, simplesmente entregue-se; ele tem de brotar em sua vida exterior. É a lei.

Mas a parte mais difícil de todo o processo é a seguinte: arranjar ou dedicar tempo para o seu precioso eu fazer isso a sério.

É isso aí. Somos criadores divinos. É o que fazemos quando estamos inspirados e pressionados para saber mais. Mas você e eu também somos criaturas de hábito. Desenvolvemos hábitos para tudo. Temos três cérebros que nos permitem evoluir do conhecimento à experiência e daí para a sabedoria. Para tornar qualquer coisa que aprendemos implícita pela repetição da experiência, podemos ensinar o corpo a se tornar a mente — essa é a nossa definição de hábito.

••• POSFÁCIO •••

O problema é que desenvolvemos hábitos que limitam nossa verdadeira grandeza. As emoções de sobrevivência, que são tão viciantes, levam-nos a viver com limitações, sentimentos separados da fonte e a esquecer de que somos criadores. De fato, os estados mentais que se correlacionam com o estresse são o verdadeiro motivo de sermos controlados por nossas emoções, de vivermos por um denominador mais baixo de energia e sermos escravizados por uma série de crenças enraizadas no medo. Esses chamados estados psicológicos normais têm sido aceitos pela maioria como ordinários e comuns. Eles são os verdadeiros "estados alterados" de consciência.

Assim, desejo enfatizar que ansiedade, depressão, frustração, raiva, culpa, dor, preocupação e tristeza – emoções manifestadas regularmente por bilhões de pessoas – são o motivo de as massas terem a vida desequilibrada e deslocada do verdadeiro eu. E talvez os estados supostamente alterados de consciência atingidos na meditação durante verdadeiros momentos místicos sejam de fato os estados "naturais" da consciência humana e devamos nos esforçar para viver neles no cotidiano. Eu aceito essa argumentação como a minha verdade.

Está na hora de acordar e ser o exemplo vivo da verdade. Não basta defender esses entendimentos; é hora de vivê-los e estar "na causa" em todas as áreas de nossa vida. Quando eu e você incorporamos esses ideais como verdade e os transformamos em hábito, eles tornam-se parte inata de nós.

Uma vez que estamos programados para criar hábitos, por que não fazer da verdadeira grandeza, compaixão, gênio, engenhosidade, empoderamento, amor, consciência, generosidade, cura, manifestação quântica e divindade nossos novos hábitos? Remover as camadas das emoções pessoais que decidimos memorizar como nossa identidade, extirpar as limitações egoístas a que demos tanto poder, abandonar falsas crenças e percepções sobre a natureza da realidade e do eu, superar nossos hábitos neurais de traços destrutivos que repetidamente solapam nossa evolução e abandonar as atitudes que nos impedem de saber quem realmente somos... tudo isso faz parte de encontrar o verdadeiro eu.

Existe um aspecto do eu que é um ser benevolente que espera por trás de todos esses véus. É o que somos quando não nos sentimos ameaçados, temendo perdas, tentando agradar todo mundo, correndo atrás do sucesso e nos atropelando para chegar ao topo a qualquer custo; lamentando o passado; nos sentindo inferiores, desesperançados, desesperados ou gananciosos, entre outras coisas. Quando superamos e removemos quaisquer obstáculos no caminho para nosso poder e eu infinitos, estamos demonstrando uma ação nobre não apenas para nós mesmos, mas para toda a humanidade.

Portanto, o maior hábito que você quebrará um dia é o hábito de ser você mesmo, e o maior hábito que você criará um dia é o hábito de expressar o divino através de você. É aí que você habita sua verdadeira natureza e identidade. Isso é habitar o eu.

APÊNDICE A

Indução por partes do corpo
(1ª semana)

Agora, você consegue ficar ciente do espaço que seus lábios ocupam no espaço e consegue perceber o volume do espaço em que seus lábios estão no... no espaço?...[31]

E agora você consegue perceber o espaço que sua mandíbula ocupa no espaço... consegue notar o volume do espaço em que toda a sua mandíbula está no... no espaço?...

E agora você consegue sentir o espaço que suas bochechas ocupam no espaço... e a densidade de espaço que suas bochechas ocupam... no espaço?...

E agora repare no espaço que o seu nariz ocupa no espaço. Você consegue perceber o volume do espaço em que todo o seu nariz está no... no espaço?...

E agora você consegue sentir o espaço que seus olhos ocupam no espaço e consegue sentir o volume do espaço em que seus olhos estão no... no espaço?...

••• APÊNDICE A •••

E agora você consegue prestar atenção no espaço que toda a sua testa ocupa no espaço, em toda a extensão até as têmporas... consegue sentir o volume do espaço em que toda a sua testa está no... no espaço?...

E agora você consegue notar o espaço que todo o seu rosto ocupa no espaço? Consegue sentir a densidade do espaço em que seu rosto inteiro está no... no espaço?...

E agora você consegue notar o espaço que suas orelhas ocupam no espaço? Consegue sentir o volume do espaço em que suas orelhas estão no... no espaço?...

E agora você consegue sentir o espaço que toda a sua cabeça ocupa no espaço? Consegue perceber o volume do espaço em que toda a sua cabeça está no... no espaço?...

E agora você consegue notar o volume de espaço que o seu pescoço ocupa no espaço? E consegue sentir a densidade do espaço em que todo o seu pescoço está no... no espaço?...

E agora você consegue notar o espaço que todo o seu tronco superior ocupa no espaço, a densidade do espaço do seu tórax, suas costelas, seu coração e seus pulmões, até suas costas, omoplatas e seus ombros... consegue sentir o volume do espaço em que todo o seu torso superior está no... no espaço?...

E agora você consegue ficar consciente do espaço que todos os seus membros superiores ocupam no espaço, e o peso do espaço de suas extremidades superiores no... no espaço... seus ombros, seus braços, até seus cotovelos e antebraços; a densidade de seus pulsos e mãos? Consegue notar o peso do espaço em que seus membros estão no... no espaço?...

E agora você consegue sentir o volume do espaço que todo o seu tronco inferior ocupa no espaço... seu abdômen, seus flancos, até suas costelas, em toda a extensão, até sua medula inferior e as costas... consegue sentir o volume do espaço em que todo o seu torso inferior está no... no espaço?...

E agora você consegue sentir a densidade do espaço que todas as suas extremidades inferiores ocupam no espaço... suas nádegas, sua virilha, suas coxas, a densidade do espaço dos seus joelhos, o peso das suas canelas e das suas panturrilhas? Consegue notar o volume do espaço que

••• APÊNDICE A •••

seus tornozelos e pés, até os dedos – todas suas extremidades inferiores – ocupam... no espaço?...

E agora você consegue notar o espaço que todo o seu corpo ocupa no espaço... consegue perceber a densidade de todo o seu corpo no... no espaço?...

E agora você consegue sentir o espaço em torno de seu corpo no espaço e consegue notar o volume do espaço que o espaço em torno de seu corpo ocupa no espaço e consegue sentir o espaço desse espaço no... no espaço?...

E agora você consegue sentir o espaço que todo esse recinto ocupa no espaço? E consegue sentir o volume do espaço que este recinto ocupa em todo o espaço?...

E agora você consegue sentir o espaço que todo o espaço ocupa no espaço e o volume do espaço desse espaço no... no espaço?...

APÊNDICE B

Indução por imersão em água
(1ª semana)

Sua tarefa nessa indução é se entregar completamente ao seu corpo, deixar que a água morna relaxe seus tecidos e permitir sentir-se consumido pelo líquido. Recomendo que você sente em uma cadeira com os pés apoiados totalmente no chão e as mãos apoiadas nos joelhos.

Imagine uma água morna começando a subir no recinto... primeiramente, a água cobre seus pés e tornozelos, sinta a tepidez de seus pés ao serem imersos na água...

E permita que a água se mova para cima agora, passando de suas panturrilhas e canelas, logo abaixo dos joelhos; e sinta o peso de suas pernas, dos pés às panturrilhas, debaixo d'água...

Permita-se relaxar enquanto a água chega a seus joelhos e sobe por suas coxas... quando a água morna envolve suas coxas, sinta suas mãos imersas no líquido... sinta a tepidez consumir seus pulsos e antebraços...

Agora, fique ciente da água morna à medida que ela rodeia suas nádegas, sua virilha, e a parte interna das coxas...

E, à medida que a água sobe até sua cintura, sinta-a submergir seus antebraços e cotovelos...

Enquanto a água morna continua a subir até seu plexo solar, note como ela se move até a metade de seus braços...

Agora, sinta o peso de seu corpo imerso até a caixa torácica no líquido morno e sinta a água consumindo seus braços...

Agora permita que a água envolva seu peito e avance pelas omoplatas...

À medida que a água sobe até seu pescoço, permita que cubra seus ombros... e, do pescoço para baixo, sinta o peso e a densidade de seu corpo imerso no líquido morno...

Agora, enquanto a água passa do seu pescoço, sinta todo o seu pescoço, até seu queixo, imerso na água.

E permita que a água morna avance acima de seus lábios e em torno da circunferência de sua nuca... à medida que ela passa de seu lábio superior e de seu nariz, relaxe e deixe-a consumir você, de modo que a tepidez da água esteja agora exatamente debaixo de seus olhos...

Permita que a água ultrapasse seus olhos e sinta todo o seu corpo abaixo dos olhos imerso nesse líquido morno. Sinta a água mover-se em torno de sua testa, acima da coroa da cabeça; e, à medida que a circunferência vai se reduzindo, deixe-a mover-se para cima de sua cabeça...

E agora entregue-se a essa água morna e relaxante e permita-se sentir seu corpo sem peso, envolvido pela água. Deixe seu corpo sentir sua própria densidade, imerso nesse líquido...

Sinta o volume da água em torno de seu corpo e o espaço ocupado por seu corpo debaixo d'água. Deixe sua consciência tomar todo o recinto, submerso na água. Sinta o espaço preenchido pelo recinto, consumido pela água morna... e, por alguns instantes, apenas sinta seu corpo flutuando nesse espaço...

APÊNDICE C

Meditação guiada: juntando tudo
(2ª à 4ª semanas)

Talvez você queira iniciar essa meditação com a indução por partes do corpo do Apêndice A, com a indução por imersão em água do Apêndice B ou com qualquer outro método utilizado no passado ou concebido por você mesmo.

Feche os olhos e respire profunda e lentamente algumas vezes para relaxar sua mente e seu corpo. Inspire pelo nariz e expire pela boca. Faça respirações longas, lentas e constantes. Inspire e expire ritmicamente até migrar para o presente. Quando você está no momento, está acessando um mundo de possibilidades...

Existe uma inteligência poderosa dentro de você que lhe dá vida, que o ama muito. Quando a sua vontade corresponde à vontade dela, quando sua mente corresponde à mente dela, quando seu amor pela vida corresponde ao amor dela por você, ela sempre responde. Ela se moverá em você e por tudo ao seu redor, e você verá evidências em sua vida como resultado de seus esforços. Ser maior do que o seu ambiente, ser maior do que as condições em sua vida, ser maior do que os sentimentos memorizados no corpo, pensar com mais grandeza que o corpo, ter maior grandeza que o tempo... significa que você está tocando as vestes do divino. Seu destino então é o reflexo de uma cocriação com uma mente superior. Ame-se o suficiente para fazer isso...

2ª SEMANA

Reconhecer. Você não pode criar um novo futuro enquanto se agarra às emoções do passado. Qual é a emoção que você quer desmemorizar? Lembre-se da sensação dessa emoção no seu corpo... e reconheça o estado mental familiar incitado por essa emoção...

Admitir. É hora de recorrer ao poder dentro de você, apresentar-se a ele e dizer a ele o que você quer mudar em si mesmo. Comece a admitir a ele quem você tem sido e o que você tem ocultado. Em sua mente, converse com ele. Lembre-se de que ele é real. Ele já conhece você. Ele não julga você. Apenas ama...

Diga para ele: "Consciência universal dentro de mim e por toda parte ao meu redor, eu tenho sido _____ e quero verdadeiramente mudar desse estado de ser limitado...".

Declarar. É hora de libertar o corpo da mente, de fechar a lacuna entre quem você parece ser e quem você realmente é, de liberar sua energia. Liberte seu corpo dos laços emocionais familiares que o mantêm conectado a todas as coisas, todos os lugares e todas as pessoas do seu passado e da realidade presente. É o momento de libertar a sua energia. Quero que você diga em voz alta a emoção que quer mudar e a libere de seu corpo, bem como de seu ambiente. Diga agora...

Entregar. E agora é hora de entregar esse estado de ser para uma mente maior e pedir a ela para resolver isso de uma forma apropriada para você. Você consegue entregar o controle a uma autoridade maior que já tem as respostas? Entregue-se a essa mente infinita e entenda que essa inteligência é absolutamente real. Ela apenas espera em admiração e boa vontade.

Ela apenas responde quando você pede ajuda. Entregue sua limitação a uma inteligência onisciente. Simplesmente abra a porta, abandone e solte completamente. Deixe-a pegar essa limitação de você. "Mente infinita, eu lhe dou minha _____. Tire-a de mim e resolva essa emoção com um senso maior de sabedoria. Livre-me das correntes de meu passado." Agora, simplesmente sinta como você se sentiria se soubesse que essa mente estivesse tirando essa emoção memorizada de você...

3ª SEMANA

Observar e recordar. Agora, vamos garantir que nenhum pensamento, nenhum comportamento, nenhum hábito que provoque o retorno ao seu antigo eu passe despercebido por você. Para garantir, vamos ficar conscientes daqueles estados de mente e corpo inconscientes – como você costumava pensar quando se sentia daquele jeito? O que dizia para si mesmo? Em que voz você acreditava e que não mais quer aceitar como sua realidade? Observe esses pensamentos...

Comece a se separar do programa. Como você se comportava outrora? Como você falava? Torne-se consciente desses estados inconscientes em tal extensão que eles jamais passem despercebidos por você novamente...

Começar a objetivar a mente subjetiva, começar a observar o programa significa que você não é mais o programa. Consciência é a sua meta. Recorde-se de quem você não quer mais ser, como não quer mais pensar, como não quer mais se comportar e como não quer mais sentir. Familiarize-se com todos os aspectos da antiga personalidade e só observe. Com firme intenção, faça a escolha de não ser mais aquela pessoa e deixe a energia de sua decisão tornar-se uma experiência memorável...

Redirecionar. Agora é hora de jogar o "Jogo da Mudança". Quero que você imagine três cenários em sua vida em que você poderia começar a se sentir como o antigo eu novamente e, quando o fizer, quero que você diga "Mude!" em voz alta. Primeiro, imagine que é de manhã e você está no banho e, enquanto se prepara para o dia, de repente nota que aquele sentimento familiar está começando a chegar. No momento em que você nota isso, diz: "Mude!" – é isso aí, você muda. Porque viver com aquela emoção não é amoroso para com você. E não há utilidade em sinalizar os mesmos genes do mesmo modo. E células nervosas que não mais disparam juntas, não mais se conectam juntas. Você controla isso...

Depois, quero que você se veja no meio do dia. Você está dirigindo pela rua e de repente aquele sentimento familiar que incita aqueles pensamentos familiares começa a chegar, e o que você faz? Você diz: "Mude!". É isso aí, você muda. Porque as recompensas de ser saudável e feliz são muito mais importantes do que voltar ao antigo eu. E, a propósito, viver com aquela emoção jamais foi amoroso para com você. E, cada vez que você muda seu estado, você sabe que células nervosas que não mais disparam juntas, não mais se conectam juntas, e você não mais ativa os mesmos genes do mesmo modo...

Agora quero que você jogue o Jogo da Mudança mais uma vez. Quero que você se veja se preparando para dormir, afastando as cobertas, e, quando começa a ir para a cama, você nota aquele sentimento familiar chegando, tentando-o a agir como a antiga personalidade, e o que você faz? Você diz: "Mude!". É isso aí. Porque células nervosas que não mais disparam juntas, não mais se conectam juntas. Sinalizar aquele gene daquele modo não é amoroso para com você, e ninguém e nada são merecedores de tal coisa. Você controla isso...

4ª SEMANA

CRIAR. Agora, qual é a maior expressão de si mesmo que você pode ser? Como uma grande pessoa pensaria e agiria? Como tal indivíduo viveria? Como essa pessoa amaria? Qual é a sensação da grandeza?...

Quero que você migre para um novo estado de ser. É hora de mudar sua energia e transmitir uma assinatura eletromagnética inteiramente nova. Quando você muda a sua energia, você muda a sua vida. Deixe o pensamento se tornar a experiência e deixe que a experiência produza uma emoção elevada, de modo que o seu corpo comece a acreditar emocionalmente que o seu futuro ser já está vivendo agora...

Permita-se ativar novos genes de novas maneiras, sinalize o corpo emocionalmente à frente do evento efetivo, permita apaixonar-se pelo novo ideal, abra o seu coração e comece a recondicionar seu corpo para uma nova mente...

Deixe a experiência interior tornar-se um humor, depois um temperamento e finalmente uma nova personalidade...

Migre para um novo estado de ser... Como você se sentiria se fosse essa pessoa? Você não pode se levantar como a mesma pessoa que se sentou. Você tem de sentir tanta gratidão que seu corpo começa a mudar antes do evento efetivo e a aceitar que o novo ideal já é você...

Torne-se ele...

Empoderado – livre, ilimitado, criativo, gênio, divino –, é isso que você é...

Uma vez que se sinta assim, memorize esse sentimento, lembre desse sentimento. Isso é quem você realmente é...

Agora, solte e libere isso para o campo por um momento; simplesmente solte...

ENSAIAR. Agora, como aqueles pianistas que alteraram o cérebro e aqueles indivíduos que exercitaram os dedos e alteraram o corpo, vamos fazer isso de novo. Você consegue criar seu novo eu do nada mais uma vez?...

Vamos disparar e conectar uma nova mente e recondicionar o corpo para uma nova emoção. Familiarize-se com um novo estado de mente e corpo. Qual é a maior expressão do seu eu? Permita-se começar a pensar como esse ideal novamente...

O que você diria para si mesmo, como caminharia, como respiraria, como se moveria, como viveria, o que sentiria? Permita-se sentir-se emocionalmente como esse novo eu, tanto que comece a migrar para um novo estado de ser...

É hora de mudar sua energia novamente e lembrar a sensação de ser essa pessoa. Expanda o seu coração...

Quem você quer ser quando abrir os olhos? Você está sinalizando novos genes de novas maneiras. Sinta-se empoderado mais uma vez. Migre para um novo estado de ser; um novo estado de ser é uma nova personalidade; uma nova personalidade cria uma nova realidade pessoal...

É aqui que você cria um novo destino. A partir desse estado elevado de mente e corpo, é hora de comandar a matéria como um observador quântico da sua nova realidade. Sinta-se invencível, poderoso, inspirado e muito feliz.

Desse novo estado de ser, forme uma imagem de algum evento que queira experimentar e deixe que a imagem se torne o projeto do seu futuro. Observe aquela realidade e deixe as partículas, como ondas de probabilidade, colapsarem em um evento denominado experiência em sua vida. Veja, comande, mantenha e depois mude para a próxima imagem...

Agora deixe sua energia emaranhar-se com aquele destino. Aquele evento futuro tem de encontrá-lo porque você o criou com a sua própria energia. Solte-se e crie o futuro que deseja com certeza, confiança e conhecimento...

Não analise, não tente descobrir como vai acontecer. Não cabe a você controlar o resultado. Sua tarefa é criar e deixar os detalhes para uma mente maior. Enquanto vê seu futuro como o observador, simplesmente abençoe sua vida com a sua própria energia...

De um estado de gratidão, seja uno com seu destino a partir de um novo estado de mente e corpo. Agradeça por uma nova vida...

Sinta-se como você sentirá quando essas coisas se manifestarem em sua vida, porque viver em estado de gratidão é viver em um estado de recebimento. Sinta-se como se suas preces já tivessem sido atendidas...

Finalmente, é hora de recorrer a esse poder dentro de você e pedir a ele um sinal em sua vida: se hoje você emulou essa mente maior como um criador que observa toda a vida se formar e fez contato com ela, e ela tem observado seus esforços e intenções, então ela deve se manifestar em sua vida. Saiba que ela é real, que ela existe e que agora você estabeleceu uma comunicação de duas vias com ela. Peça que esse sinal do campo quântico surja de um modo que você jamais esperaria, que o surpreenda e que não deixe dúvida de que essa nova experiência veio da mente universal, de modo que você fique inspirado a repeti-la. Quero que agora você peça um sinal...

E agora mova sua consciência de volta a um novo corpo em um novo ambiente e em uma linha de tempo inteiramente nova. E, quando você estiver pronto, traga sua consciência de volta para Beta. Então você pode abrir seus olhos.

AGRADECIMENTOS

O que faz nossos sonhos tornarem-se realidade (além dos tópicos que discuti neste livro) são as pessoas que nos rodeiam e com quem compartilhamos nossa visão, que adotam um propósito similar, que nos apoiam das formas mais simples, que demonstram responsabilidade e que são realmente altruístas. Durante o processo criativo, tive a sorte de contar com pessoas maravilhosas e competentes em minha vida. Gostaria de apresentar ao leitor esses indivíduos e prestar um tributo a eles.

Primeiro, gostaria de agradecer à equipe da Hay House, que me apoiou de inúmeras formas. Muitos agradecimentos sinceros a Reid Tracy, Stacey Smith, Shannon Littrell e Christy Salinas. Fico lisonjeado pela crença e a confiança que depositaram em mim.

A seguir, gostaria de expressar minha sincera gratidão a Alex Freemon, meu editor de projeto da Hay House, por suas respostas francas, seu estímulo e *expertise*. Obrigado por ser tão amável e zeloso. A Gary Brozek e Ellen Fontana por contribuírem para meu trabalho à sua maneira.

Gostaria também de agradecer a Sara J. Steinberg, minha editora pessoal, por empreender essa jornada comigo novamente. Crescemos juntos mais uma vez. Bênçãos a você por ser tão carinhosa, gentil e comprometida. Para mim você é uma dádiva.

Quero agradecer a John Dispenza pela criação sem dificuldades da capa do livro. Você sempre faz parecer muito simples. À talentosa Laura Schuman por criar a arte e gráficos tão bonitos para as páginas internas e

••• AGRADECIMENTOS •••

a Bob Stewart por também contribuir para a capa com grande paciência, talento e altruísmo.

Obrigado, Paula Meyer, minha maravilhosa assistente pessoal, que tem a capacidade de lidar com milhares de tarefas ao mesmo tempo e sempre permanecer totalmente presente. Aprecio sua atenção aos detalhes. Agradecimentos calorosos também aos demais integrantes da equipe Encephalon. A Chris Richard pelo apoio carinhoso, a Beth e Steve Wolfson pelo modo como se alinharam ao meu trabalho, a Cristina Azpilicueta pelas habilidades meticulosas e refinadas de produção e a Scott Ercoliani por sempre manter um elevado padrão de excelência.

Também gostaria de agradecer aos funcionários de minha clínica. É uma grande honra trabalhar com Dana Reichel, minha gerente, que tem um coração enorme e cresceu comigo em vários aspectos. E, entre o restante da equipe, um agradecimento especial ao Dr. Marvin Kunikiyo, Elaina Clauson, Danielle Hall, Jenny Perez, Amy Schefer, Bruce Armstrong e Ermma Lehman.

Também sou muito inspirado pelas pessoas mundo afora que adotaram essas ideias, independentemente da fonte, e as aplicaram em suas vidas. Obrigado por repetidamente colocarem suas mentes nessa possibilidade.

Além disso, quero estender um afável e genuíno obrigado ao Dr. Daniel Amen por sua contribuição inestimável no Prefácio deste livro.

Também queria mencionar minha mãe, Fran Dispenza, que me ensinou a ser forte, esclarecido, amoroso e pleno de determinação. Obrigado, mãe.

E a meus filhos, não posso expressar o quanto vocês me ensinaram sobre amor incondicional ao me dar espaço e tempo para escrever mais um livro enquanto também ministrava palestras pelo mundo. Vocês têm me dado um apoio muito consistente de várias maneiras altruístas. Obrigado por me mostrarem tamanha virtude.

Finalmente, este livro é dedicado a meu amor, Roberta Brittingham. Você continua a ser a pessoa mais maravilhosa que já conheci. Obrigado por ser tamanha luz. Você é graça, nobreza e amor embalados em uma linda mulher.

SOBRE O AUTOR

Joe Dispenza estudou bioquímica na Universidade Rutgers. É também bacharel em ciência com especialização em neurociência e doutor em quiroprática pela Life University de Atlanta, Geórgia, graduado com *magna cum laude*.

A pós-graduação do Dr. Joe Dispenza concentrou-se em neurologia, neurociência, função e química cerebral, biologia celular, formação da memória e envelhecimento e longevidade. Ele é membro honorário do National Board of Chiropractic Examiners, foi agraciado com a Citação em Proficiência Clínica da Life University pela excelência clínica no relacionamento médico-paciente e é membro da Pi Tau Delta, sociedade quiroprática internacional.

O Dr. Joe Dispenza palestrou em mais de 24 países em seis continentes, ensinando a milhares de pessoas o papel e a função do cérebro humano e como reprogramar o pensamento por meio de princípios neurofisiológicos cientificamente comprovados. Como resultado, muitos indivíduos aprenderam a atingir seus objetivos e visões específicos pela eliminação de hábitos autodestrutivos. Sua abordagem de ensino, simples porém poderosa, cria uma ponte entre o real potencial humano e as últimas teorias científicas da neuroplasticidade. Dr. Joe explica como pensar de novas maneiras e mudar crenças pode literalmente reconectar o cérebro de um indivíduo. Seu trabalho baseia-se na convicção total de que dentro de cada pessoa existe um potencial latente de grandeza e competências ilimitadas.

SOBRE O AUTOR

O primeiro livro do Dr. Joe Dispenza, *Evolve Your Brain: The Science of Changing Your Mind*, conecta os tópicos de pensamento e consciência com o cérebro, a mente e o corpo. Explora "a biologia da mudança". Em outras palavras, quando verdadeiramente mudamos nossas mentes, ocorrem evidências físicas da mudança no cérebro.

Como autor de diversos artigos científicos sobre o estreito relacionamento entre cérebro e corpo, Dr. Joe explica os papéis da química cerebral e da neurofisiologia na saúde física e nas doenças. O DVD de *Evolve Your Brain: The Science of Changing Your Mind* examina como o cérebro humano pode ser aproveitado para afetar a realidade mediante o domínio dos pensamentos. Dr. Joe criou uma série de CDs educativos e inspiradores nos quais responde algumas das perguntas feitas a ele com maior frequência. Em suas pesquisas sobre remissões espontâneas, Dr. Joe encontrou similaridades entre pessoas que experimentaram curas supostamente milagrosas, mostrando que elas efetivamente mudaram a mente, que posteriormente mudou sua saúde.

Um dos cientistas, pesquisadores e professores apresentados no agraciado filme *Quem somos nós? (What the BLEEP Do We Know!?)*, Dr. Joe faz aparições extras na versão do diretor, bem como no conjunto de DVD Quantum Edition, *What the BLEEP!? Down the Rabbit Hole*, e também no documentário dramático *The People vs. The State of Illusion*. Ele atua ainda no conselho editorial da revista *Explore!*.

Quando não está em viagens ou escrevendo, Dr. Joe está ocupado vendo pacientes em sua clínica quiroprática perto de Olympia, Washington. Ele pode ser contatado em www.drjoedispenza.com.

NOTAS

Apresentação

1. Institute of Science, Technology and Public Policy, Maharishi University of Management. http://istpp.org/crime_prevention/. Acessado em 11 de agosto de 2016.

2. "Effects of Group Practice of the Transcendental Meditation Program on Preventing Violent Crime in Washington, DC: Results of the National Demonstration Project, June-July 1993", John S. Hagelin, Maxwell V. Rainforth, David W. Orme-Johnson, Kenneth L. Cavanaugh, Charles N. Alexander, Susan F. Shatkin, John L. Davies, Anne O. Hughes, and Emanuel Ross. Institute of Science, Technology and Public Policy, Maharishi University of Management. http://istpp.org/crime_prevention/. Acessado em 11 de agosto de 2016.

Introdução

1. Bohr, Niels, "On the constitution of atoms and molecules", *Philosofical Magazine*, 26: 1–24 (1913). Se você realmente quer dissecar o mundo subatômico, o volume de um átomo (aproximadamente 1 angstrom, ou 10^{-10}m de diâmetro) é cerca de 15 ordens de magnitude maior que o volume do núcleo (aproximadamente 1 femtômetro, ou 10^{-15}m de diâmetro) –, o que significa que o átomo é aproximadamente 99,9999999999999% de espaço vazio. Embora a nuvem de elétrons

em torno do núcleo responda pela maior parte da área do átomo, essa nuvem é basicamente espaço vazio, e, para começar, os elétrons em seu interior são minúsculos. O núcleo altamente denso contém a maior parte da massa do átomo. O tamanho relativo de um elétron em relação ao núcleo seria como o volume de um amendoim comparado ao de uma caminhonete, e o perímetro da nuvem de elétrons em relação à caminhonete seria cerca do tamanho do estado de Washington.

Capítulos

1. Por exemplo, ver Amit Goswami, Ph.D., *The Self-Aware Universe* (Nova York: Jeremy P. Tarcher, 1993). Também a "Interpretação de Copenhagen" da teoria quântica desenvolvida por Niels Bohr, Werner Heisenberg, Wolfgang Pauli e outros afirma, entre outras coisas, que a "realidade é idêntica à totalidade dos fenômenos observados (o que significa que a realidade não existe na ausência de observação)". Veja Will Keepin, "David Bohmn", disponível em www.vision.net.au/--apaterson/scienc/david_bohm.htm.

2. Leibovici, Leonard, M.D., "Effects of remote, retroactive intercessory prayer on outcomes in patients with bloodstream infection: randomised controlled trial", *BMJ (British Medical Journal)*, vol. 323: 1450–1451 (22 de dezembro de 2001).

3. McCraty, Rollin, Mike Atkinson e Dana Tomasino, "Modulation of DNA conformation by heart-focused intention", HearthMath Research Center, Institute of HearthMath, Boulder Creek, CA, publicação no. 03–008 (2003).

4. *Christ Returns – Speaks His Truth* (Bloomington, IN: AuthorHouse, 2007).

5. Hebb, D. O., *The Organization of Behavior: A Neuropsychological Theory* (Mahwah, NJ: Lawrence Eribaum Associates, Inc., 2002).

6. Pascual-Leone, A. et al., "Modulation of muscle responses evoked by transcranial magnetic stimulation during the acquisition of new fine motor skills", *Journal of Neurophysiology*, vol.74(3): 1037–1045(1995).

••• NOTAS •••

7. Szegedy-Maszak, Marianne, "Mysteries of the Mind: Your unconscious is making your everyday decisions", *U.S. News & World Report* (28 de fevereiro de 2005). Ver também John G. Kappas, *Professional Hypnotism Manual* (Knoxville, TN: Panorama Publishing Company, 1999). Minha primeira exposição a esse conceito foi em 1981, quando estudei hipnose com John Kappas no Hypnosis Motivation Institute. Na época, ele declarou que o subconsciente era 90% da mente. Recentemente, os cientistas estimaram que essa porcentagem está na faixa de 95%. De um jeito ou de outro, é uma grande porcentagem.

8. Sapolsky, Robert M., *Why Zebras Don't Get Ulcers* (Nova York: Henry Holt and Company, 2004). Sapolsky é um dos principais *experts* em estresse e seus efeitos no cérebro e no corpo. Ver também Joe Dispenza, *Evolve Your Brain: The Science of Changing Your Mind* (Deerfield Beach, FL: Health Communications, Inc., 2007). Além disso, o vício emocional é um conceito ensinado na Ramtha's School of Enlightenment; ver JZK Publishing, divisão da JZK, Inc., editora da RSE, em: http://jzkpublishing.com ou http://www.ramtha.com.

9. Church, Dawson, Ph.D., *The Genie in Your Genes: Epigenetic Medicine and the New Biology of Intention* (Santa Rosa, CA: Elite Books, 2007).

10. Lipton, Bruce, Ph.D., *The Biology of Belief* (Carlsbad, CA: Hay House, 2009).

11. Rabinoff, Michael, *Ending the Tobacco Holocaust* (Santa Rosa, CA: Elite Books, 2007).

12. Church, Dawson, Ph.D., *The Genie in Your Genes: Epigenetic Medicine and the New Biology of Intention* (Santa Rosa, CA: Elite Books, 2007).

13. Murakami, Kazuo, Ph.D., *The Divine Code of Life: Awaken Your Genes and Discover Hidden Talents* (Hillsboro, OR: Beyond Words Publishing, 2006).

14. Yue, G. e K. J. Cole, "Strength increases from the motor program: comparison of training with maximal voluntary and imagined muscle

contractions", *Journal of Neurophysiology*, vol. 67 (5): 1114–1123 (1992).

15. Cohen, Phillip, "Mental gymnastics increase bicep strength", *New Scientist* (21 de novembro de 2001).

16. Dispenza, Joe, *Evolve Your Brain: The Science of Changing Your Mind* (Deerfield Beach, FL: Health Communications, Inc., 2007).

17. Goleman, Daniel, *Emotional Intelligence* (Nova York: Bantam Books, 1995). Ver também Daniel Golemann e o Dalai Lama, *Destructive Emotions: How Can We Overcome Them?* (Nova York: Bantam Books, 2004).

18. Bentov, Itzhak, *Stalking the Wild Pendulum: On the Mechanics of Consciousness* (Rochester, VT: Destiny Books,1988). Ver também Ramtha, *A Beginner's Guide to Creating Reality* (Yelm, WA: JZK Publishing, 2005). O modelo quântico da realidade estabelece que "coisas" ou "não coisas" são ondas de informação vibrando em diferentes frequências. Faz sentido então que, quanto mais lenta a vibração, mais densa a matéria e vice-versa. As emoções de estresse reduzem nossas vibrações a mais matéria e menos energia.

19. Wallace, B. Alan, Ph.D., *The Attention Revolution: Unlocking the Power of the Focused Mind* (Boston: Wisdom Publications, Inc., 2006).

20. Robertson, Ian, Ph.D., *Mind Sculpture: Unlocking Your Brain's Untapped Potential* (Nova York: Bantam Books, 2000). Ver também Andrew Newberg, Eugene D'Aquili e Vinci Rause, *Why God Won't Go Away: Brain Science and the Biology of Belief* (Nova York: Ballantine Books, 2001).

21. De um diálogo com Rollin McCraty, Ph.D., diretor de pesquisa do HearthMath Research Center, Boulder Creek, Califórnia, em outubro de 2008, sobre a pesquisa referente ao movimento de energia do corpo para o cérebro através do coração durante a coerência. Ver Rollin McCraty et al., "The coherent heart: heart-brain interactions,

psychophysiological coherence, and the emergence of system-wide order". *Integral Review*, vol. 5(2) (dezembro de 2009).

22. Dispenza, Joe, *Evolve Your Brain: The Science of Changing Your Mind* (Deerfield Beach, FL: Health Communications, Inc., 2007).

23. Laibow, Rima, "Medical Applications of NeuroFeedback", em *Introduction to Quantitative EEG and Neurofeedback*, de James Evans e Andrew Abarbane (San Diego: Academic Press, 1999). Ver também Bruce Lipton, Ph.D., *The Biology of Belief* (Carlsbad, CA: Hay House, 2009).

24. Fehmi, Les, Ph.D., e Jim Robbins, *The Open-Focus Brain: Harnessing the Power of Attention to Heal Mind and Body* (Boston: Trumpeter Books, 2007).

25. Kappas, John G., Ph.D., *Professional Hypnotism Manual* (Knoxville, TN: Panorama Publishing Company, 1999).

26. Murphy, Michael e Steven Donovan, *The Physical and Psychological Effects of Meditation: A Review of Contemporary Research with a Comprehensive Bibliography, 1931–1996*, 2ª edição (Petaluma, CA: Institute of Noetic Sciences, 1997).

27. Lutz, Antoine et al., "Long-term meditators self-induce high-amplitude gamma synchrony during mental practice", *PNAS (Proceedings of the National Academy of Sciences)*, vol. 101(46): 16369–16373 (16 de novembro de 2004). Também tive um diálogo maravilhoso com Richard Davidson, em abril de 2008 na Mayo Clinic durante a conferência "Mind and Life" em Rochester, Minnesota.

28. Fehmi, Les, Ph.D., e Jim Robbins, *The Open-Focus Brain: Harnessing the Power of Attention to Heal Mind and Body* (Boston: Trumpeter Books, 2007).

29. Condensado, ver o Apêndice A para a versão completa.

30. Condensado, ver o Apêndice B para a versão completa.

31. Na indução pelas partes do corpo existe um motivo para eu falar as palavras "no espaço" repetidamente. De acordo com o monitoramento por EEG enquanto indivíduos executavam a meditação guiada, eles transitaram pelo estado de ondas cerebrais Alfa quando guiados para ficar cientes do espaço que seus corpos ocupavam no espaço e do volume que esse espaço ocupava no espaço. A verbalização e essas instruções produziram diferenças funcionais imediatamente perceptíveis nos padrões de onda dos indivíduos. Ver Fehmi, Les, Ph.D., e Jim Robbins, *The Open-Focus Brain: Harnessing the Power of Attention to Heal Mind and Body* (Boston: Trumpeter Books, 2007).

CITADEL
Grupo Editorial

Livros para mudar o mundo. O seu mundo.

Para conhecer os nossos próximos lançamentos
e títulos disponíveis, acesse:

🌐 www.**citadel**.com.br

f /**citadeleditora**

📷 @**citadeleditora**

🐦 @**citadeleditora**

▶ Citadel - Grupo Editorial

Para mais informações ou dúvidas sobre a obra,
entre em contato conosco pelo e-mail:

✉ contato@**citadel**.com.br